JN100113

MATT RIDLEY

マット・リドレー

大田直子 訳

人類とイノベーション

HOW INNOVATION WORKS

世界は「自由」と「失敗」で進化する

AND WHY IT FLOURISHES IN FREEDOM

NEWS PICKS
PUBLISHING

人類とイノベーション

フェリシティ・ブライアンに捧ぐ

HOW INNOVATION WORKS
And Why It Flourishes in Freedom
by Matt Ridley

First published in Great Britain by 4th Estate in 2020
Japanese translation rights arranged
with Matt Ridley c/o Felicity Bryan Ltd, Oxford, U.K.
through Tuttle-Mori Agency, Inc., Tokyo

目次

第2章 公衆衛生のイノベーション

第3章 輸送のイノベーション

第4章 食料のイノベーション

第5章 ローテクのイノベーション

第6章 通信とコンピュータのイノベーション

第7章 先史時代のイノベーション

第8章 イノベーションの本質

第9章 イノベーションの経済学

第10章 偽物のイノベーション

第11章 イノベーションへの抵抗

第12章 現代のイノベーション欠乏を突破する

はじめに

「イノベーションが差し出すのは、極上のアメか赤貧というムチ」
――ヨーゼフ・シュンペーター

イノベーションとは何なのか

私はイングランド北東沖に浮かぶ島、インナー・ファーン島の小道を歩いている。道のわきに咲き乱れる花のなかに、こげ茶色の雌(メス)のケワタガモがうずくまっている。ヒナをかえそうと静かに卵をあたためているのだ。

私は数メートル離れたところから、iPhoneで写真を撮ろうと身をかがめる。彼女はこんなことに慣れている。夏には毎日、何百人もの観光客が押しかけ、大勢が彼女の写真を撮る。

シャッターを押すと、ふと、ある考えが私の頭に浮かんだ。友人のエネルギー政策研究者、ジョン・コンスタブルの意見を下敷きにした、「熱力学の第2法則」についての考えだ――。

iPhoneのバッテリー内の電気とケワタガモの体の温(ぬく)もりは、ほぼ同じことをしている。つまり、エネルギーを消費または変換することによって、偶然にはありえない秩序(写真、子ガモ）をつくっている。そしてさらに、ケワタガモとｉＰｈｏｎｅについてのような、たったいま私の頭に浮かんだ考えそのものも、私の脳内におけるシナプス活動のありえない配列であり、その配列も当然、私が最近食べたものからのエネルギーに支えられているが、それを可能にするのは脳に内在する秩序であり、その秩序自体が何百万年ものあいだ個体に作用している自然淘汰による進化の産物であり、個体それぞれの「ありえなさ」はエネルギー変換によって維持されてきた。

生命もテクノロジーも詰まるところ、ありえない万物の配列であり、エネルギー生成の結晶なのだ。

ダグラス・アダムスの名作ＳＦ『銀河ヒッチハイク・ガイド』（河出書房新社）に登場する銀河帝国大統領の宇宙船は、「無限不可能性（ありえなさ）ドライブ」という装置を実装している。その名のとおり、ありえない偶然を可能にしてしまう装置だ。

しかし、ほぼ無限不可能性ドライブは実在する。ただしここ地球上に、「イノベーション」という姿で。

イノベーションはさまざまなかたちで生まれるが、すべてに共通し、さらに進化によって生じた生物学的イノベーションとも共通するのは、「ありえなさ」が高められていることだ。つまり、ｉＰｈｏｎｅであれ、考えであれ、子ガモであれ、イノベーションはすべて、原子やデジタル情報のありえない組み合わせである。ｉＰｈｏｎｅ内の原子が何十億というトランジスタと液晶になるよう偶然にきちんと配列されたり、子ガモ内の原子が血管やふわふわした羽毛をつくるよう偶然に配列されたり、私の脳内のニューロン発火が「熱力学の第2法則」の概念を表現できて、現に表現することもあるパターンになるよう偶然に配列されることは、天文学的なありえなさである。

イノベーションは進化と同様、偶然に生じることはありえない——そしてたまたま役に立つ——かたちに、万物を再配列する方法をどんどん見いだしていくプロセスだ。結果として生まれるものはエントロピーの逆、つまり材料の以前の状態よりも秩序だっていて、乱雑さが小さい。

そしてイノベーションは潜在的に無限である。なぜなら、やるべき新しいことがなくなっても、同じことをより迅速に、またはより少ないエネルギーでやる方法は、つねに見つけられるからだ。

この宇宙では、熱力学第2法則のもと、エネルギーが供給されるためには、必ずどこかほかの場所の何かほかのものの秩序が奪われるので、システム全体のエントロピーは増える。エネルギー源がなければエントロピーが局所的に不可逆であることは必然であり、したがって不可能性ドライブの力を制限するものはエネルギー供給以外にはない。

エネルギーを注意深く世界に応用するかぎり、人間はより独創的な、ありえない構造をつくることができる。ここインナー・ファーン島から見える中世のダンスタンバラ城はありえない構造物であり、700年後にその一部が崩れることのほうがありえることで、エントロピー増大の法則に沿っている。全盛期の城は多大なエネルギー消費の直接的結果だった。この場合、エネルギーが費(つい)やされたのはおもに石工の筋肉のなかであり、その石工はパンとチーズを食べ、そのパンは小麦からつくられ、チーズは日光を浴びて育って牛に食べられた草からつくられていた。

コンスタブルは、私たちが生活を豊かにするために頼っているものについて、次のように指摘している。

すべて例外なく熱力学的平衡にはほど遠い物理的状態であり、世界はときに長い時間をかけて、エネルギー変換によってこうした都合のいい構成にもちこまれたが、エネルギーが使われると宇宙の片隅、つまり私たちの宇宙のエントロピーは減り、どこかほかの場所では大幅にエントロピーが増えている。私たちの世界がより秩序だった、ありえない状態になると、私たちはより豊かになり、そして結果的に宇宙全体は無秩序になる。

イノベーションとは、エネルギーを利用してありえないものをつくり、つくられたものが広まるのを確かめるための、新たな方法を見つけることを意味する。それは「発明」よりはるかに大きな意味をもつ。なぜならイノベーションという言葉には、使う価値があるほど実用的で、手ごろな価格で、信頼できて、どこにでもあるおかげで、その発明が定着するところまで発展させるという含みがあるからだ。

ノーベル賞経済学者のエドマンド・フェルプスは、イノベーションを「世界のどこかで新たな慣行になる新しい手法や新しい製品」と定義している。

本書では、通常ひとつのアイデアをほかのアイデアと結びつけることによって広めようという長い奮闘のすえに、発明がイノベーションへとつながるアイデアの道をたどるつもりだ。

そして出発点はこうなる。イノベーションは現代世界にまつわる最も重要な事実だが、きちんと理解されていない事実でもある。イノベーションは、ほとんどの現代人が祖先とくらべて繁栄し、賢明な生活を送っている理由であり、ここ数世紀の大富裕化の確かな原因であり、極貧率が史上初めて世界的に急落した——私が生まれてからこれまでに世界人口の50パーセントから９パーセントに下がっている——ことの簡潔な説明である。

経済史学者のディアドラ・マクロスキーが言うように、欧米だけでなく中国やブラジルも含めて、ほとんどの人が先例のないほど豊かになったのは、「イノベーション主義」のおかげだった。つまり、生活水準の向上に新しいアイデアを応用する習慣だ。

この数世紀に見られる大富裕化は、イノベーション主義以外では説明がつかない。何世紀にもわたって貿易が拡大し、それにともなって植民地搾取が増大していたが、それだけでは桁ちがいの所得向上のようなものを説明することはできない。そのような変化を起こすのに足る資本の蓄積はなく、マクロスキーの言葉を借りれば、「レンガの積み上げも、学士号の積み重ねも」なかった。利用できる労働力が十分に増えることもなかった。ガリレオやニュートンが行なったような科学革命もなかった。

イノベーションは科学より「先」に生まれる

人びとの生活を変えたイノベーションのほとんどは、少なくとも最初は、新しい科学知識に負うところは少なく、変化を促したイノベーターのほとんどは、教育を受けた科学者ではなかった。それどころか、蒸気機関を発明したトーマス・ニューコメンや、織物革命を起こしたリチャード・アークライト、鉄道の父ジョージ・スティーヴンソンのように、多くのイノベーターは出自が低く、ろくな教育を受けていなかった。

多くのイノベーションは、それを支える科学より先に生まれている。したがってフェルプスが論じているように、産業革命はじつのところ、内部で進行するイノベーションを製品そのものとして生みだす、新手の経済システムの出現だったのである。いくつかの機械そのものがこれを可能にしたのだと、私は主張したい。蒸気機関は「自己触媒的」だったとわかっている。具体的には、蒸気機関は炭坑の排水を行ない、それが石炭のコストを削減し、そのおかげで次の機械をより安く、より容易につくることが可能になった。しかしこの話は本文に譲ろう。

イノベーションの謎

「イノベーション」という言葉は、先進的と思われようとする企業によって驚くほど頻繁に使われるが、それがどうして起こるかについての体系的な概念はほとんど、またはまったく確立されていない。意外な真実だが、イノベーションがなぜ起こるのか、どうやって起こるのか、そしてもちろん次にいつどこで起こるのか、誰もほんとうのところは知らない。

経済史学者のアンガス・マディソンは、「技術の進歩は近代の成長の最も重要な特徴であり、数値化や説明が最も難しい特徴である」と書いている。やはり経済史学者のジョエル・モキイアによると、学者は「テクノロジーの進歩を助長し刺激するような制度について、驚くほど知らない」という。

たとえば、薄切り食パンを考えよう。画期的な発明の代表格だ。振り返ってみると、きれいにそろったサンドイッチをつくるために、自動的に食パンをあらかじめスライスする方法を誰かが発明するつもりだったことは明らかだ。それが実現するのはおそらく、電動機械が初めて大ブームになった20世紀前半になるだろうことも、かなりはっきりしている。

しかし、なぜ1928年だったのか？　そしてなぜ、ミズーリ州の真ん中のチリコシーという小さな町だったのか？

大勢の人がパンをスライスする機械をつくろうとしたが、どれもうまくスライスできないか、または包装がまずいせいでパンが硬くなってしまう。

うまくやってのけたのがオットー・フレデリック・ローウェダーだ。アイオワ州で生まれ、シカゴで眼鏡技師としての訓練を受け、ミズーリ州セントジョセフで宝石商として店を開き、その後、パンのスライサーを発明しようとなぜか決意して、アイオワ州にもどっている。

１９１７年にローウェダーは最初の試作品を火事で燃やしてしまい、再びゼロから始めなくてはならなかった。決定的に重要なこととして、スライスしたパンが硬くならないように、パンを自動的に包装する方法も同時に発明しなくてはならないことに、彼は気づいた。ほとんどのパン屋は興味をもたなかったが、フランク・ベンチという人物がオーナーだったパン屋が関心を示し、あとは知ってのとおりだ。

ミズーリ州の何が特別だったのか？　20世紀半ばの一般的なアメリカ人のイノベーション好きや、それを実現する手段以上に最も有力な説は、「成り行きの運だった」ということである。セレンディピティ（偶然の幸運）はイノベーションで大きな役割を果たす。だからこそ、自由に探し求めて実験するチャンスのある自由主義経済が、これほどうまくいっている。運にチャンスを与えるのだ。

イノベーションは人びとが自由に考え、実験し、冒険できるときに起こる。人びとが交換を行なえるときに起こる。人びとが比較的繁栄していて、絶望していないときに起こる。イノベーションはある程度人から人へ広がりやすい。投資を必要とする。一般に都市で起こる。その他いろいろ言われている。

しかし私たちはほんとうに理解しているのか？　イノベーションを促す最良の方法は何か？　目標を設定し、調査を行ない、科学を支援し、規則と基準を決める？　それとも、そういうものすべてから手を引き、規制を撤廃し、人びとを自由にする？　それとも、アイデアに財産権を設定し、特許を認め、賞金を渡し、メダルを発行する？　将来を心配するのか、それとも希望に満ちているほうがいいのか？

こうした政策のすべてに関して、熱心に意見を主張する擁護者が見つかるだろう。しかしイノベーションの特筆すべきところは、いまだにどれだけ謎が多いか、である。イノベーションがいつどこで起こるかはもちろん、なぜ起こるのかを十分に説明できる経済学者も社会学者もいない。

本書で私はこの大きな謎に取り組むつもりだ。そのために、抽象的な理論化や議論を多少は取り入れるが、おもに具体的な話をしようと思う。自分の（または他人の）発明を有益なイノベーションに変えたイノベーターたちに、成功例や失敗例、それが起きた経緯から学ばせてもらおう。

私としては、蒸気機関や検索エンジン、ワクチンや電子タバコ、輸送用コンテナやシリコンチップ、キャスター付きスーツケースや遺伝子編集、数字やトイレの話をしようと思う。トーマス・エジソンやグリエルモ・マルコーニから、トーマス・ニューコメンやゴードン・ムーアから、レディ・メアリー・ウォートリー・モンタギューやアル・フワーリズミから、ジェームズ・ダイソンやジェフ・ベゾスから話を聞こう。

すべての重要なイノベーションを実証することは望めない。いくつかとても重要で有名なもの、たとえば繊維産業の自動化や有限会社の歴史などを割愛しているが、特段の理由はない。芸術、音楽、文学のイノベーションもほとんど除外した。おもな事例は、エネルギー、公衆衛生、輸送、食料、ローテク、そしてコンピュータと通信の世界から集められている。

私が話す物語に出てくる人は英雄とはかぎらない。詐欺師や失敗者もいる。イノベーションは一般に思われているよりはるかにチームスポーツであり、共同事業なので、単独で働いている人はほとんどいない。出どころは完全に公正を欠いてはいないにしても、混乱していてよくわからない。

それでも、ほとんどのチームスポーツとちがって、イノベーションはふつう指導されるものでも、計画されるものでも、管理されるものでもない。多くの未来予測家が思い知って赤面してきたように、イノベーションは容易に予測できるものではない。おもに試行錯誤で進行する、人間バージョンの自然淘汰である。そして、何かほかのものを探しているときに、偶然突破口が見つかることがよくある。まさにセレンディピティなのだ。

私は人間の文化の黎明期までさかのぼって、そもそも何がきっかけでイノベーションが起こったのか、なぜ人間に起こるのにコマドリやカワラバトには起こらないのかを理解しようと試みる。チンパンジーとカラスも、たしかに新しい文化的習慣を身につけて広めることによってイノベーションを起こすが、非常にまれだし、かなりゆっくりだ。ほかの動物のほとんどはまったく起こさない。

イノベーションと人類の繁栄

私が『繁栄――明日を切り拓くための人類10万年史』（早川書房）を出版し、世界は過去も現在も未来も、悪い方向ではなく良い方向に進んでいるのだと、時代の流れにそぐわない主張をしてから10年のあいだに、人間の生活水準はほぼすべての人にとって、急速に上昇してきた。

あの本を書き終えたとき、世界はひどい不景気の深みにはまりつつあったが、それからの数年は、世界の多くの貧困者にとって、かつてない経済急成長の時代だった。平均的なエチオピア人の所得は10年で倍になった。極貧生活を送る人の数は史上初めて10パーセント未満に減った。マラリアの致死率は急激に下がった。戦争は西半球で完全になくなり、旧世界でもはるかにまれになった。低コストのＬＥＤライトが白熱灯と蛍光灯両方に取って代わった。電話での会話はＷｉＦｉで基本的に無料になった。もちろん悪くなったこともあるが、ほとんどの動向は好ましい。そのすべてがイノベーションのおかげである。

イノベーションが根本的にどうやって私たちの生活を変えるのかというと、人びとが互いのために働けるようにするのだ。私が前に主張したとおり、人類史の主要テーマは、生産するものが着実に専門化し、消費するものが着実に多様化していくことである。つまり、不安定な自給自足から、より安定した相互依存に移っている。週に40時間、他人のニーズを満たすこと――それは「仕事」と呼ばれる――に専念することにより、そのほかの（寝ている56時間は除いて）72時間を、他人によって提供されるサービスに頼ってすごすことができる。

イノベーションのおかげで、ほんの一瞬の労働で、電灯を1時間つけることができるようになった。その量の明かりを、もしもゴマ油やヒツジの脂を集めて精製し、それを単純なランプで燃やすことによって自分でつくらなくてはいけないとしたら、まる1日働く必要がある。人類の多くがそう遠くない過去に、それをやっていたのだ。

「破壊的イノベーション」という誤解

ほとんどのイノベーションはゆるやかなプロセスだ。ハーヴァード大学教授のクレイトン・クリステンセンが1995年に考え出した「破壊的イノベーション」に現代人はとらわれているが、これは誤解を招くおそれがある。

デジタルメディアが新聞に対して行なったように、新しいテクノロジーが古いものを覆（くつがえ）すときでさえ、その影響は非常にゆっくり始まり、だんだんにペースを速め、一定量ずつ効いていくのであり、飛躍的に進行するのではない。イノベーションは最初の数年は期待はずれであることが多く、いったん軌道に乗ってようやく予想を上回る。私はこの現象を「アマラ・ハイプサイクル」と呼ぶ。イノベーションの効用に対する人びとの評価は、長期的には低すぎるが短期的には高すぎると、最初に主張した未来学者のロイ・アマラにちなんで。

イノベーターの運命

たぶんイノベーションの最もわけがわからないところは、みんな口先では支持しているのに、ひどく不人気なことだろう。イノベーションは数え切れないほどのかたちで、ほぼあらゆる人の生活を良いほうに変えてきたという証拠がたくさんあるにもかかわらず、新しいものに対するほとんどの人の反射的反応は、たいてい「不安」であり、「嫌悪」の場合さえある。見るからに自分に役立つものでなければ、起こりうる良い結果より悪い結果のほうをはるかにたくさん想像しがちなのだ。

そして現状で既得権のある人たち、つまり投資家、経営者、そして従業員のために、イノベーターは邪魔される。イノベーションは繊細で傷つきやすい花であり、容易に踏みにじられるが、状況が許せばすぐに再び成長することを、歴史が証明している。

イノベーションのこの奇妙な現象とそれに対する抵抗は、3世紀以上前、大富裕化が始まる前に、あるイノベーターによって雄弁に語られていた――イノベーションという言葉は使っていなかったにしても。

ウィリアム・ペティは10代のときに船上の給仕係をしていて、脚(あし)を骨折した状態で外国の海岸に置き去りにされたが、そのあとイエズス会の教育を受け、哲学者トーマス・ホッブズの秘書になるにいたった。その後、オランダでしばらくすごしてから、医師でもある科学者として働き始め、そのあと商人として頭角を現わし、アイルランドの土地投機家、さらには国会議員になり、裕福で政治的影響力のある経済学研究の先駆者となった。

彼は発明家よりイノベーターとしてすぐれていた。じつは社会に出てまもなく、1647年にオックスフォード大学で解剖学の教授だったとき、複写器を発明し、特許を取得している――それを使って聖書の「ヘブル人への手紙」第1章の写しを2部、15分で作成することができた。さらには河川敷に支えを設置せずに橋をつくる計画や、トウモロコシを植えつけるための機関も発明した。

そのどれも普及しなかったようだ。ペティは1662年、発明家の運命について、しみじみと次のように嘆いている。

新しい発明が独占事業によって報われることはごくまれである。というのも、発明者は往々にして自分の功績についての意見に陶酔し、世間はみな自分の権利を侵害し邪魔立てするだろうと考えるが、私が見てきたところでは、ほとんどの人は、そもそも徹底して試されていないうえ、隠れた不都合がないことが証明されるだけの時間がたっていないような新しいものを、金を払って利用することなどほぼないのだ。

そのため新しい発明が初めて話題にのぼるとき、当初は誰もが反対し、哀(あわ)れな発明者は短気な賢人たちにむち打ちの刑に処される。みんな彼の発明のあら探しをして、自分の案にしたがって修正されないかぎり、それを受け入れはしない。この拷問(ごうもん)を生き延びる者は100

に1人もおらず、たとえ生き延びても結局、他人のさまざまな計略によって変更せざるをえないので、すべてを自分だけで発明したと言い切れる者はいないし、どの部分が誰の貢献かについても満足して同意できる者はいない。さらに、これは長きにわたる面倒になるのがつねなので、そのうちに哀れな発明者はこの世を去るか、自分の計画を追求するために負った借金で首が回らなくなる。そのうえ、彼の知力に協力して資金をつぎ込んだ人たちに、山師(やまし)以下だとののしられる。そうして当の発明者とその主張は、消えたものとして完全に忘れ去られるのだ。

第1章

エネルギーのイノベーション

「成功した事業には必ず、かつて勇気ある決断をした人がいる」
――ピーター・ドラッカー

蒸気機関の「起源」はあいまいだ

私が思うに、おそらく人類史上最も重要な出来事は、1700年ごろに北西ヨーロッパのどこかで起こり、それを達成したのは1人または複数の誰か（おそらくフランス人かイギリス人）だ。しかし、それが誰なのかを知ることはできない。

なぜそんなにあいまいなのか？　当時、その重要性に気づいた人はいなかっただろうし、そもそもイノベーションはあまり評価されていなかった。数人の候補のうち、誰の貢献がいちばん重要だったかについてもはっきりしない。しかも、つまずきながら少しずつ変化したのであって、これだという転機があったわけではない。こうした特徴はイノベーションの典型だ。

いま話している出来事とは、初めて制御下で熱が仕事に変換されたことであり、産業革命を不可避ではないにしても可能にした、ひいては現代世界の繁栄と今日見られるテクノロジーの驚くべき隆盛につながった、重大な進歩である（ここでいう「仕事」とは、物理学者が定義する広い意味ではなく、制御された活動的な動きという口語的な意味である）。

私はこの文章を、電気で動く電車に乗って、電灯の助けを借り、電気で作動するノートパソコンで書いている。その電気のほとんどは電線を伝って発電所から届いており、その発電所ではガスの燃焼や核分裂の熱によって水を沸かし、生成された蒸気の力で巨大なタービンが高速回転している。発電所の目的は、燃焼の熱で水を蒸気に膨張させて圧力を発生させ、さらにその力をタービンの翼の運動に変え、それが電磁石内で動くことで電線内の電子の動きをつくり出すことである。

同じようなことが車や飛行機のエンジン内部でも起こる。燃焼が圧力を生み、圧力が動きを引き起こすのだ。私やあなたが送っている生活を実現する膨大な量のエネルギーはほぼすべて、熱から仕事への変換によってもたらされる。

蒸気機関をめぐる少なくとも3人の功労者たち

1700年より前、人間が使うエネルギーはおもに2種類あった。「熱」と「仕事」だ（光は主として熱から生まれていた）。人びとは暖を取って食べ物を調理するために木や石炭を燃やし、物を動かす、つまり仕事をするのに自分や牛馬の筋肉を使い、たまに水車や風車を利用した。この2種類のエネルギーは別々であり、木や石炭が力学的な仕事をすることはなく、風や水やウシが何かを熱することもなかった。

1700年を数年すぎたころ、当初は小規模だったものの、蒸気が熱を仕事に変えるようになり、世界は不可逆の変化をとげた。この変換を行なう初の実用的装置はニューコメン機関だった。したがって、熱から仕事への変換を実現したイノベーターとして、私が最初に紹介する有力候補はトーマス・ニューコメンだ。私が彼を「発明者」と呼ばないことに注意してほしい。このちがいはとても重要だ。

ニューコメンの肖像画はなく、彼は1729年にロンドン北部イズリントンで永眠し、そこの某所で墓標のない墓に埋葬されている。やはりどこかはわからないが、そこから遠くないところに、彼のライバルのひとりであり、その着想の源だったかもしれないドニ・パパンの人目につかない墓がある。パパンはロンドンで貧民に身を落とし、1712年ごろに姿を見かけられなくなった。自分の業界でもう少し好意的に扱われたのは、1715年にウェストミンスター近くで亡くなったトーマス・セイヴァリだけである。

この3人は数年のあいだ近所に住んでいて、ほぼ同時代を生きており（生誕はパパンが1647年、セイヴァリがおそらく1650年ごろ、ニューコメンが1663年）、全員が熱から仕事への変換に決定的役割を果たした。しかし互いに会うことはなかった。

もちろん、蒸気に物を動かす力があると気づいたのは彼らが最初ではない。この原理を利用してつくられたおもちゃが古代ギリシアやローマでも使われていたし、庭園の噴水のような仕掛けのために、蒸気を使って水を押し出す装置を有能な技師がつくることもあった。しかし、この力を娯楽ではなく実用目的で利用することを思い描くようになったのはパパンが最初で、使いものにならなかったとはいえ、同じような夢を機械にしたのがセイヴァリであり、実際に変革を起こした実用的機械をつくったのがニューコメンである。

あるいは、従来そう語られてきた。深く掘り下げると、もっとややこしい話になる。フランス人のパパンはイギリス人のどちらか、または両方に盗作されたのでは？　セイヴァリかニューコメンが相手からひらめきを横取りした？　ひょっとすると、セイヴァリがパパンに触発されたのと同じくらい、逆もあったのでは？　ニューコメンはほかのふたりの成果に気づいていた？

ドニ・パパンはいちばんひっそり亡くなったが、生前は知性と名声という点でスターだった。彼は当時活躍していた多くのすぐれた科学者と仕事をしていたのだ。ロワール川沿いのブロワで生まれ、大学で医学を学んだ。１６７２年、偉大なオランダ人自然哲学者でパリの科学アカデミー会長だったクリスティアン・ホイヘンスによって、やはり有能でもっと名声を馳せることになった若き日のゴットフリート・ライプニッツとともに、助手として採用された。３年後、ルイ14世統治下のフランスで起こったプロテスタント迫害から逃れるために、パパンはロンドンに亡命することになる。

そのロンドンで、おそらくホイヘンスからの紹介でロバート・ボイルの助手になり、エアポンプの研究をした。次にしばらくロバート・フックに雇われたあとヴェネチアに向かい、科学学会の専門職員として３年をすごしてから、１６８４年にロンドンにもどり、王立協会のために同じ仕事をした。その途中のどこかで、骨を軟（やわ）らかくするための圧力鍋を発明している。１６８８年にはマールブルク大学の数学の教授になっており、その後、１６９５年にカッセルに移った。落ち着きがないというか、誰もあまり長くは彼と一緒にいられなかったという感じがする。

ホイヘンスがパパンを雇ったのは、円筒内で火薬を爆発させて真空をつくることによって作動する機械のアイデア（回り回って内燃機関につながったアイデア）を探るためだったが、パパンはすぐに、水蒸気を凝結させるほうがうまくいくかもしれないと気づいた。そして１６９０年から95年までのあいだに、シリンダーの中で水蒸気が冷えて凝結し、ピストンが押し込まれることで、滑車でおもりを持ち上げることができる、単純な仕掛けもつくっている。ピストンの下に真空ができると大気の重さが仕事をする、大気圧機関の原理を発見していたのだ。それは吹き出すのではなく吸い込む機械である。

１６９８年夏、ライプニッツとパパンは、パパンが設計した火を使って揚水ができる機関について、手紙のやり取りをしている。当時、鉱山から水をくみ出すことは解決すべき大問題だった。そこはウマが使いにくく、燃料は豊富な場所である。湿気の多い鉱山のほうが乾燥した鉱山より、火事のリスクが下がるので安全だったが、洪水はずっと鉱山労働者を苦しめていた。

けれども、パパンはすでに蒸気で船を動かすことを思い描いていた。「この発明は揚水のほかにもさまざまなことに使えると思う」と、ライプニッツにあてて書いている。「船での移動について言えば、もっと支援があれば、すぐにもこの目標を達せられると自負している」

アイデアはこうだ。ボイラーからの蒸気がピストンを押し、水をパイプ経由で外輪上に放出させる。そしてピストン室に新しい水が再流入して蒸気が凝結すると、ピストンは元にもどる。

1707年、パパンは実際に外輪つきの船をつくった。蒸気ではうまく動かせなかったようだが、代わりに人力によって、オールより外輪のほうがすぐれていることを示すためだ。彼はその船に乗り、イギリスに向かってヴェーザー川を進んだ。ところがこの競争にプロのこぎ手たちは腹を立て、船を破壊してしまった。ラッダイト以前にも機械打ち壊し運動があったわけだ。

歴史家のL・T・C・ロルトは、パパンは実際よりもっといろいろできたはずだと推論している。「もどかしいことに、実質的成功のまさに寸前に、優秀なパパンは道をそれてしまった」火を使う揚水に関するトーマス・セイヴァリの特許のことをライプニッツから教えられ、彼は船から蒸気そのものの研究にもどった。その特許は1698年、そのような機械のつくり方を知っているとパパンがライプニッツに自慢した、まさにその日に認められている。

その後、パパンは別の蒸気機関をつくっているが、彼が描いた図面から、それがセイヴァリ機関の修正版であることは明らかだ。とはいえ、パパンが王立協会の元同僚に送ったさまざまな手紙から、たしかにセイヴァリがパパンの設計について耳にしていた可能性はある。ただし、彼の揚水機はパパンのものとはまったくちがう。誰が誰をまねていたのだろう?

タイミングの偶然は妙だが、いかにも発明家らしい。テクノロジーの進歩には機が熟す瞬間があるかのように、同じ発明が同時に別の場所で行なわれたことは何度もある。それは必ずしも盗用を意味するものではない。この場合、金属加工技術の向上と、鉱業の利益増大と、真空に対する科学的興味が北西ヨーロッパに集結したため、初歩的な蒸気機関の誕生はほぼ必然だったのだ。

セイヴァリはニューコメンと同じくらい謎めいた人物だ。肖像画はなく、誕生日もわかっていない。ニューコメンと同様にデヴォン州の出身である。わかっているのは、1698年7月25日、パパンがライプニッツに蒸気船の設計について書き送ったまさにその日に、セイヴァリが「火の推進力による揚水」について、14年間の特許を認められたことだ。翌年、特許は1733年まで21年以上延長された——結果的には、セイヴァリの相続人への豪華すぎる贈り物になった。

セイヴァリの機械の仕組みはこうだ。火にかけられた銅製のボイラーが蒸気をレシーバーと呼ばれる水の入ったタンクに送ると、タンクの水が押し出され、逆流防止弁を通って真鍮(しんちゅう)製のパイプを揚がっていく。レシーバーが蒸気で満たされると、ボイラーからの供給が止まり、レシーバーに冷水がかけられて、内部の蒸気が消失して真空ができる。すると別のパイプを通って水が下から吸い上げられ、再びサイクルが始まる。

1699年、セイヴァリは王立協会でレシーバー2個のバージョンを実演している。どこかの時点で、複合バルブによって2個のうちどちらかのレシーバーを蒸気で満たし、連続で作動できるように、メカニズムを部分的に自動化したようだ。

1702年の広告には、セイヴァリの実演用模型が「ロンドンのソールズベリー、オールド・プレイハウスのわきにある彼の仕事場で、毎週水曜と土曜の午後3時から6時まで、動いているところをご覧いただけます」とある。彼はたしかに数台を貴族階級に売り、その1台はヨーク・ビルディングに設置された。現在はストランド街にあるが、当時はテムズ川のほとりにあり、ロンドンはその川から水を引いていた。だがその機械は失敗だった。鉱山のオーナーが興味をもたなかったのだ。揚水の距離が短く、燃料として必要な石炭が多すぎ、接合部から水が漏れ、しかも爆発しやすかった。イノベーションでは失敗はしばしば成功の父である。

パパンはおそらく自分の外輪船ではなく伝統的な帆船でイギリス海峡を渡り、1708年にはロンドンにいて、蒸気船建造の支援を得たいと考えていた。彼がセイヴァリと会ったかどうかはわからない。蒸気の天才としてイギリスで認められたいという彼の望みは、あっというまに打ち砕かれた。王立協会でアイザック・ニュートン卿の秘書だったハンス・スローンにあてた手紙は、しだいに必死さを増していったが、注目されることはなかった。ライプニッツの友人であることも助けにならない。誰が計算機を発明したかについて、ニュートンとライプニッツの激しい対立が最高潮に達しており（どちらも発明したが、ライプニッツ版のほうがすっきりしていた）、連帯で気の毒なパパンの王立協会での評判が悪化したことはまちがいない。「王立協会の会合で読まれていて、登録簿で言及されていない私の論文が少なくとも6本あります。たしかに私は哀れな状況にあります」と、1712年1月、パパンはスローンに書き送っている。

その後、パパンは消息を絶った。とにかく消え失せたので、彼がその年、遺書や埋葬記録を残せないほどの貧しさのなかで死亡したにちがいない、と歴史家は考えている。

セイヴァリは3年後に亡くなるが、パパンほどひっそりではないにしても、国家のヒーローではなかった。彼はひとつ重要な遺産を遺した。揚水に火を使うことに関する特許であり、そのおかげでニューコメンは何年間もセイヴァリの相続人と提携せざるをえなかった。

そういうわけで、長髪のかつらをつけて貴人たちともつき合っていたこのふたりの科学者のどちらも、世界を変えることはできなかった。その仕事は、デヴォン州ダートマス出身のしがない鍛冶工、トーマス・ニューコメンにゆだねられたのだ。彼は金物商だったが、当時のそれはどちらかというと技師や鍛冶工に近く、彼は1658年にガラス職人で配管工のジョン・コーリーと事業を始めた。彼がどうやって1712年、つまりパパンの没年に、本格的な蒸気機関の設計にたどりついたのか、ほとんど何もわかっていない。

何世紀にもわたってほとんどの歴史家は、知性豊かな教授が失敗したことに一介の鍛冶工が成功できたとは信じたがらず、パパンのアイデアとセイヴァリのアイデアがニューコメンに影響を与えた可能性があることを前提としてきた。たとえば、かつてフランスで人気だった陰謀説は、パパンがスローンにあてて書いた手紙を誰かがニューコメンに渡したのだ、というものだ。彼がコーンウォールのスズ鉱山でセイヴァリの機械を見たのだろうという憶測もあるが、どれも細かく調べると矛盾点が多いので、彼がロンドンの学者たちの業績を何も知らなかった可能性は残っている。それどころか、セイヴァリが特許を取得し、パパンがライプニッツに手紙を書いた1698年より前に、ニューコメンは最初の設計を手がけていたと主張する情報源もある。

その情報源とは、唯一、ニューコメン本人を実際に知っていた人物で、モルテン・トリヴァルドという名のスウェーデン人だ。彼はニューコメンやコーリーと一緒に仕事をして、初期の機関を数台、ニューカッスルに建造したあと、その技術をスウェーデンに持ち帰った。彼はニューコメンについて、長いあいだ蒸気の実験を行なったすえに、機能する機械をつくり出したのだと述べ、偶然にシリンダー内への冷水噴射が発見されて突破口が開けたことを明らかにしている。

ニューコメン氏は10年も休むことなくこの火の機械に取り組んだが、もし全能の神が幸運な出来事を引き起こしてくれなかったら、望ましい効果を示すことはなかっただろう。模型をうまく作動させようとする最後の試みでたまたま、願った以上の効果が突然、次のような奇妙な出来事によって生まれた。冷水はシリンダーを取り囲む鉛のケースに流れ込むようになっていたのだが、スズのはんだで修理されていた不良箇所に穴があいてしまった。蒸気の熱のせいではんだが溶け、冷水の通り道を開いたため、水はシリンダーに勢いよく入り込み、すぐさま蒸気を凝結させて大きな真空空間をつくり出したので、ポンプ内の水の重さと釣り合うはずだった小さなビームにつけられたおもりは軽すぎて、大気がピストンを法外な力で押し、つながっていた鎖をちぎり、ピストンが小さなボイラーの蓋だけでなくシリンダーの底も砕いた。飛び散った湯を見た人たちは、これまでまったく知られていなかった途方もなく強い力が発見されたのだと、肌で感じたのである。

ニューコメンの設計は、この冷水噴射によってシリンダー内の蒸気を消失させ、大気の重みで崩壊する真空のエネルギーを、ピストンとビームの梃子によってポンプに伝えた。セイヴァリの設計より安全で強いメカニズムだ。原寸大のものがニューコメンの仕事場に近いコーンウォールのスズ鉱山に初めて建造された可能性はあるが、確実な証拠は残っていない。

　確実にわかっている世界初の機能するニューコメン機関は、1712年、ウォリックシャー州のダドリー城近くに建設された。トリヴァルドによると、約40リットルの水を深さ約50メートルから炭鉱の外に、1分間に12回くみ上げたという。1719年にトーマス・バーニーが制作したエッチングには、その機械のみごとな複雑さが描かれており、ロルトの主張では「セイヴァリの不完全なポンプやパパンの科学玩具」とは大ちがいである。彼はこう続けている。「テクノロジーの歴史で、これほど重大な発明が、ひとりの人物によって、これほど迅速に、これほど成熟したかたちで開発された例はほとんどない」

とはいえ、当初それはおそろしく効率の悪い装置だった。ニューコメン機関は現在の基準に照らせばモンスターだ。小さい家ほどの大きさで、煙を出し、ガチャガチャシューシューと重い音を立て、石炭が燃えるエネルギーの約99パーセントを無駄にしている。ジェームズ・ワットの独立復水器、弾み車(フライホイール)や駆動軸(ドライブシャフト)などの改良により、燃料が安価だった炭鉱以外の分野で使えるものになったのは、数十年後のことだ。

歴史を変えたイノベーションはなぜ1712年に出現したのか

ニューコメン蒸気機関は近代世界の母であり、テクノロジーが骨の折れる野良(のら)仕事、流し場や作業場でのつらい仕事から人びとをどんどん解放し、仕事の生産性を大幅に増大させるようになる時代の先駆けとなった。それはとても重要なイノベーションである。

それなのに、どうして出現したのかは不思議なほどあいまいだ。ドニ・パパンの例に見られるような、イギリスとフランスにおける科学の進歩のおかげだったのか? 少しはあったかもしれないが、ニューコメンはどうやらそれについて何も知らなかったようだ。17世紀後半に冶金技術が向上し、大きな真鍮のシリンダーとピストンをつくることができるようになったから? それもひとつだろう。イギリスの森林が縮小して木材の価格が上がったことで、石炭産業が劇的に拡大し、それとともにポンプ設備の需要が増えたから? ある程度までは。オランダ人が始めた貿易が北西ヨーロッパで拡大し、資本や投資や企業の創出につながったから？　たしかに一部はそうだ。

しかしなぜ、中国やヴェネチア、エジプト、ベンガル、アムステルダムなど、ほかの貿易中心地ではそうした条件がそろわなかったのだろう？　それになぜ、1612年でも1812年でもなく、1712年だったのか？

イノベーションは振り返ってみるとしごく当たり前に思えるが、その時点で予測することは不可能なのだ。

ワットの陰に隠れた功労者たち

1763年、ジェームズ・ワットという腕の立つ経験豊富なスコットランドの機器製作者が、グラスゴー大学が所有するニューコメン機関の模型の修理を依頼された。その模型はほとんど動かなかった。

ワットはどこが悪いのか理解しようとするうち、ニューコメン機関一般について、もっとずっと早くに突き止められるべきだったあることに気づいた。蒸気を凝結させるための水が噴射されてシリンダーが冷えたあと、それを再度加熱するたびに、蒸気のエネルギーの4分の3が浪費されているのだ。シリンダーを熱いままに保ちながら、蒸気は冷たい容器で凝結するために引き出せるよう、独立した復水器を使うというシンプルなアイデアを、ワットは思いついた。一挙に蒸気機関の効率を改善した。ただし例によって、彼のアイデアを実用的な装置にするためには、金属加工技術をきちんと整えるのに何カ月もの努力が必要だった。

この原理を小さな試作機関で実証したあと、ワットはまず特許を取得するためにジョン・ローバックと、次に原寸大の機械を建造するために起業家のマシュー・ボールトンと協力関係を結んだ。彼らがその機械を公表した1776年3月8日は、やはりスコットランド人のアダム・スミスが書いた『国富論』が出版される前日だった。

ボールトンはワットに、ピストンの上下運動を、製造所や工場で使うためにシャフトを回すことができる円運動に変換する手法を開発してほしいと依頼した。クランクと弾み車はジェームズ・ピカードに特許を取得されていたため、ワットはしばらく開発をはばまれ、遊星歯車装置と呼ばれる代わりのシステムを開発せざるをえなかった。逆にピカードはクランクのアイデアを、ボールトンが所有するソーホーの工場で働く飲んだくれの従業員から得ており、この単純な装置の起源は混沌としている。

特許が改良の道を邪魔するというこの事例にもかかわらず、ニューコメンに対するセイヴァリと同様、ワットも自分の特許を守ることに熱心で、ボールトンが政界とのコネをうまく利用し、ワットのさまざまな発明について長期的かつ広範な特許を取得した。ワットの訴訟好きのせいで、工場の動力源としての蒸気の展開がどれだけ遅れたかは激しい論争の的となっている問題だが、主要な特許が切れた1800年に、蒸気の実験と応用が急速に広まったことはたしかだ。実際、蒸気機関の効率と普及率が着実に少しずつ上がった理由のひとつは、ジョン・リーンという鉱山技師が始めた「リーンズ・エンジン・レポーター」という記録の公開にある。これがオープンソフトウェア運動のような働きをして、さまざまな技師のあいだに改良の提案を広めた。

私の言いたいことは単純だ。ワットはまちがいなく優秀な発明家だったが、彼の功績でないものまで彼のものとされており、逆に大勢のさまざまな人びとの協力は、その功績を認められていない。

1819年にワットが亡くなってから5年後、彼の記念碑を建てるための寄付金が募られた。記念碑はおもに戦争に勝った人のためのものだった当時にしては異例のことだ。ザ・ケミスト誌の編集者は、かなり鋭くこう述べている。「彼がほかの市民の恩人とちがうのは、市民の役に立つことを目的にしたこともなければ、そうするふりをしたこともなかったことだ。……この気取りのない人物のほうが、市民の幸福に気を配ることを自分の特別大事な仕事だとしてきた人たち全員より、現実に世界に大きな利益をもたらした」

エジソン以前に「電球」を発明した人びと

それからしばらくして、発明の分野全体にとって象徴的なエネルギーイノベーションが起こった。電球だ。

私は故郷を愛する北東部生まれとして、電球のイノベーターのひとりがゲーツヘッドのタイン川から数キロ以内に住んでいたことを、指摘せずにはいられない。彼の名前はジョセフ・ウィルソン・スワン。1879年2月3日、ニューカッスル文学哲学協会で700人の聴衆を前に、電流が通る炭素フィラメントの入った真空のガラス電球を使って、部屋を——講演のために——照らせることを初めて実証した。

それまでにすでに電気はアーク灯というかたちで明かりを提供していた。問題は、ひどくまぶしく照らすことしかできなかったことだ。光の「細分」がスワンの解決しようとしていた問題だった。電流を小さな流れに分けて、適度な明かりの源をたくさんつくろうというのだ。真空内で電気を流せば、白熱する線、つまりフィラメントは燃えないことに気づいたのが決定的だった。吹きガラスの内部に十分な真空をつくること、そしてフィラメントとして確実に機能する素材を見つけること、このふたつがスワンの解決しようとしていた問題だ。１８５０年にできた最初の試作品から20年以上のあいだ、問題解決は難航した。

でも、ちょっと待った。電球を発明したのはトーマス・エジソンでは?

そのとおり、彼が発明した。しかしベルギーのマルスラン・ジョバールもやった。イギリスのウィリアム・グローヴ、フレデリック・デ・モレーンズ、ウォーレン・デ・ラ・ルー（そしてスワン）もやった。ロシアのアレクサンドル・ロディーギンも、ドイツのハインリッヒ・ゲーベルも、フランスのジャン＝ウジェーヌ・ロベール＝ウーダンも、カナダのヘンリー・ウッドワードとマシュー・エヴァンスも、アメリカのハイラム・マキシムとジョン・スターなどもやった。この人たちひとり残らず全員、トーマス・エジソンより前に、ガラスの電球の中に白熱するフィラメントというアイデアを考え出すか、公表するか、特許を取得するかしている。電球内部が真空のものもあれば、窒素を入れるものもあった。

実際、１８７０年代末までに独自に白熱電球を設計した、または重大な改良を加えたと主張できる人は21人いる。ほとんどが互いに無関係であり、この数には、シュプレンゲル水銀真空ポンプのような、電球の製造を助けるきわめて重要なテクノロジーを発明した人は入っていない。そのなかでスワンは唯一、その仕事が徹底しており、特許がすぐれていたため、エジソンが一緒に事業を始めるしかなかった人物だ。

「孤高の天才発明家」という神話を捨てよう

じつは電球の物語は「大胆な発明家」の重要性を説明する例にはほど遠く、その逆の話であることがわかる。つまり、イノベーションは段階的で、漸進的で、集積的だが、それでもどうしても避けられないプロセスだという話である。電球は当時のテクノロジーがいくつも結びついて、必然的に出現した。ほかのテクノロジーの進歩を前提として、現われるべきときに現われたのだ。

それでも率直に言って、エジソンはその評判に値する。なぜなら、彼は電球の材料の大部分を最初に発明したのではないかもしれないし、１８７９年10月22日に突然ピンときて突破口が開けた話は、だいたい後づけの伝説にもとづいているとはいえ、彼がすべてを集めて、電気を起こして分配するシステムと結びつけ、それによって、灯油ランプとガスランプという当時現役だったテクノロジーに、初めて実際的な挑戦をしたからだ。

「出来るまでは出来るふりをしろ」

そんなこんなのほうが、ピカッというひらめきよりよほど印象的だが、人には虚栄心がついて回る。つまり、人はただ勤勉であると思われるより、異彩を放つと思われるほうを好む。

エジソンは電球を（ほぼ）信頼できるものにした人物でもある。彼は長時間確実に切れない電球をつくったと、大言壮語を吐いたあと、その自慢話が真実だと証明するために、死に物狂いで探し始めた。これは今日、シリコンヴァレーで「出来るまでは出来るふりをしろ（Fake it till you make it）」と言われていることだ。

彼は炭素フィラメントをつくるのに最適の材料を見つけようと、６０００種類以上の植物材料を試した。「全能の神の作業場のどこかに、われわれが使うのにぴったりの幾何学的に強い繊維をもった植物の茂みがあるのだ」。１８８０年8月2日、１０００時間以上ももつことが証明された日本の竹が、最終的な勝者となった。

エジソンは発明家ではなく「イノベーター」だった

トーマス・エジソンは彼以前の誰よりも、そして彼以降の大半の人よりも、イノベーション自体が製品であり、その製造は試行錯誤を必要とするチームプレーであることを理解していた。電報業界から身を起こし、ストックティッカマシン（株価情報受信装置）に多角化したあと、１８７６年、ニュージャージー州メンローパークに、彼のいう「発明ビジネス」をするための研究所を開き、のちにウェストオレンジのさらに大きな設備に移った。２００人の熟練した職人と科学者のチームを結成し、彼らを情け容赦なくせっせと働かせた。元従業員ニコラ・テスラの交流電流の発明に対して、自分ではなくテスラがそれを発明したというだけの理由で、長期戦をしかけている。

エジソンのアプローチは功を奏し、6年間で400の特許を出願した。彼がつねにしつこく注力したのは、世界が必要としているものを調べてから、そのニーズを満たす方法を発明することであって、その逆ではなかった。

発明の手法はつねに試行錯誤だった。ニッケル鉄電池を開発するために、彼の部下は5万回の実験を行なっている。彼はありとあらゆる材料、道具、そして本を作業場に詰め込んだ。発明は1パーセントのひらめきと99パーセントの努力である、という彼の言葉は有名だ。しかし実際に彼がやっていたのは発明ではなく、むしろイノベーション、つまりアイデアを実用的で頼りになる、手ごろな価格の現実にすることだ。

とはいえ、電球のイノベーションは徐々に起こったにもかかわらず、結果的に人びとの生活様式を破壊的かつ根本的に変化させた。人工の明かりは文明の最も偉大な贈り物のひとつであり、それを安価にしたのが電球だ。1880年に平均賃金で1分働くと、灯油ランプの明かりが4分使えた。1950年には1分の労働で白熱電球の明かりが7時間以上使えた。2000年には120時間だ。人工の明かりが初めて庶民の手の届くものになって、冬の薄暗さを解消する一方、読書や学習の機会を広げ、ついでに火事のリスクも減らした。このようなイノベーションに大きなマイナス面はない。

「電球型蛍光灯」を推し進めた政府の愚策とLEDの登場

白熱電球は1世紀以上にわたって君臨し、21世紀の最初の10年まで、少なくとも家庭内では照明の形態としてまだ最有力だった。そして新しいテクノロジーへの移行はむりやりだった。つまり、その交代はあまりに不人気だったので、白熱電球が禁止される必要があったのだ。

２０１０年ごろ、電球型蛍光灯のメーカーによるロビー活動を受け、世界中の政府が、二酸化炭素排出量削減のために白熱灯を強制的に「段階的に廃止する」ことを決定したが、これは愚かな決定であることがわかった。電球型蛍光灯は点灯するのに時間がかかりすぎ、宣伝ほど長くもたず、捨てるのも危険だ。おまけに値段がはるかに高い。大部分の消費者の目から見ると、その省エネ効果はこうした欠点を補うほどではないので、強制的に売り込む必要があった。この購入強制とそれにともなう助成金のコストは、私の住むイギリスだけでも約27億５０００万ポンドと推定されている。

最悪なことに、政府はあと数年待っていたら、はるかにすぐれた代替品が出現することに気づいていただろう。省エネ効果が高く、デメリットは何もない。それは発光ダイオード、ＬＥＤである。ＬＥＤのコスト低下と品質向上のおかげで、電球型蛍光灯の時代はたった6年で終わり、あっという間にすたれて、メーカーは生産をやめた。１９００年の政府が、よりすぐれた内燃自動車を待つ代わりに蒸気自動車を買うよう、市民に強制したようなものだ。

電球型蛍光灯のエピソードはまるごと、政府による誤ったイノベーションを教える実例だ。経済学者のドン・ブードローは次のように述べている。「使う電球を別のタイプに切り替えるようアメリカ人に強制する法律はどれも例外なく、利益団体の政治活動と、大変なことになるにちがいないと悲観的な有権者をなだめるために考えられた見境のない象徴化との、忌まわしい融合の産物である」

ＬＥＤライトは、じつは長いあいだ出番を待っていた。その裏づけとなる、半導体は電気を通しているときに光ることがあるという現象は、１９０７年にイギリスで初めて観察され、１９２７年にロシアで初めて研究された。１９６２年、ニック・ホロニアックというゼネラル・エレクトリックの科学者が、新種のレーザーを開発しようとしているときに偶然、ガリウムヒ素リンで明るい赤色のＬＥＤをつくる方法を発見した。黄色はその後まもなくモンサントの研究所から出てきて、ＬＥＤは１９８０年代には腕時計や信号機、回路基板に搭載されていた。しかし、日本の日亜化学工業に勤めていた中村修二が、窒化ガリウムを使って青色ＬＥＤを開発するまで、白い光をつくるのは不可能だと証明されていたために、ＬＥＤライトは照明の主流にはなっていなかった。

その後も、この半導体照明の価格を手ごろなレベルに下げるのに20年を要した。しかしそうなったいま、その意味するところはすばらしい。ＬＥＤライトが消費する電力は非常に少ないので、送電網が届いていなくてソーラーパネルを使っているような家も、十分に明るく照らされ、貧困国のへんぴな地方に貴重なチャンスをもたらす。さらにはスマートフォン内部に明るい懐中電灯を装備させた。熱をほとんど発しないので、とくに光合成に最適の波長をつくる可変ＬＥＤを使って、レタスやハーブの大規模な屋内「垂直」農業も可能にしている。

蒸気タービンを開発した貴族

ニューコメンが身分の低い出自で、若いころは貧しく無学だったとしたら、蒸気の物語に登場するもうひとりの主人公に同じことは言えない。チャールズ・パーソンズは裕福なアイルランド貴族、ロス伯爵の六男だった。アイルランドのオファリー県にあるバー城で生まれ育ち、学校に行かずに個人教授を受けたあと、数学を学ぶためにケンブリッジ大学に進学する。

しかし彼らはけっして典型的な貴族一家ではなかった。伯爵は天文学者でありエンジニアだったのだ。彼は息子たちを、図書館ではなく自分の作業場で時間をすごすように育てた。チャールズと兄たちは、父親の望遠鏡の反射鏡を磨くために動力を供給する蒸気機関をつくっている。彼が大学を中退したのは、法律、政治、または金融の快適な仕事に就くためではなく、エンジニアリング会社の見習いになるためだった。そして有能なエンジニアであることを証明し、1884年には蒸気タービンを設計して特許を取得した。これがほとんど変更されることなく、世界に電気を供給し、海の艦船や定期船に、のちには空中のジェット機に動力を供給する、かけがえのない機械になっていく。

タービンは軸を中心に回転する装置だ。何かを回すために蒸気（または水）を使う方法には2通りある。衝動か反動だ。固定ノズルから蒸気を円板上の羽根に当てると、円板が回る。そして円板そのものの外側でノズルから角度をつけて蒸気を噴出させても、円板は回る。2個の角度のついたノズルから噴出する蒸気で回る球体は、紀元1世紀にアレクサンドリアのヘロンによっておもちゃとしてつくられている。

パーソンズは早くに衝動タービンは効率が悪く、金属への変形作用が強いと判断した。さらに、一連のタービンのそれぞれを蒸気の一部で回すほうが、もっと効率的に多くのエネルギーを集めることにも気づいた。彼はタービンから電気を発生させる発電機を再設計し、数年のうちに、ますます大型化したパーソンズのタービンを使った最初の配電網が建設されていた。

パーソンズは自分の会社を設立したが、当初の設計の知的財産権を捨てなくてはならず、半径流タービンをつくる試みに5年を費やしたあと、ようやく平行軸流タービンにもどることを認められた。そして船に動力を供給する方法として、海軍本部がこの装置に関心をもつよう試みたが失敗。そこで1897年、大胆な行動で王室海軍を驚かせた。

船やヨットの操縦が好きだったパーソンズは、蒸気タービンでスクリュープロペラを回す流線形の小さな船、タービニア号を建造した。最初の結果はさんざんで、そのおもな理由はプロペラだった。水中に「キャビテーション」、つまりスクリュー翼の後ろに小さな真空ポケットができる現象が起きてしまい、エネルギーが無駄になるのだ。

パーソンズとクリストファー・レイランドは実験室にもどり、キャビテーション問題を解決できるものを見つけようと、さまざまな設計を試した。試行錯誤である。徹夜して、朝に家政婦が来たとき、まだ水槽のそばにいることもあった。

もどかしい仕事だったが、1897年には、1基の半径流タービンを3基の軸流タービンに、1本のプロペラシャフトをそれぞれ3個のスクリューを装備したシャフト3本に取り換えた。それまでに海上試験で、プロペラ9個の彼の小さな船は、当時のどんな船よりはるかに速い、34ノットに達することができるとわかった。1897年4月には、その船についての一般講演も行なったが、タイムズ紙は記事のなかで、タービン技術は船に関するかぎり「純粋に実験的なもので、ほぼ萌芽の段階だ」とそっけなく断定した。

しかしそれは大まちがいだった。

6月26日、ヴィクトリア女王即位60周年祝典のために、大艦隊がスピットヘッドで皇太子の御前に集合するのをねらって、パーソンズは大胆な行動を計画していた。140隻を超える船が全長40キロにわたって4列に並んだ。その間を、王室の蒸気船が列をなして進んでいく。そんななかパーソンズは規則に逆らい、警備の任に就いていた高速蒸気船をよけながら、戦艦団の間を縫ってタービニア号を全速力で走らせ、重鎮たちの前を行ったり来たりした。王室海軍の船舶が追跡したが振り切られ、そのうちの1隻は小さな快速船とあやうく衝突するところだった。それはもう大騒ぎ。しかし意外にも腹を立てる者は少なかったので、海軍はその出来事の意味を読み取り、1905年までに、将来の戦艦はすべてタービン装備にすることを決めた。第1号はイギリス海軍のドレッドノート号だ。1907年、パーソンズのタービンを装備した大型船モーリタニア号が、小さな先輩のタービニア号と並んだ姿が写真に撮られている。

変革は「ひとりの天才」ではなく多くの頭脳によってなされる

スピットヘッドのひと幕は、ある意味で誤解を招くおそれがある。タービンと電気の歴史は非常に漸進的で、目立った突然の変革はない。パーソンズはその歴史上、電気と動力を生成する機械を少しずつ工夫して改良した、大勢のひとりにすぎない。それは進化（エボリューション）であって、革命（レボリューション）の連続ではない。途中でカギを握っていた発明はそれぞれ前の発明を土台に築かれ、次の発明を可能にしている。

１８００年にアレッサンドロ・ヴォルタが最初の電池をつくり、１８０８年にハンフリー・デイヴィーが最初のアーク灯をつくり、１８２０年にハンス・クリスティアン・エルステッドが電気と磁気を結びつけ、１８２０年にマイケル・ファラデーとジョセフ・ヘンリーが最初の電気で動く装置を、１８３１年にはその逆の電気を発生させる装置を初めてつくり、１８３２年にヒポライト・ピクシーが最初のダイナモをつくり、１８６７年にサミュエル・ヴァーリーとヴェルナー・フォン・ジーメンスとチャールズ・ホイートストンがそろって完全な発電機を考え出し、１８７０年にゼノブ・グラムがこれを直流用発電機にした。

パーソンズのタービンは石炭の火力エネルギーを電気に変える効率が約２パーセントだった。現在のコンバインドサイクルのガスタービンは効率が60パーセントだ。この間の進歩のグラフは、大きな変化のない着実な改良を示している。１９１０年までに、水と大気を予熱するために廃熱を利用することで、エンジニアは効率を15パーセントまで改善した。１９４０年までに、粉炭と蒸気の再加熱と高い温度により、30パーセント近くになった。１９６０年代のコンバインドサイクル発電機は、言ってみれば一種のターボジェットエンジンを蒸気タービンと並べて導入したので、潜在的な効率は再びほぼ倍増した。

この過程で変化を起こした賢人をひとり選ぶのは、難しいうえに誤解を招く。これは多くの頭脳による共同努力である。主要なテクノロジーが「発明」されたあともずっと、イノベーションが続いたのだ。

なぜ原子力は斜陽産業になり果てたのか

20世紀に現われた革新的なエネルギー源はただひとつ、原子力だ（風力と太陽光もはるかに改良され、将来的に有望だが、まだ世界的なエネルギー源としての割合は2パーセントに満たない）。

エネルギー密度の点からすると、原子力に並ぶものはない。スーツケースサイズの物体が、適切に配管されれば、ひとつの町や空母にほぼ永久に電力を供給できる。

原子力の民間開発は応用科学の勝利だった。その道は核分裂とその連鎖反応の発見から始まり、マンハッタン計画での理論から爆弾への変換を経て、制御された核分裂反応とそれを水の沸騰に応用する段階的な工学設計へとつながった。

１９３３年に早くもレオ・シラードが連鎖反応の将来性に気づいたこと、レズリー・グローヴズ中将が１９４０年代にマンハッタン計画の指揮をとったこと、あるいはハイマン・リッコーヴァー海軍大将が１９５０年代に最初の原子炉を開発し、それを潜水艦や空母に合わせて改良したことを除けば、この物語で目立つ個人はいない。しかしこれらの名前から明らかなように、それは軍事産業と国家事業に民間業者を加えたチームの努力であり、１９６０年代までについに、少量の濃縮ウランを使って膨大な量の水を確実に、継続的に、安全に沸騰させる設備を、世界中に建設する巨大計画ができあがった。

それでも現在の状況は、新しい発電所が開かれるより古いものが閉鎖されるペースのほうが速いために、出力電力が減っている斜陽産業であり、時機をすぎたイノベーション、あるいは失速したテクノロジーだ。その理由はアイデア不足ではなく、まったくちがう。実験する機会の不足だ。原子力の物語は、イノベーションは進化できなければいかに行きづまるか、そして後もどりさえするか、その教訓である。

問題はコストの膨張だ。原子力発電所は数十年にわたって、容赦ないコストの高騰を経験している。そのおもな理由は、安全性への警戒が高まっていることにある。そしてこの産業はいまだに、確実にコストを下げる既知の人間的プロセス、つまり試行錯誤と、まったく無縁である。原子力の場合、錯誤は影響があまりに甚大になるおそれがあるうえ、試行にはとんでもなくコストがかかるので、試行錯誤を再始動させることができない。そのため私たちは、加圧水型原子炉という未熟で効率の悪いテクノロジーで行きづまり、原発反対運動に反応して不安がる人たちのために働く規制機関の要求によって、そのテクノロジーさえだんだんに抑制されつつある。

しかも、きちんと準備ができる前に政府によって世間に押しつけられるテクノロジーは、もう少しゆっくり進行することを許されたなら、もっとうまくやっていたかもしれないところで、つまずく場合もある。アメリカの大陸横断鉄道はすべて失敗し、個人出資の1例をのぞいて結果的に破産している。原子力がこれほど急がず、軍事用の副産物としてではなく開発されていたら、もっとうまくいっていたかもしれないと考えずにはいられない。

1990年に出版された『私はなぜ原子力を選択するか』（ERC出版）のなかで、原子物理学者のバーナード・コーエンは、１９８０年代に原発の建設がほとんどの西側諸国で中止された理由は、事故や放射能漏れ、あるいは核廃棄物急増への不安ではなく、規制強化による止まらないコストの高騰だった、と述べている。その後、彼のこの分析はさらに真実味を帯びている。

これは新式の原子力のアイデアが足りないせいではない。エンジニアのパワーポイントによるプレゼンには、核分裂原子炉の異なる設計が盛りだくさんで、なかには過去に実用レベルの試作機の設計までたどり着き、従来の軽水炉と同じくらいの財政支援があれば、さらに先に進めたと思われるものもある。大別すると液体金属原子炉と液体塩原子炉のふたつだ。後者はトリウムまたはフッ化ウランの塩を、おそらくリチウム、ベリリウム、ジルコニウム、ナトリウムのようなほかの元素と一緒に使って機能する。

その設計のおもな利点は、燃料が固体の棒ではなく液体で入るため、冷却が均一で、廃棄物の除去が容易なことだ。高圧で稼働させる必要がないので、リスクが減る。溶融塩は燃料であるだけでなく冷却剤でもあり、熱くなると反応速度が落ちるというすぐれた特性があるため、メルトダウンは不可能になる。加えて、その設計には一定温度以上で溶けるプラグが含まれ、燃料が区切られた室に排出され、そこで分裂を止めるという第２の安全装置もある。たとえばチェルノブイリとくらべると、こちらのほうがはるかに安全だ。

トリウムはウランより豊富で、ウラン２３３を生成することによって、事実上ほぼ無限に増殖できる。同じ量の燃料から約１００倍の発電をすることが可能で、核分裂性プルトニウムを生まず、半減期が短くて廃棄物が少ない。ところが、１９５０年代にナトリウム冷却剤を積んだ潜水艦が進水し、１９６０年代に２基の実験的なトリウム溶融塩原子炉がアメリカで建設されたにもかかわらず、資金、教育、そして関心がすべて軽水ウラン炉の設計に注がれたため、プロジェクトはやがて終了した。さまざまな国がこの決定を覆す方法を検討しているが、実際に思いきって実行する国はまだない。

原子力発電はイノベーションが不可能

たとえそうしたとしても、1960年代に言われた、原子力はいつの日か「メーターがいらないほど安価」になるという、よく知られた見通しが実現することはなさそうだ。問題は単純で、原子力はイノベーション実践の決定的要素に合わないテクノロジーである。その要素とは「やってみて学習する」だ。発電所はあまりにも大きくて費用がかかるので、実験でコストを下げるのは不可能だとわかっている。建設前に設計を通さなくてはならない複雑な規制が膨大にあるため、建設途中で設計を変更することも不可能だ。物事をあらかじめ設計し、その設計に忠実にやるか、振り出しにもどるかしなくてはならない。このやり方ではどんなテクノロジーであれ、コストを下げて性能を上げることはできない。コンピュータチップも1960年の段階に置き去りにされるだろう。原発はエジプトのピラミッドのように、単発プロジェクトとして建設されるのだ。

1979年のスリーマイル島および1986年のチェルノブイリの事故のあと、活動家と市民はより厳しい安全基準を要求した。そして手に入れた。ある推定によると、電力1単位につき、石炭は原子力のほぼ2000倍の死者を出すという。バイオ燃料は50倍、ガスは40倍、水力は15倍、太陽光は5倍（パネルを設置するときに屋根から落ちる人がいる）、そして風力でも原子力の2倍の死者を出す。この数字にはチェルノブイリと福島の事故も入っている。追加の安全要件は原子力をごくごく安全なシステムから、ごくごくごく安全なシステムにしただけだ。

あるいは、ひょっとすると安全性を低下させたのかもしれない。２０１１年の福島の大惨事を考えてみよう。福島原発の設計には安全性に大きな欠陥があった。ポンプが高波で浸水しやすい地下にあったのだ。もっと新しい設計では繰り返されそうもない、単純な設計ミスだ。それは古い原子炉であり、もし日本がまだ新しい原子炉を建設していたら、ずっと前に廃止されていただろう。コストの高い過剰規制によって核の普及とイノベーションが抑制されていたせいで、福島原発は稼働時間が長すぎたために、システムの安全性が低下したのだ。

規制機関が要求する必要以上の安全性は高くつく。原発建設に携わる労働者は大幅に増えているが、とくに書類にサインするホワイトカラーの仕事が膨大だ。ある研究によると、１９７０年代、新しい規制のせいでメガワットあたりの鋼鉄の量は41パーセント、コンクリートは27パーセント、配管は50パーセント、電線は36パーセント増加したという。実際、規制の歯止めが強まると、プロジェクトでは、されることとさえないルール変更を予想して機能を加え始めた。きわめて重要なことだが、この規制環境のせいで原発の建設業者は、規制の修正につながることを心配して、予想外の問題を解決するための現場イノベーションの実践をやめるしかなく、それがさらにコストを押し上げた。

解決法はもちろん、原子力発電をモジュラーシステムにすることだ。工場組み立ての小さな原子炉ユニットを大量に生産ラインで生産し、各発電所の現場で、木箱に卵を詰めるように設置する。これならフォード社のモデルTと同じようにコストを削減できる。問題は、新しい原子炉の設計を認可するのに3年かかり、小型だからといって抜け道はほとんど、またはまったくないので、小型の設計には認可の費用がより重くのしかかることだ。

一方、核融合、すなわち水素原子の融合からエネルギーを放出させてヘリウム原子を生成するプロセスは、ようやく約束を果たし、これから数十年以内に、ほぼ無限のエネルギーを供給するようになる可能性が高い。いわゆる高温超伝導体の発見と、いわゆる球状トカマクの設計でようやく、核融合発電は30年先だという、30年言われ続けた古いジョークがジョークでなくなったかもしれない。核融合発電は1基につきおそらく400メガワットを発電する比較的小さな原子炉がたくさんというかたちで、商業ベースで結実するかもしれない。爆発やメルトダウンのリスクがほぼゼロ、放射性廃棄物は非常に少なく、兵器の材料を提供する心配もないテクノロジーだ。燃料はおもに水素であり、水から自分の電気で生成できるので、地球環境への悪影響は小さいだろう。

それでも核融合が解決しなくてはならない大きな問題は、核分裂と同じように、原子炉の大量生産によってコストを下げる方法だ。そしてコスト削減の教訓を得るためには、途中で経験から設計し直すことができなくてはならない。

シェールガスという起死回生のイノベーション

21世紀の物語でとくに驚かされるのは、天然ガスの台頭だ。ほんの10年前には枯渇寸前と考えられていたのに、いまや安価で豊富な燃料である。シェール（頁岩）からのガス生産につながったのは、おもにイノベーションの物語である。

２００８年くらいまで、エネルギー専門家たちのあいだでは、安価な天然ガスは21世紀のかなり早い段階で現実的に使い果たされるだろうというのが通説だった。石油と石炭のほうが長くもつだろう。この予測は、以前にも繰り返し言われていた。

１９２２年、ウォーレン・ハーディング委員長が設立したアメリカ石炭委員会が、11カ月にわたってエネルギー業界の５００人にインタビューし、「ガスの産出量はすでに減り始めている」という結論に達した。１９５６年、石油専門家のＭ・キング・ハバートが、アメリカの天然ガス産出量は１９７０年に１日10億立方メートルでピークを迎え、その後は減ると予測した。実際にはその時点での産出量は16億立方メートルで、いまだに増え、現在、１日22億立方メートルを超えている。

こうした予測がまったくの誤りだった理由はふたつ。まずアメリカでは１９７０年代、天然ガスは乏しいという理論にもとづいた厳しい価格統制によって、事実上ガス探査が中止されていた。企業はガス田をやっかいものとして燃やすか閉鎖し、代わりに石油を追い求めた。そのせいで実際に産出量はピークを迎え、多くの人びとが埋蔵量枯渇の始まりだと誤解した。信じられないことに、アメリカ政府は１９７０年代に、石炭を入手できる施設における石油やガスによる発電を禁止する法案をいくつか通し、石炭を使えない発電所の建設を禁じている。レーガン大統領のもとでのガス産業規制緩和が、産出量の急増につながった。

２０１０年代にガスが供給過剰になったもうひとつの理由は、イノベーションである。アメリカ全土でガス・石油探査会社は、各産出地からより多くを搾り出すことを目指し、ガスや石油が自然には流れない「締まった」岩から搾り出す方法を見つけようと試みた。その結果、１９９０年にテキサスで「スリックウォーター」による水圧破砕法が偶然発見され、さらに垂直の掘削から向きを変え、水平に岩層を何キロも延々と進む新しい技術と相まって、ほとんどの炭化水素が蓄積されている締まった頁岩を、ガスと石油の巨大供給源に変えた。

海洋ガスとガスの海上輸送のための液化能力を考え合わせると、現在世界の天然ガス供給量が豊かな理由がはっきりする。最もクリーンで、低炭素で、安全な化石燃料なのだ。

アメリカ最大のガス生産地の物語

スリックウォーターによる水圧破砕法の突破口を開いた重要な場所は、フォートワースに近いバーネット・シェールだ。

ヤギ飼いの父をもつジョージ・ミッチェルという起業家が、シカゴにガスを供給することで財をなしていた。彼は有利な固定価格契約を結んでいた。もしよそに移れば、価格を下げなくてはならない。そのため自分が採掘権をたくさん所有しているバーネット・シェールから、もっと多く搾り出そうと必死だった。１９９０年代末には産出量もミッチェル・エネルギーの株価も落ちていたせいで、ミッチェルは個人的な問題を抱えていた。自分の株を抵当にして融資を受け、慈善活動に傾倒していたからだ。しかも妻はアルツハイマー病をわずらい、彼自身は前立腺に問題があった。

本来ならば78歳の大富豪は分別があるはずで、石油メジャーがすでにやっていたようにアメリカに見切りをつけ、損失を食い止めるべきだった。ガスの将来は海洋か、ロシアか、カタールにあったのだ。しかしミッチェルは多くのイノベーターと同じく分別がなかったので、ガスを噴出させようと試み続けた。

バーネット・シェールは炭化水素が豊富なことで知られていたが、炭化水素はわき出にくいため、岩を地中深くで破砕して微細な割れ目を入れる必要があった。これをするテクノロジーはよく知られており、割れ目を入れてガスを出すのにゲルに頼っていた。これがうまく機能する岩もあったが、頁岩には効かない。ミッチェルはこれをバーネット・シェールで試すことに2億5000万ドルを費やしたが成功していなかった。

1996年のある日、ニック・スタインズバーガーというミッチェル社の従業員が、奇妙な結果に気づいた。彼の仕事は、大量の砂が入った硬いゲルをガス井に入れることだった。しかしゲルと砂は高価なので、彼はコストを下げ、頁岩に入れる粘着性の材料を減らそうと、穴に入れる混合物のゲルと薬品の量を減らすよう、サービス会社に強制していた。

この日、ゲルは薄すぎて正確には「ゲル」ではなかった。スタインズバーガーはともかくそれを穴に入れたところ、井からまずまずの量のガスが噴き出した。

彼はさらにいくつかの井で試し、同様の結果が得られた。別の会社の友人、マイク・マイヤーホーファーと野球の試合を見に行ったとき、同じような話を聞いた――ほんの少しの潤滑剤を入れて砂を大幅に減らした水が、ちがう種類の岩、この場合はテキサス東部の硬い砂岩で、うまくいっているというのだ。

そこで1997年、スタインズバーガーは意図的に水っぽい液体を使い始めた。基本的には混ぜる砂を減らし、ゲルではなくふつうのキッチンの流しで使う薬品（基本的に漂白剤と洗剤）をごく少量混ぜた水だ。

これを3カ所の井で試したが、うまくいかなかった。「圧力が上がりすぎ、注入を中止せざるをえなかった。頁岩の砂では、もっとはるかに浸透性の高い硬質砂岩の砂のようには、スリックウォーターが通らないせいだ」

1998年初め、上司がバーネット・シェールをあきらめそうになっていて、破れかぶれだった彼は、あと3カ所の井で試させてくれと経営陣を説得した。今回ははるかに大量のスリックウォーターを送り込むのだが、砂の量を作業の過程で極端に低濃度から高濃度へと増やす。

最初の井、S・H・グリフィン・エステート4からガスが噴出し、何週間も何カ月も続いた。コストが半減するばかりか生産性が倍増するやり方が、たまたま見つかったのだ。一時的な成功？　いや、ほかの2カ所の井も同様の結果だった。

スタインズバーガーの大発見でジョージ・ミッチェルの晩年は一変し、彼は会社を売却して億万長者になった。そしてバーネット・シェールはアメリカ最大のガス生産地になった。

彼の発見はほかで手本とされ、さらなるイノベーションで着実に改良され、ルイジアナ、ペンシルヴェニア、アーカンソー、ノースダコタ、コロラド、そして再びテキサス、次々とシェールで同じ効果を上げた。やがて同じ技術が石油を採掘するのにも使われるようになった。

アメリカの成功のカギは「財産権」と「試行錯誤」

今日、アメリカは世界最大の天然ガス産出国であるだけではない。もっぱらシェール水圧破砕革命のおかげで、世界最大の原油産出国でもある。テキサスのパーミアン盆地だけで、2008年にアメリカ全体で産出されていた量と同じだけの石油が産出されており、その量はイランとサウジアラビア以外のどのOPEC加盟国よりも多い。アメリカは2000年代初期に巨大な天然ガス輸入基地を建設していたが、それがいまや輸出基地に転換されている。安価なガスがこの国の発電部門で石炭に取って代わり、排ガス量をどの国より速く削減している。アメリカがOPECとロシアを弱体化させたため、ロシアは市場を守ろうと躍起になって、水圧破砕反対活動家を支援している――イノベーション嫌いのヨーロッパではおおいに成功し、シェール探査はおおむね阻止されている。

水圧破砕業者を破綻させようと、2015年にOPECが意図的に起こした安価なガス、安価な石油の供給過剰は逆効果で、弱い企業を葬ったが、生き残った会社は1バレル60ドル、50ドル、40ドルで競争できる方法を考え出さざるをえなかった。安価な炭化水素が手に入るおかげで、アメリカの製造業は優位に立ち、結果として化学産業が急速にアメリカに「もどり」、ヨーロッパを離れる化学会社が急増した。風力と原子力のコストがそれほど高く思われないようにするために、化石燃料エネルギーのコストがさらに上がり続けることを基礎にした、イギリスのような相当数の国のエネルギー政策は、ほぼ一夜にして高コストの愚行になった。

この革命はなぜ、探査し尽くされて枯渇していた、古い油田・ガス田地帯のアメリカで起きたのか？　その答えのひとつは「財産権」にある。鉱業権が国ではなく地元の地主に属し、メキシコからイランまで多くの国々で実行されているように石油会社が国有化されていなかったため、アメリカの石油掘削に関する考え方は競争心が強く、多元的で、起業家精神にあふれており、それがリスクキャピタルの十分な資金に支えられた「試掘井」産業にはっきり示されていた。初期の水圧破砕業者は、黒字化する前に多額の借入金をつぎ込んでいたのだ。主要なイノベーターは次のように説明している。

> 地主からの鉱業権賃借については、地主と個人的に交流があるおかげで、小さい会社のほうが優位なことが多い。シェールガス生産を多くの小さい会社が熱心に追いかけた結果、さまざまな掘削と仕上げの手法がいくつもの盆地で実践され、試された。こうした「実験所」がたえまない改良を生み、経済的成功を育んだのである。

水圧破砕のイノベーションには試行錯誤が不可欠だった。スタインズバーガーは一連の幸運なまちがいを犯し、途中で何度も失敗した。そして処方を見つけたとき、なぜそれがうまくいくのか、彼にはわかっていなかった。

地震学専門家のクリス・ライトが、ほどなくそれを説明した。ライトは、ミッチェルが地中の破砕の進行を追いかけるのを手伝うために、新しい傾斜計を使っていたピナクルという会社のエンジニアで、スリックウォーターによる破砕が大きな網状にいくつもの割れ目をつくることを明らかにしたのだ。彼は1990年代初めに、複数の割れ目が同時に増えていくモデルを開発していた。「破砕界の古顔はみな、そのモデルをあざ笑った。彼らは複数の割れ目は必ず急速に合体し、単一の割れ目になると主張していたからだ」

しかしライトが正しいことが判明した。圧力をかけられた水は岩に横断的な割れ目をつくっていて、砂に触れる表面積を大幅に増やす。割れ目は1方向に1キロ以上延びていたが、それを軸に両側に何百メートルも広がっている。

この場合、科学はテクノロジーのあとに出現したのであり、その逆ではなかった。このイノベーションを始めたのは連邦政府の功績だと考えようとする近年の試みは、ほとんど的はずれだ。たしかに、多くの研究が政府の研究所で行なわれたが、その多くがガス産業との契約のもとであり、そのような研究に対する需要をつくり出したミッチェルや(現在業界のリーダーになっている)ライトのような起業家がいたからである。

当初、環境活動家はシェールガス革命を歓迎した。2011年、上院議員のティム・ワースとジョン・ポデスタはガスを「最もクリーンな化石燃料」として歓迎し、水圧破砕法は「効率と再生可能エネルギー源と天然ガスのような低炭素化石燃料に依存する、21世紀のエネルギー経済に橋渡しをする燃料として、ガスを利用する機会を生みだす」と書いている。水源保護団体のウォーターキーパー・アライアンスの会長だったロバート・ケネディ・ジュニアはフィナンシャルタイムズ紙に、「短期的に天然ガスが『新しい』エネルギー経済への橋渡しをする燃料であることは明らかだ」と書いている。しかしその後、この安価なガスが意味するのは、その橋は長く、再生可能エネルギー産業の存続をおびやかすことだと判明した。ケネディは自分の利益のために発言を撤回せざるをえず、それを正式に実行して、シェールガスを「大惨事」と呼んだ。

テキサス、ルイジアナ、アーカンソー、ノースダコタといった、水圧破砕法発祥の中心地では、反対はほとんどなかった。多くの空閑地、石油採掘の長い伝統、そして熱心な起業文化のおかげで、シェール革命は地元の反対がもしあったとしても妨げられることなく、確実に発展していた。

しかし反対運動が東海岸へ、ペンシルヴェニアへ、そしてニューヨークへ広がると、突然、シェールガスは敵を引き寄せ始め、環境活動家たちが反対に乗じて資金調達の機会を見つけた。マット・デイモンやマーク・ラファロのようなハリウッド俳優など、人目を引くスターを取り込んで、反対運動は加速する。水源の汚染、パイプからの漏れ、汚染された廃水、放射能、地震、交通量増加への非難が増していく。

昔、鉄道に反対する人たちが、ウマの流産を引き起こすとして列車を非難したように、どんな嫌疑もシェールガス産業に浴びせるのにくだらなすぎることはなかった。ひとつのパニックがたきつぶされるたびに、新しいパニックが起こる。それでも、何千という井で何百万もの「水圧破砕作業」が行なわれたにもかかわらず、環境や健康の問題は非常に少なく小さかった。

エネルギーはすべてのイノベーションの根っこだ

イノベーションに関する物語にはいくつか良くないところがあるが、そのひとつは、不公平にも個人を選び出して取り上げ、あまり重要でない人たちの貢献を無視することだ。私はニューコメン、ワット、エジソン、スワン、パーソンズ、そしてスタインズバーガーの話をすることにしたが、彼らはみなアーチの石であり、鎖の環である。そして子孫はもちろん本人でさえ、金持ちになった人ばかりではない。彼らの名前を冠し、彼らの富から資金を得ている財団はない。彼らのイノベーションがもたらした利益のほとんどを享受したのは私たちである。

それでも、エネルギーそのものはテーマとして選び出されるに値する。イノベーションは変化であり、変化に必要という理由だけでも、エネルギーはすべてのイノベーションの根っこである。エネルギーの遷移は重大で、難しく、ゆっくりだ。歴史の大半にわたって、コムギ、風、そして水からのエネルギー供給は、人びとの生活を変えるほどの規模の複雑な構造物を生みだすには乏しすぎた、とジョン・コンスタブルは述べている。そして1700年に熱から仕事への変換が出現し、突然、投入されたエネルギーに対して大量のエネルギーを生みだす化石燃料を利用することで、ありえないほど複雑な材料構造をつくり出すことが可能になった。現代世界の化石燃料依存は、今日も20年前とほぼ同じだ——1次エネルギーの約85パーセントを占める。

社会のエネルギー需要の大部分は熱によって供給される。1700年ごろに人類の生活に入り込み、いまだに世界にとって欠かせない、熱と仕事とのあの奇妙な結びつき、「動かす力としての火の利用」にやがて取って代わるのは何だろう？　まだ誰にもわからない。

第2章

公衆衛生のイノベーション

「哲学に通じている者でも、医術に長けた者でもなく、無学な庶民によって考え出された手術であり、人類に最高の利益をもたらす手術である」
――ジャコモ・ピラリーニ、天然痘接種について、1701年

予防接種を推進した女性イノベーター

トーマス・ニューコメンが最初の蒸気機関を建造していたのと同じ1712年、しかもそれほど遠くないところで、もっとロマンチックなエピソードが始まろうとしていた。それは間接的にもっと多くの命を救うことになる。

登場人物の社会階級はニューコメンよりはるかに高い。博識で頑固な23歳の若い女性、レディ・メアリー・ピアポイントが、退屈な結婚をさせられるのがいやで駆け落ちしようとしていた。

裕福な求婚者のエドワード・ウォートリー・モンタギューは彼女と膨大な手紙のやり取りをして、ふらちな恋の戯(たわむ)れだけでなく、激しい論争も展開していたが、彼女の父親でさらに裕福なキングストン伯爵と、婚前契約で合意にいたらなかった。

しかし、金持ちだが頭のにぶい貴族との結婚を父親に強制されたメアリーは、ウォートリーとのロマンスを再燃させる気になった。彼女は駆け落ちを提案し、彼は花嫁持参金が手に入る機会を逃すにもかかわらず、それに同意した。１７１２年10月15日、ふたりはソールズベリーで結婚した。

スタートはロマンチックだったが、この結婚は期待はずれだった。ウォートリーは想像力に欠ける冷たい夫であることがわかったのだ。博識で弁の立つウィットに富んだレディ・メアリーは、ロンドンの文芸界で注目を集めた。古代ローマの詩人ウェルギリウスのスタイルで詩を書き、当時の文学界の名士や社交界の大物と交流していた。彼女の友人はのちにこう書いている。「レディ・メアリーは世界で最もすばらしく輝く人物のひとりだが、その輝きは彗星(すいせい)のようで、彼女はとにかく型破りでつねにさすらっている。世界一賢いのに無分別、愛らしいのに気むずかしく、温厚なのに残酷な女性だ」

その後、天然痘(とう)のせいで彼女の肌に痕(あと)が残った。この始末に負えないウイルスは人類にとって最悪の殺し屋となり、18世紀初期のロンドンではつねに脅威だった。

しかし、彼女に永遠の名声をもたらしたのも天然痘だった。というのも、彼女は革新的な予防接種の慣行を西欧諸国で最も早くから、そしてまちがいなく最も熱心に擁護した人物なのだ。

1716年、夫が大使としてコンスタンティノープルに派遣され、レディ・メアリーは幼い息子と同行した。彼女は接種を発明したわけではなく、そのニュースを初めて伝えたわけでもなかったが、女性なので、トルコ社会に引きこもっている女性たちの慣習をつぶさに観察し、それを帰国後に子どもを心配する母親たちのあいだで擁護し、広めることができたのだ。彼女は発明家ではなくイノベーターだった。

天然痘の治療法としての「移植」の慣行について、コンスタンティノープルからロンドンの王立協会に、2通の報告書が届いていた。オスマン帝国で働く医師のインマヌエル・ティモニウスとジャコモ・ピラリーニによると、天然痘から回復した人の膿(うみ)を、健康な人の腕につけた傷で血液と混ぜ合わせるという。報告書は王立協会によって公表されたが、ロンドンの専門家はみな、危険な迷信としてしりぞけた。予防するより流行させる可能性が高く、人びとの健康をとんでもないリスクにさらす、くだらない迷信か魔術だ、と。瀉血(しゃけつ)のような当時の医師による野蛮で無益な治療法を考えると皮肉だが、むりもないことでもあった。

王立協会はもっと早く1700年に、この治療法について中国に駐在していたマーティン・リスターとクロプトン・ハーヴァーズからも聞いていた。したがって、このニュースに目新しいものはなかった。しかし、こうした医師たちがイギリス国民を説得できなかったのに対し、レディ・メアリー・ウォートリー・モンタギューのほうが幸運だった。

1718年4月1日、彼女はトルコから友人のサラ・チスウェルに、予防接種について詳しい説明を書き送っている。

天然痘は私たちの国では致命的で、広く流行していますが、こちらでは移植と呼ばれるものの発明によって、まったく無害なのです。手術を行なうことを仕事にしている女性のグループがあります。……（だいたい15人か16人が）集まると、年長の女性がよく効く天然痘の膿でいっぱいの小さな容器をもってきて、どこの静脈を切開したいか尋ねます。彼女はすぐに言われた場所を太い針で裂き開き（痛みは普通のひっかき傷と同じくらい）、毒液を針の先に載るだけ静脈の中に入れます。……これで亡くなった例はありませんし、この試みの安全性に私が十分満足していると信じていただけます。なぜなら、愛する幼い息子に試すつもりだからです。私は国を深く愛しているからこそ、この有益な発明をイギリスで普及させることに努力します。

レディ・メアリーは実際、息子のエドワードに移植を行なった。彼女が心配そうに観察するなか、彼の皮膚にわざとつくった膿疱が現われたが、その後治まり、エドワードは免疫ができて健康になった。それは勇気ある瞬間だった。

ロンドンにもどると、彼女は娘にも接種を行ない、やや無謀な処置を擁護することで評判が悪くなった。これは道徳哲学者に好まれる「トロッコ問題」の一種である。暴走するトロッコを5人が死ぬ線路から1人が死ぬ別の線路に方向転換するだろうか？　より大きなリスクを避けるために、わざわざ別のリスクをとる？

そのころには賛同する医師もいて、有名なのはチャールズ・メイトランドだ。彼が1722年に皇太子の子どもたちに予防接種をしたことは、普及活動にとって重大な転機だった。しかしその後も、野蛮な慣行に対する激しい非難はあった。背後に女性蔑視と偏見が見え隠れする場合もあって、たとえばウィリアム・ワグスタッフはこう明言している。「無学な国民のほんの数人の無知な女性が行なった実験が、突然に――そして裏づけの実験が不十分なのに――世界で最も教養ある国家で王室に受け入れられたなどと、後世の人びとが信じることはないだろう」

ワクチンをめぐるジェンナーの真の貢献とは

アメリカでもだいたい同じころ、接種の慣習がオネシモという名のアフリカから来た奴隷の証言によってもたらされた。おそらく早くも1706年には、オネシモがボストンの牧師コットン・メイザーに話し、牧師がそれを医師のザブディール・ボイルストンに教えた。300人に接種を試したせいで、ボイルストンはライバルの医師に扇動された激しい批判と命をおびやかす暴力にさらされ、暴徒に殺されるのを恐れて、14日間も秘密の小部屋に隠れなくてはならなかった。

やがて天然痘そのものの接種は、もっと安全だが似たような牛痘（ワクチン）接種に代わった。それはつまり、天然痘と関連はあるがそれほど危険ではないウイルスを使うということであり、通常、エドワード・ジェンナーの功績とされるイノベーションだ。

1796年、乳しぼりの女性サラ・ネルメスがブロッサムというウシから牛痘をうつされ、その手にできた水ぶくれからジェンナーは牛痘を採取して、8歳の少年を意図的に感染させた。その後、この少年を天然痘そのものに感染させようと試し、彼には免疫ができていることを示した。ワクチン接種そのものではなく、この実証こそが彼の真の貢献であり、大きな影響をおよぼした理由である。

天然痘に対する免疫をつけるために、人間に牛痘を意図的に与えるという考えは、すでに30年前からあった。１７６８年にジョン・フュースターという医師によって、１７７０年代にはドイツとイギリスでほかの数人の医者によって試されていた。その前にすでに、農家の人たちは実行していたかもしれない。

そういうわけでまたもや、イノベーションはゆるやかであり、無学の庶民から始まって、その後エリートの手柄になっていることがわかる。

この言い方はジェンナーには少し不公平かもしれない。彼はレディ・メアリー・ウォートリーと同様、その慣行を採用するように世間を説得したことでは名声に値する。ナポレオンはイギリスと戦争中だったにもかかわらず、ジェンナーの強い勧めにしたがって軍隊に牛痘接種を受けさせ、「最も偉大な人類の恩人のひとり」として、ジェンナーに勲章を授与している。

イノベーションは「偶然」からはじまる

ワクチン接種がきわめて広範囲に天然痘（痘瘡（とうそう））を制圧したので、かつて地球上で最も多くの人命を奪っていたこの病気は、１９７０年代に完全に根絶された。より致死率の高い株である大痘瘡の最後の患者は、１９７５年10月にバングラデシュで発症した。３歳のラヒマ・バヌは回復し、いまでも生きている。小痘瘡の最後の患者は、１９７７年10月にソマリアで発症した。アリ・マオ・マーランはかかったときに成人だったが、やはり回復し、人生の大半をポリオ撲滅運動に費やして、2013年にマラリアで死亡している。

ワクチン接種はイノベーションに共通の特徴をよく表わしている。理解されるより先に使われることが多いのだ。昔からテクノロジーや発明は、なぜ機能するかを科学的に理解されないまま、うまく活用されている。18世紀の分別のある人にとって、命にかかわる病気のウイルスに人をさらすことで、その病気から身を守れるというメアリーの考えは、正気の沙汰(さた)とは思えなかったにちがいない。それを裏づける合理的な根拠はなかった。19世紀末になってようやく、ルイ・パスツールがワクチン接種の効く仕組みと理由を説明し始めた。

パスツールは細菌が微小な生物であり、自然発生しないことを証明するために、発酵した液体を沸騰させ、その液体は風に乗ってくる細菌に触れさえしなければ、不活性のままでさらなる発酵は生じないことを示した。とどめの一撃は、液体を密閉するのでなく空気にさらすのだが、首が白鳥のように細長く曲がったフラスコを使ったことだ。その形状なら細菌が通り抜けないようにすることができる。彼は1862年に、こう自慢している。「自然発生説は、この単純な実験の致命的な一撃から、けっして立ち直ることはないだろう」

感染症が微生物によって――細菌ともっとはるかに小さいウイルスとの区別はまだされていなかった――引き起こされるのなら、予防接種の効果は、微生物の特性の変化とそれに対する人体の脆弱(ぜいじゃく)性の変化で説明できるのか?

パスツールの説明は偶然の出来事から生まれた。彼は1879年の夏、コレラ菌の特性を理解するための実験の一環で、感染したニワトリの培養液から採取したコレラを数羽のニワトリに接種する仕事を、助手に任せて夏の休暇に出かけた。ところが助手はそれを忘れて、自分も休暇に出かけてしまう。ふたりが休暇からもどって実験を行なうと、古い培養液ではニワトリは病気にかかるが死なないことが判明した。

おそらく直感で行動したのだろう。パスツールは次に、通常ニワトリをすぐに死なせる猛毒のコレラ菌株に目を向け、それを回復した（そして我慢強い）ニワトリに注射した。するとそのニワトリは死なないばかりか、病気にさえならなかった。弱いコレラ菌株が強い菌株に対する免疫を与えていたのだ。

毒性の弱い微生物が毒性の強いものに対抗する免疫反応を引き起こすからこそ、ワクチン接種は機能するのだと、パスツールは気づき始めた。ただし、ヒトの免疫系についてはまだいっさい理解していなかった。科学がテクノロジーに追いつき始めたところだったのだ。

水道殺菌というイノベーションと、そのあいまいな起源

場所はニュージャージー州の裁判所、時は1908年。訴えられているのは、ジャージーシティ水道会社。前の裁判では、契約に明記されている「きれいで衛生的な水」を同社が市に供給していないことが証明され、敗訴していた。問題は、貯水場の上流にどんどん家が建ち、トイレからの汚水が、貯水場に水を供給する流れに直接放出されていたことだ。

腸チフスによる死亡は、この都市ではあまりによくあることだった。1899年以降、そのようなトイレを500カ所以上撤去し、水を濾過（ろか）したにもかかわらず、年に2回か3回、大雨のあ

とに上水道が汚染されるのを防ぐことはできなかった。

状況を修正するために裁判所から3カ月を与えられ、同社の衛生顧問のジョン・レアル医師は、上水道に消毒剤のさらし粉を加えるアイデアを思いついた。9月26日、2審裁判の3日前までに、稼働時には1日1億5000万リットルを塩素殺菌する設備が建てられた。レアルはこの実験をジャージーシティの市民に対して行なう許可を誰にも求めなかったことが、裁判中に明らかになった。飲料水に化学薬品を入れるという考えへの反感が広がっていた時代だ。「化学薬品による殺菌という考えそのものが不快だ」とマサチューセッツ工科大学のトーマス・ドラウンという研究者が激しく非難し、大学のほかの人たちも共鳴していた。レアル医師の決断は大胆でリスクをともなったのだ。

したがって法廷で市の弁護士は、会社がきれいな水を提供する責任を、住民へのリスクがわからない薬品による応急処置で果たせるという認識に反対を唱えた。しかも住民に承諾も求められていない。彼は判事に、塩素殺菌が有効だったかどうかについての証言に耳を傾けることさえ、拒否するよう求めた。判事はそれに同意せず、会社側が主張を述べることを許した。

反対尋問でレアルは塩素殺菌についてこう話した。「1年365日毎日毎分、水をきれいにするための最も安全で、最も容易で、最も安価で、最も良い方法だと、私は考えます」。そしてつけ加えた。「ジャージーシティの飲料水は世界一安全だと信じています」

問：市の住民の健康に悪影響は？
答：まったくありません。

問：あなたはこの水を飲みますか？
答：はい。
問：いつも？
答：はい。

長引いた裁判のすえ、判事は最終的に、会社はこのイノベーションによって責任を果たしていたと裁定した。

ジャージーシティの事例が転機となって、きれいな水がほとばしるようになった。全米、全世界の都市で飲料水の浄化に塩素殺菌が使われるようになり、現在も使われている。腸チフス、コレラ、赤痢の流行は急速に消えた。

しかしレアル医師は何をヒントにそのアイデアを思いついたのだろう？　イギリスのリンカーンで行なわれた同様の実験からだ、と彼は裁判で話している。ほとんどのイノベーターと同様、彼は自分が発明したとは主張していない。

リンカーン市では上水道に砂濾過装置を設置したあと、腸チフスによる死亡率が低下していた。しかし１９０５年にひどい大流行が起きて、１２５人が死亡した。市は王立下水処理委員会の細菌学者アレクサンダー・クルークシャンク・ヒューストンに助けを求めた。１９０５年２月、ヒューストン博士は到着してから２日とたたないうちに、クロロス（次亜塩素酸ナトリウム）を重力で水中に落とす装置を即席でつくり、新たな腸チフス感染率にすぐに結果が現われた。

しかしヒューストン博士は何をヒントに思いついたのだろう？　おそらくヴィンセント・ネスフィールドというインド軍衛生部隊の将校だろう。彼は1903年に、まさに飲料水を消毒するのに液体塩素をつくって使う方法を提案する論文を発表していた。ネスフィールドの技法は現在使われているものに近く、当時は時代の先を行っていた。彼がそれをどこで使ったのか、そもそも使ったのかどうか、わかっていない。

ネスフィールド医師は何をヒントに思いついたのか？　おそらく1897年の秋にケント州メイドストンで起こった腸チフスの大流行だろう。1900人が感染し、約150人が死亡した。このとき「水道会社のために動いていたシムズ・ウッドヘッド医師の監督下で、メイドストンのファーリー地区にある飲料水の貯水場と本管が、土曜の夜、さらし粉の溶液で消毒された」。12月までに流行は終わっていた。

ではウッドヘッド医師は何をヒントに思いついたのだろう？　おそらく下水の消毒剤としてさらし粉が使用されていたことだろう。当時はよく知られたやり方だった。さらし粉はこのころまでに、外科医のあいだで殺菌剤として採用されていた。ただし彼らはプロとして恥ずかしいことに、強い漂白剤を使うことはもちろん、そもそも手を洗うべきであることにすら気づくのが遅かった。

1854年のロンドンでのコレラ大流行中、さらし粉はソーホーで気前よく使われたので、ある雑誌はこう報告している。「そのせいで水たまりは乳白色になり、石は汚れ、側溝に大きな飛沫（ひまつ）が飛びちり、あたりにはその強烈であまり好ましくない臭いが漂っていた」

そのロンドンでの大流行のとき、ジョン・スノウ医師が、コレラを引き起こすのは汚水であって「臭気」ではないと当局を説得しようと、ほぼ無駄な努力をしていた。テムズ川河口から飲料水の供給を受けている人たちのほうが、田舎の川から受けている人たちより、コレラにかかる可能性がはるかに高いことを示し、ソーホーのブロードストリートにあった送水ポンプからハンドルを取り外したことは有名だ。その周辺でコレラの集団感染が起こっていたのだ。

しかし彼の意見はほとんど無視され、塩素はまちがった理由で通りにまかれていた。水で媒介される病原菌を殺すためではなく、危険とされる臭いと闘うためだ。1858年の「大悪臭」で、国会議員たちがテムズ川からの臭いにうんざりしたために、とうとう汚水を海に排出する近代的な下水道の建設を認可したが、そのとき国会議事堂の窓のブラインドには、臭いを防ぐためにさらし粉が塗られていた。

このように塩素消毒の発明の源は、ワクチン接種のそれと同じように、とらえどころがなくあいまいだ。振り返ってみてはじめて、大勢の命を救った破壊的イノベーションとしてとらえることができる。おそらく誤解に近いものから偶然に始まり、かなりゆっくり進化したのである。

百日咳(ひゃくにちぜき)ワクチンを開発した女性の無私の貢献

1920年代、アメリカの子どもを襲う最も致命的な病気は百日咳(ひゃくにちぜき)だった。年に約6000人の子どもの命を奪っており、その数はジフテリア、はしか、猩紅熱(しょうこうねつ)を上回っていた。百日咳のワクチンが手に入る場所もあったが、ほとんど役に立たなかった。唯一の予防策は隔離だが、それさえも、患者をどれほどの期間隔離する必要があるのかわからないので、あまり効果がない。

この問題こそが、もともと教師をしていた、ふつうなのに非凡な女性ふたりを百日咳の研究に引き寄せた。

ニューヨーク州出身のパール・ケンドリックは、教師として働きながら、1917年にはコロンビア大学で細菌学を研究していた。1932年、グランドラピッズにあるミシガン州公衆衛生研究所で、水とミルクの安全性を忙しく分析しており、その年、グレース・エルダリングを採用した。彼女はもともとモンタナ出身で、同じように教職から細菌学に転向して、ケンドリックのチームに加わったのだ。

当時、命にかかわる百日咳の大流行が市を席巻しており、ケンドリックは上司に、空き時間にそれに取り組んでもいいか尋ねた。彼女とエルダリングは、誰に感染力があるかを調べる確かな検査の開発に着手した。これが百日咳の細菌を増やす培地の「咳プレート」であり、そこに患者が咳をする。細菌が増えれば、患者は感染力があるというわけだ。

ケンドリックとエルダリングは、苦労して咳プレート用に独自の培地をつくり、本業の長い1日を終えてから、グランドラピッズ中の家庭に出向いてサンプルを集めたのだが、そこで、大恐慌が始まってから労働者階級の窮状を悪化させていた、貧困を目のあたりにした。灯油ランプの明かりが、仕事のない飢えた家庭で苦しそうに息をする子どもたちを照らしている。隔離は稼ぎ手が仕事に行けない家族の困窮を意味することもある。

やがてふたりは、ほとんどの人は感染力が4週間続くことを確認し、それが地方と国の隔離政策に影響を与えた。しかし彼女らはもっと先に進んで、効果的なワクチンを開発したいと考えた。それから4年をかけ、標準的なワクチン開発技法を用いて、体系的に少しずつ開発を進めた。

新しいことや巧妙なことをするわけではなく、ただ慎重に実験するだけだ。

最終的にできたのが、百日咳菌の数種の株を不活性化したバージョンであり、これをマウス、モルモット、ウサギ、そしてケンドリックとエルダリング自身の腕に注射し、安全であることが証明された。さあ、このワクチンが人びとを百日咳から守るのだと伝えよう。

ここで、ふたりの科学者は研究所の仕事だけでなく、社会にも精通していることがわかる。ワクチンの効果を示すために、対照群として、ワクチンを受けさせてもらえない孤児を使うのが当時のやり方だったが、彼女らはそれを望まず、自分たちのワクチンを接種された人とされていない人を同類で突き合わせる必要があると考えた。地元の医師やソーシャルワーカーの協力を得て、ケント郡福祉救済委員会の統計を使い、ワクチンを接種した人たちと年齢、性別、所在地が一致するが、なんらかの理由でワクチン接種の機会を失った人たちを特定した。そして１９３４年から35年のあいだ、そのワクチンを接種された子ども７１２人のうち百日咳にかかったのが４人なのに対し、接種されていない対照群８８０人のうち45人が罹患していることがわかった。

ケンドリックとエルダリングがこの結果を、１９３５年10月に開かれたアメリカ公衆衛生協会の年次会議で発表すると、聴衆は懐疑的で、その検査はどこかがまちがっていたのではと疑った――当時はそういう検査が多かったのだ。ウェイド・ハンプトン・フロストという疑い深い医学研究者が、採用された手法を調べるためにジョンズ・ホプキンズ大学から2回やって来たが、ふたりの成果におかしなところは見つからないと、最終的に認めた。

同時に、ケンドリックはフランクリン・ルーズベルト大統領の妻、エレノア・ルーズベルトに手紙を書き、研究所に招いたところ、驚いたことに承諾の返事が来た。ファーストレディはふたりの科学者と13時間をともにすごし、ワシントンに帰って、プロジェクトに資金提供する方法を見つけるよう政権を説得したため、彼女らは人手をもっとたくさん雇うことができた。そのおかげでケンドリックとエルダリングは、2回目の検査をさらに大がかりに行なうことができたが、今度は子どもひとりが4回でなく3回の注射を受けるようにしたところ、すぐに多くの家族が志願してきた。

1938年、2回目の検査でさらに良い結果が出ると、ミシガン州はワクチンの大量生産を始め、1940年までに全国がそれにならい、世界中もあとに続いた。百日咳の発生率と死亡率は急速に下がり、ずっと非常に低いレベルを保っている。

この成果に関して、ケンドリックとエルダリングは功績をほとんど認められていない。数十年後でさえメディアからの依頼を断わり、金銭的報酬もほとんどもらっていない。自分たちの手法と処方を世界中に無料で使わせている。

ふたりはすべて完璧にやってのけた。きわめて重要な問題を選び、それを解決するために不可欠な実験を行ない、テストするのに地域社会と協力し、結果を全世界に知らせて、自分たちの知的財産を守ることに時間や努力を費やすことはなかった。メッセージとワクチンを広げるために旅をしているとき以外、ふたりはグランドラピッズの家に同居し、同僚のためにパーティやピクニックを気前よく催(もよお)した。彼女らを悪く言う人はいなかった。のちに同僚のひとりが話しているように、「ケンドリック博士は金持ちにならなかったし、博識な友人と同僚の比較的小さな輪の外で有名になることもなかった。彼女はただ、わずかな費用で何十万もの命を救っただけ。その事実をしっかり知ってもらうことが最高の報酬だ」。

ペニシリンの発見をめぐる偶然

パスツールの夏休みが幸運にも、ワクチン接種の作用機序に関する洞察につながってから50年後、夏休みがまた別の病気の克服にまつわる幸運な巡り合わせを引き起こした。

アレクサンダー・フレミングは1928年の8月をサフォーク州ですごすために、ロンドンの研究所を離れた。その夏のロンドンの天候は変わりやすく、6月のほとんどは涼しかったが、7月には突然かなり暑くなり、15日に気温が息苦しいほどの30度まで上がったあと、8月初めに劇的に涼しくなり、それから8月10日以降は再び暑くなった。

このことがなぜ関連しているかというと、フレミングが細菌に関する本の1章を書く準備として、ペトリ皿で育てていた黄色ブドウ球菌の増殖に影響をおよぼしたからだ。彼はこの菌種の専門家だったが、自分の主張をいくつか確認したかった。8月初旬の涼しい期間はカビの繁殖、具体的には真菌のアオカビ（学名ペニシリウム）の繁殖に適しており、その胞子のひとつがどういうわけか風に乗って研究室に入ってきて、ペトリ皿のひとつに着地した。その後の暑い期間のおかげで培養菌が増殖して広がったが、アオカビの周囲にだけすき間が残り、そこではカビがブドウ球菌を殺している。まるでふたつの種が互いにアレルギーがあるかのように、衝撃的な模様ができあがったのだ。

天候がちがっていたら、この模様はありえなかったかもしれない。なぜならペニシリンは、この菌種の成熟したものには効かないからだ。

小柄で寡黙（かもく）なスコットランド人のフレミングは、9月3日に休暇からもどると、習慣どおり、ペトリ皿に残していった培養菌を捨てる前に、ほうろうのトレーに空けて調べ始めた。元同僚のマーリン・プライスがドアから顔をのぞかせたので、フレミングは仕事をしながら会話に誘った。ところが彼は「これはおかしいな」とつぶやいた。真菌と細菌が排除し合った模様ができている皿を取ったときだ。真菌が細菌を殺す物質をつくり出していたのか？　フレミングはすぐに好奇心をそそられ、皿と真菌のサンプルの両方を保存した。

それでも、この発見を誰かが病気の実用的な治療法に変えるまでに、20年以上かかっている。問題のひとつはワクチン接種の成功だった。フレミングの経歴の大部分は細菌学の偉大なパイオニアであるサー・アルムロス・ライトの影響下にあり、そのライトは、病気を治すのはどんなに効果的であっても薬ではなく、体が自衛するのを助けることだと確信していた。ワクチン接種は病気を予防するだけでなく、治療するのにも使われるべきだというのだ。

ライトは、背がとても高く、遠慮がなく、雄弁で、短気だった。ライトとフレミングが働いていたセント・メアリー病院は、ワクチン治療の殿堂になった。第1次世界大戦で連合軍のために腸チフスのワクチン接種をライトが支持したことで、おそらく何十万もの命が救われている。

ライトの影響を受けて、フレミングも感染症を治す化学薬品が見つかることに懐疑的であり、第1次世界大戦中に傷口の感染症の原因を研究したことで、その疑いがさらに強まった。彼とライトは命を救う方法を知るのに好都合なように、ブルゴーニュのカジノを細菌学の研究所にして、そこに駐在した。そこでフレミングは、ギザギザの傷に似せて変形させた試験管を使い、石炭酸のような消毒剤は逆効果であることを示した。傷の裂け目の奥にいて壊疽を引き起こす細菌に到達せず、体自身の白血球を殺してしまう。フレミングとライトによると、代わりに傷を生理食塩水で洗うべきなのだ。これは重要な発見だったが、負傷者を治療する医者はほぼ完全に無視した。傷口を消毒剤で覆わないのは、完全にまちがいに思われたからだ。

それでも、フレミングはライトの考えへの肩入れに関して、独善的ではなかった。戦争前には、医学研究者のパウル・エールリヒのヒ素系化学療法、サルバルサンを梅毒に採用し、「梅毒の医者」として有名になっている。そのため彼は、病気を治療するのに食細胞を刺激する以外の方法もあることを知っていた。1921年、自分の鼻粘膜や、涙、唾液などの体液に含まれるタンパク質のリゾチームに、細菌を殺す特性があること、そしてそれは食細胞によって分泌されることを発見した。体自身の自然な殺菌剤であるリゾチームは、体内に注入されると細菌を殺せる薬剤が見つかる可能性を示唆していた。しかしリゾチームそのものは、病原菌となる最も有害な種の細菌に対しては、期待はずれであることがわかった。

このようにフレミングは、ペニシリンの発見を、少なくともある程度は想定していた。そして一連の実験で、ペニシリンがほとんどの殺菌剤より効果的にさまざまな害のある細菌を殺すが、体そのものの防御食細胞は殺さないことを示した。

しかし、感染した傷に用いられる局所的な殺菌剤として、ペニシリンの初期の実験は期待はずれだった。体内に注入された場合がいちばんよく効くことに、まだ誰も気づいていなかったのだ。

さらに、ペニシリンは大量生産や保存が難しかった。周知のように、1936年には製薬会社のスクイブが「ペニシリンに見られる開発の遅れ、安定性の欠如、細菌への作用の遅さを考えると、殺菌薬としての生産と販売は実際的とは思えない」と結論づけている。そのためペニシリンは10年以上にわたって関心を失われ、病気の治療薬としての開発は行なわれなかった。フレミングは研究所の人であって、診療所や役員室の人ではなかったのだ。

「発見」を「イノベーション」に変えるには何が必要か

抗生物質の開発を加速させたのは戦争の勃発だったと一般に考えられているが、これはまちがいかもしれないことを証拠が示している。1939年9月6日、戦争が始まってわずか3日後、オックスフォード大学のふたりの科学者が、ペニシリンを研究するための助成金を申請した。いまだ応用ではなく研究の観点から考えていたのだ。それまでに1年以上取り組んでいたが、開戦のせいで実際に資金を入手するのが難しくなった。医学研究評議会もロックフェラー財団も拠出した金額は要求よりかなり少なく、後者はその理由として戦時の不透明感を挙げている。そのためどちらかと言うと、戦争の勃発はこの段階のペニシリン開発を遅らせたのである。

ドイツから亡命した生化学者エルンスト・チェーンと、オーストラリア出身の病理学者ハワード・フローリーというふたりの科学者が、フレミングの研究成果を偶然見つけて、戦争が始まる前にもっと詳しく調べることにしていた。そして1940年5月には、戦時で適切な材料も資金も人手も不足していたが、同僚のノーマン・ヒートリーがペニシリンを抽出し、害がないことを示すためにマウスに注射した。5月25日、フローリーは4匹のマウスにペニシリンを注射し、そのあとその4匹とほかの4匹の対照のマウスに連鎖球菌の細菌を大量に与えた。その夜、ペニシリン注射を受けなかったマウス4匹は死に、受けたマウスは生き残った。

負傷兵のための新たな治療法が目の前にあるのかもしれないと、フローリーとチェーンとヒートリーは気づいた。それから数カ月にわたって、彼らは自分たちの研究所をペニシリン工場に変え、1941年2月12日、バラの茂みでひっかき傷を負ったあと、敗血症で死にかけていた43歳の警察官アルバート・アレクザンダーが、初めてペニシリンで治療された人になった。彼は急速に回復したが、完治する前にペニシリンの供給が切れてしまい、病気がぶり返し、悲しいことに亡くなった。

しかしその薬の奇跡的な効果は観察された。そして1942年8月、フレミングがペニシリンを使って髄膜炎のハリー・ランバートを治療し、その症例は報道陣の注意を引いた。それ以降、人前に出るのをいやがるフローリーよりもフレミングがヒーローになった。

1941年7月、戦争でイギリスの産業界はぎりぎりの状態だったため、フローリーとヒートリーはアメリカに飛び、そこでペニシリン生産を始めた。増えやすい種類のカビがすぐに見つかり、それを培養する技法も改良されたが、化学会社は当初、そんな不確実な計画に投資したがらず、一方で反トラスト（つまり独占禁止）ルールのせいで、会社どうしが互いに技術を学び合うことが難しかった。どれだけ多くのペニシリンに関連する知的財産が、そのときアメリカの産業界に所有権を主張されたかについて、のちにイギリスはいささか憤慨している。

戦時の物資不足、安全保障上の懸念、そして――イギリスでは――V1飛行爆弾が、このプロジェクトを妨害し続けたので、平時ならペニシリンの開発はもっと遅かったかどうかは定かでない。だからといって、負傷兵にとっての薬の価値が否定されるものではなく、多くの命が救われた。

さらに目覚ましかったのは、ペニシリンの淋病を治す力だ。この病気は北アフリカとシチリアでの軍事作戦で、ドイツ軍より手ごわい敵だった。Dデイ（ノルマンディ上陸作戦開始日）までには、十分なペニシリンが調達できたおかげで、負傷による死亡率は確実に予想よりはるかに低く抑えられた。

ペニシリンの特性に関するニュースは戦争前にすでにドイツに届いており、ヒトラーの医師は1944年6月の暗殺未遂のとき総統を治療するのに使ったが、同国でもフランスでも増産する真剣な努力はなされなかった。これもまた、1940年代が平時であればちがっていただろう。

ペニシリンの物語は、たとえ偶然の幸運によって科学的発見がなされても、それを役立つイノベーションに変えるには、多大な実務が必要であるという教訓を裏づけている。

ポリオ根絶への道のり

1950年代のアメリカで最も注目された病気はポリオだった。ポリオワクチンの物語は、天然痘のそれよりよほどドロドロしていて罪つくりだ。レディ・メアリー・ウォートリー・モンタギューに当初反対していた人たちの心配が、時代ははるかに下っていたが、ある程度現実になった。ワクチンが起こすはずではなかった死を引き起こしたのだ。そして警鐘を鳴らしたのは、やはり頑固で時代に左右されない女性だった。

彼女の名前はバーニス・エディ。1903年にウェストヴァージニアの片田舎で生まれ、医者の娘だったが、医学校に行く余裕がなかったので実験室での研究に進み、1927年にシンシナティ大学で博士号を取得した。1952年にはアメリカ政府の1部門である生物学的標準部で、ポリオウイルスに取り組み、新しいソークウイルスについての安全性と有効性の検査にたずさわっていた。

ポリオは20世紀にとくにアメリカで、悪化する伝染病になっていた。皮肉なことに、そのおもな原因は公衆衛生の向上だった。ほとんどの人がウイルスに感染する年齢が上がった結果、より悪性の感染症になり、麻痺（まひ）にいたることが多くなったのだ。誰もが飲料水やプールの水で汚水に触れていた時代には、全住民が早くに、ウイルスが麻痺を引き起こす前に、免疫を獲得していた。塩素が上水道を浄化するようになると、人びとがウイルスに遭遇するのが遅くなり、症状がひどくなった。1950年代までに、アメリカでのポリオの流行は年々悪化していた。1940年の患者は1万人、1945年には2万人、1952年には5万8000人。世間の関心は高まり、治療とワクチンの発見に惜しみない寄付が集まった。目標を達成したチームには高い名声と巨万の富が待っていたので、功をあせっての手抜きもあった。

ひとつの突破口が開けたのは、ピッツバーグのジョナス・ソークが組織培養の新しい手法を使い、ポリオウイルスをすりつぶしたサルの腎臓（じんぞう）で大量に増やしたときだ。1953年までに、彼は腎臓を求めて週に50匹のサルを殺しており、腎臓の組織培養をするフラスコでウイルスを増やし、それをホルムアルデヒドに13日間触れさせることで不活性化した。こうしてできたワクチンを161人の子どもで試したところ、害はなく、ポリオを発症せず、ポリオウイルスに対する抗体ができることがわかった。

ソークのライバル、とくにアルバート・セービンからの反論を打ち負かし、まだワクチンがサルでポリオを引き起こす場合もありうることを発見したバーニス・エディの研究結果を無視して、ソークワクチンは１９５５年に急遽、大々的な宣伝とともに全国的な試験が行なわれることになった。そして惨事が起こった。メーカーの1社カッター・ラボラトリが、不活性化処理が不十分なウイルスによって何千人もポリオに感染させ、２００人以上を麻痺させたのだ。ワクチンはすぐさま引き揚げられ、プログラムは見直された。

一方、エディ博士には別の心配事があった。彼女はサラ・スチュアートとともに、マウスの腫瘍からがんがウイルスによってハムスター、ウサギ、またはモルモットにうつされる可能性があることを示す画期的な実験を行なっていた。このSEポリオーマウイルス（「S」はスチュアート、「E」はエディの意）は、重大な生物医学的発見である。ソークワクチンを製造するために使われるサルの腎臓の培養組織が、サルのウイルスのせいで、それ自体ウイルス感染して病気になることがあると理解していたエディは、こうした汚染ウイルスがワクチンに入り込み、人にがんを引き起こすおそれがあることを心配していた。

１９５９年６月、彼女は自分の時間に実験を行なって、サルの腎臓培養組織が実際にハムスターで接種した場所にがんを引き起こすおそれがあることを実証した。ポリオワクチンの安全性にまた別の疑いを投げかけるからという理由で、彼女はその実験をしたことを上司のジョー・スマーデルに叱責された。そして彼女がそれを１９６０年10月の科学会議に報告すると言い張ると、スマーデルは大声を実質的にポリオの研究をクビになり、実験について話すことを禁じられた。スマーデルは大声を上げた。「きみはスズメバチの巣をつついてくれたようだな。サルの腎臓培養組織を人間に使うと、人間にがんを誘発するかもしれないと信じるくらい、だまされやすい人もいるんだぞ」。たしかに。

最終的に汚染ウイルスは分離され、「SV40」と命名されて、ほかの人によって詳しく研究された。現在わかっているように、1954年から63年までにアメリカでポリオのワクチン接種を受けた人はほぼ全員、SV40——つまり40番目——をはじめとする、さまざまなサルのウイルスにさらされた可能性がある。その人数はおよそ1億。その後の数年間、健康に関係する機関があわててリスクは小さいと世界に請け合ったが、そんなに楽観視する根拠は当時ほとんどなかった。たしかに、汚染されたワクチンを受けた人たちにがんが異常に蔓延(まんえん)することはなかったが、SV40のDNAが人間のがん、とくに中皮腫と脳腫瘍に検出されており、その場合、ほかの原因と一緒に補因子として働いたのかもしれない。こういう話はいまだに嫌われる。

ポリオ根絶は1988年の目標だった。麻痺を予防するための不活性化ワクチンと、完全な免疫をつけるための経口（生）ワクチンの組み合わせを用いて、あらゆる場所の成人も子どもも守るために、ボランティアが全世界に散開した。南アメリカと中央アフリカの戦争中、内乱が続く間もずっと、彼らは自分たちの仕事をするために戦線を越え、停戦を勝ち取ることさえあった。

そして次の30年で、おそらく1600万の麻痺と160万の死を防いだ。現在、成功率は99・99パーセントを超えている。アフリカにおけるポリオの最後の症例は2016年だった。アフガニスタンとパキスタンだけがごくわずかな症例をいまだに報告している。2018年に33件だ。そこでもまもなく過去の話になるのはまちがいない。

マラリア抑制の突破口になった「薬漬けの蚊帳(かや)」

1980年代までに天然痘は根絶され、ポリオ、腸チフス、コレラは下火になっていたが、あるしつこい病気が最悪の殺し屋のまま、年間数十万の命を奪うことがあった。マラリアだ。

1983年6月20日、西アフリカはブルキナファソのスムッソにある暑くてほこりっぽい村落で、フランスとベトナムの科学者グループが、アフリカ人の同僚とともに実験を始めた。

彼らは地元の市場で、36枚の蚊帳(かや)をつくるためのチュール地と平織り綿布を買い込んでいた。2台以上のベッドをカバーする大判のグループ用の蚊帳もあれば、シングルベッド1台をカバーする個人用の蚊帳もある。次に、半数の蚊帳をペルメトリン殺虫剤の20パーセント溶液にひたし、残りの蚊帳はそのままにした。

そして次にかなり奇妙なことをした。薬に浸けたものもそうでないものも、それぞれ半数の蚊帳に小さな穴をたくさんあけたのだ。これで、薬に浸けていない穴のない蚊帳が9枚、浸けられた穴のない蚊帳が9枚、浸けられた穴のある蚊帳が9枚、浸けていない穴のある蚊帳が9枚になった。そして36枚の蚊帳を90分間、太陽の下に平らに並べて乾かしたあと、それを24戸の小屋に設置した。小屋は伝統的な泥の壁とわらぶき屋根で建てられているが、住まいとして使われることを意図していない。これは調査の拠点であり、特別に蚊取り器を装備されていて、蚊を小屋の内部で捕まえるものもあれば、小屋を出て行く蚊を捕まえるものもある。

6月27日、ボランティアたちが小屋で寝泊まりし始めた。5カ月間、午後8時から午前6時まで、個人用蚊帳1枚に1人、グループ用に3人が入る。週に6日、1日3回、午前5時、8時、10時に、小屋に入ってきた蚊と出て行こうとした蚊を、死んでいても生きていても集める。生きている蚊を24時間観察し、何匹が死んでいる蚊の数に加わるかを確認する。21週間後、4682匹の雌の蚊が集まったが、ほとんどがガンビエハマダラカとフネストスマダラカであり、どちらもマラリアを媒介する。

この実験を思いついたのはふたりのフランス人研究者、フレデリック・ダリエとピエール・カルネヴァルであり、第2次世界大戦でアメリカ軍が、のちに中国軍が、DDT処理をした蚊帳を使ったことに注目してからのことだ。

「なぜ穴のあいた蚊帳もつくったのですか?」と私は先日ダリエに質問した。なぜならアフリカでは、蚊帳が長いあいだ無傷のままであることはまれなので、穴のあいた蚊帳は何もないのと同じくらい役に立たないのか、それとも完全な蚊帳と同じくらい役に立つのかを調べることが現実的だからである。薬に浸けていない蚊帳の場合、寝相の悪い人の多くが経験しているように、破れた布はまったく役立たずだ。しかし、蚊帳に虫を殺したり追い払ったりするための殺虫剤がかけられていたら?

ブルキナファソのチームの結果は、ダリエとカルネヴァルにとってさえ驚くべきものだった。穴があいていてもいなくても、ペルメトリン処理をした蚊帳があると、蚊が寄ってこないのだ。小屋に入ってくる蚊の数が約70パーセント減り、蚊が小屋を出て行く率は25パーセントから97パーセントに上がった。さらに「飽血率」——蚊がたらふく血を吸ったかどうか——もガンビエハマダラカで20パーセント、フネストスマダラカで10パーセント下がった。対照の小屋の蚊がほとんど死ななかったのに対し、処理した蚊帳を設置した小屋では17パーセントが死んだ。５カ月後もまだ、蚊帳の虫除けと殺虫の効果は維持されていた。いまの蚊帳は処理効果がさらに長く続く。

この見事なほど単純で、注意深く設計された実験は、「１９８４年のダリエらの実験」として知られており、一般のメディアではしかるべき名声を手に入れていないが、マラリアと昆虫防除の狭い世界では有名になった。アフリカにおけるマラリア抑制の突破口になったのだ。

薬に浸けた蚊帳は、病気とその媒介動物に立ち向かう魔法の銃弾である。それでもこの考えが普及するにはしばらくかかった。薬に浸けた蚊帳が初めて広く使われ始めたのは２００３年で、まさにその年、マラリアの死亡率上昇が止まり、減少を始めた。

ネイチャー誌で発表された最近の研究によると、殺虫剤処理した蚊帳は、近年全世界で救われた６００万の命の7割に貢献しているという。抗マラリア薬と殺虫スプレーを合わせた数字の２倍である。２０１０年までに、毎年1億４５００万枚の蚊帳が届けられるようになり、現在までに10億枚以上が使われている。世界的に見ると、マラリアの死亡率は今世紀が始まってからの17年でほぼ半減した。

「タバコ」という人類最悪のイノベーション

現代の最も恐ろしい殺し屋は、もはや病原菌ではなく習慣、すなわち喫煙だ。６００万人以上を直接早死にさせ、さらに１００万人の死に間接的に関与している可能性がある。１５００年代にアメリカ大陸から旧世界にもち込まれた喫煙というイノベーションは、人類最大の過ち（あやま）のひとつだ。
これは自主的な習慣であり、人間はつねにではないにしても一時は理性的であると考えると、この殺し屋を一掃するのは比較的容易なはずだ。人びとにそれは体に悪いことだと教えれば、彼らはやめるだろう。ところが現実には、そう簡単にはいかないとわかっている。

喫煙はほかのほぼどんな原因よりも若年死の原因になっている。がんや心臓病を引き起こすと知っても、その世界的な人気は驚くほど落ちない。喫煙で人が死ぬことはかなり前に合理的な疑いの余地なく立証されているのに、意外にもその習慣を止めるのに役立っていない。広告禁止、地味な包装、公共スペースでの喫煙禁止、タバコの包装に書かれた制止のメッセージ、医学的アドバイス、教育——すべてが、とくに欧米諸国では、ある程度の効果を上げた。しかしそれでも世界中の10億人以上が、植物からつくったものを口にはさんで、小さなかがり火を点けることにふけっている。

電子タバコを普及させた「ナッジ・ユニット」

イノベーションの話をしよう。イギリスにおける喫煙の減少は近年急加速しているが、そのおもな理由は、ニコチン（これ自体が有害だと知られているが）を摂取する代替方法が広がっているからだ。煙の代わりにハイテクが使われる——電子タバコである。

イギリスではほかのどのヨーロッパ諸国より多くの人が電子タバコを吸っている。５９０万のイギリス人が従来のタバコを吸うのに対し、およそ３６０万人が電子タバコを吸っている。この習慣は公的機関、政府、慈善団体、大学によって支持さえされているが、その理由は完全に安全だからではなく、従来の喫煙よりはるかに安全だからである。これはアメリカとは非常に対照的だ。アメリカでは電子タバコは公式に抑制されているし、オーストラリアではいまだに——これを書いている現在は——正式に非合法だ。〔訳注：日本でもニコチンを含む電子タバコ用リキッドの販売は法律で禁じられている。似た製品で販売されているのはリキッドでなくタバコ葉を電子機器で熱する加熱式タバコである。〕

電子タバコのイノベーターは誰だったのか？　最初に発明したのはホン・リクという人物で、自分自身が喫煙をやめるために、最初の電子タバコを考え出した。21世紀初め、彼は遼寧省中国伝統医学研究所の化学者として働いており、1日2箱吸っていた。禁煙したかったが、何度か試して失敗していた。ニコチンパッチも試したが、タバコから摂取するものの代わりとしては物足りなかった。

ある日、彼は研究所で仕事中に液体ニコチンを入手し、それを気化させる方法を実験し始めた。最初の市販用電子タバコは1980年代に売り出されていたが成功せず、試作品は1960年代にまでさかのぼり、ニコチン蒸気使用の特許は1930年代に出願されている。しかし電子機器の小型化が進んだことが、ホンにとって幸運だった。彼の最初の機器は大きくて扱いにくかったが、2003年には、もっと実用的なメカニズムを使う小型の装置に関する特許を申請した。その後小型化はさらに進み、彼は製品を遼寧省の薬事局および中国軍の医療研究所によるテストに提出した。そして2006年に発売されている。

でも、思い出してほしい。イノベーターは発明者とは限らない。電子タバコは中国ではイギリスほど普及していない。なぜだろう?

2010年、広告会社の重役を務めるローリー・サザーランドが、旧友に会うためにロンドン中心部にあるオフィスに立ち寄った。訪問相手のデイヴィッド・ハルパーンは、デイヴィッド・キャメロンの新しい行動洞察(インサイト)チーム、通常「ナッジ・ユニット」の長として働き始めたばかりだった。会話の途中で、サザーランドがネットで買った電子タバコを取り出して吸った。

そのころまでに電子タバコは、タバコ農家だけでなく、これは実質的に新式の喫煙だと心配する公衆衛生の圧力団体にも促され、オーストラリア、ブラジル、サウジアラビアなどで禁止されていた。イギリスがこのテクノロジーを非合法化するのも時間の問題であることは確実だった。ハルパーンは電子タバコを見たことがなかった。彼はサザーランドに説明してくれと言い、蒸気を吸うリスクのほうがましだという考えに興味をもった――天然痘を防ぐためのワクチン接種や、腸チフスを防ぐための塩素消毒に似ている。あるいは、HIV感染を防ぐためにヘロイン依存症者に清潔な針を配布するようなものだ。この物議を醸(かも)した政策は、1980年代にイギリスが採用したもので、薬物依存症者のHIV感染率を諸外国よりはるかに低く抑える目覚ましい効果を上げた。

「私たちは証拠をよく検討し、決断した」とのちにハルパーンは書いている。「首相に詳細を報告し、イギリスは電子タバコ禁止に反対する動きをすべきだと説得した。それどころか、さらに踏み込んだ。意図的に電子タバコが広く手に入るようにして、禁止するのではなく、その品質と信頼性を改善するのに規制を利用するべきだと主張したのだ」

だからこそ、医学専門家やメディア、それに世界保健機関や欧州委員会の激しい反対があったにもかかわらず、このイノベーションは諸外国よりイギリスで定着したのだ。現在、きちんとした対照研究から、電子タバコのリスクはゼロではないが、喫煙よりもはるかに低いことを示す強力な証拠が出てきている。含まれている有害な化学物質が少なく、引き起こされる臨床症状も少ない。２０１６年のある研究は、電子タバコにしてたった5日後には、喫煙者の血液中の毒性物質が、完全に禁煙した人と同じレベルまで下がったという。２０１８年の研究では、電子タバコに切り替えた喫煙者２０９人を2年間追跡し、安全性への懸念や健康上の深刻な問題を示す証拠は見つからなかった。

電子タバコを規制しようとする既得権者たち

しかし電子タバコも、レディ・メアリー・ウォートリー・モンタギューを迎えたのと同じような、既得権者からの反対に見舞われた。タバコの利益団体は多くの国々で禁止を勝ち取り、製薬会社は自社の処方ガムやパッチを守ろうと、その他の国々で制限させるロビー活動を行ない、公衆衛生の圧力団体は禁煙活動を守るために反対した。２０１４年、優先されなくてはならないエボラ流行の最盛期に、世界保健機関（ＷＨＯ）事務局長のマーガレット・チャンは、電子タバコ反対を優先事項と考えていると明言した。欧州委員会も２０１３年、電子タバコを医薬品として規制することを要求し、この産業を抹殺しようとしている。

その提案は却下されたが、２０１７年に施行されたヨーロッパのタバコ製品指令は、ニコチン濃度の高い電子タバコ用リキッドと電子タバコの広告を禁止した。この妥協策によって規格が導入され、材料の毒物学的テストを含めた厳しい製品安全性規制と、不正開封と漏れを防止する包装を保証するための規則に、製品がしたがうことになったので、ある程度は業界の役に立った。

それとは対照的にアメリカでは規制がほとんどないが、電子タバコ製品を禁止しようとする試みはたくさんある。たしかにやがて人が死亡するようになったが、そのほとんどの原因はニコチンではなく、大麻の成分であるＴＨＣオイルが含まれていて、ビタミンＥアセテートと呼ばれる増粘剤で汚染された、ブラックマーケット製品を買ったことだ。イギリス政府が電子タバコを奨励しながら製品を厳しく規制しているのに対し、実質的な禁酒法時代の繰り返しで、アメリカ政府は電子タバコを抑圧し、その安全性を確保するためのことはほとんどしていない。

「失敗とは、あらためてもっと賢く始めるチャンスにすぎない」
——ヘンリー・フォード

無数の試行錯誤の産物としての機関車

人類誕生から1810年代まで、疾走するウマより速く進める人間はいなかった。そのあと1世代のうちに、その3倍も速く、しかも1度に何時間も移動するのが当たり前になった。これほど具体的でドラマチックなイノベーションがあっただろうか？　その一方、私が生きてきた時代には、輸送のスピードはあまり変わっていない。

スピードを飛躍的に速めた人物は、そのアイデアをそもそも考えた人ではなく、実用的に改善した人であり、トーマス・ニューコメンと同じように出自の低い職人だった。

1810年、イギリス・ノーサンバーランド州のキリングワースで、排水のために新しいニューコメン機関が設置された新しい炭鉱が水没していた。機関は役目を果たさず、まる1年、各地から集まった機関士が最善の努力を尽くしたが、炭坑は水浸しのままだったのだ。

ジェームズ・ワットを思い出すような話だが、近くの炭鉱で巻き取り装置を担当する制動手で、時計や靴の修理ができることで評判だった、29歳のジョージ・スティーヴンソンが協力を申し出る。彼の唯一の条件は、自分専任の職人を助手として選ぶことだ。

スティーヴンソンは機関を分解し、噴射キャップの形を直し、シリンダーを短くして、4日後には機関をきちんと機能させたので、炭坑はすぐに乾いた。彼は機関士の職を得て、すぐにあたり一帯で「機関の医者」と呼ばれるようになる。

スティーヴンソンの父親は炭鉱の「火夫（ファイアマン）」で、蒸気機関の燃料として石炭をシャベルで炉に放り込む仕事をしていた。若いジョージはとんとん拍子で昇進し、17歳まではニューバーンで排水用機関の「閉栓手（プラグマン）」〔訳注：炭坑内の水位が下がって吸引力が落ちたら管に栓をする係〕になり、そのあとウィリントン埠頭、のちにキリングワースで、蒸気駆動の巻き取り装置を担当する「制動手（ブレーキマン）」になった。しかしそれまでに次々と不運に見舞われていた。幼い息子を残して妻が亡くなり、父親は蒸気機関の事故で失明したのだ。兵役に召集されたときには、最後の貯金をはたいて、自分の代わりに服役してくれる人を雇うしかなかった。しかし機械に強いという評判が立つと、スティーヴンソンはすぐに引っ張りだこになった。そして機関車が出現する機は熟していた。

蒸気機関で軌道上の四輪車を引くというアイデアは、新しくはなかった。数年前から定置機関でケーブルを使って、石炭運搬車を坂の上に引っ張り上げることは行なわれており、１８０４年にはマーサーティドヴィルで、リチャード・トレヴィシックの初の蒸気機関車が線路上の列車を引っ張っていた。トレヴィシックは、近代的な金属加工技術によって高圧の蒸気を操れるようになって、はるかに強い力が発揮され、機関が移動可能になり、復水器の必要がなくなることに気づいたのだ。しかしトレヴィシックは儲けることができず、興味をなくし、外国に行って文無し（もんなし）で死んだ。

誰もが「ウマのほうが便利だ」と信じていた

実験は終わったように思えた。彼をまねした人たちも同じようにだんだんあきらめていった。蒸気機関車は信頼性が低く、危険で、恐ろしくコストがかかり、木や鉄板の線路にダメージを与え、車輪がスリップせずに重い荷物を引っ張ったり坂を上ったりすることはできない。ウマを使い続けたほうがいい、と良識ある人は口をそろえた。

この状況を変えたのは戦争だ。ナポレオン戦争のせいで、ウマとウマに与える干し草の需要はとどまるところを知らず、どちらも価格が高騰した。採炭地区では、石炭を荷馬車で海に運び、船に積み込まなくてはならないのがネックだった。移動距離が13キロ以上だと炭鉱は利益が出なくなる。そのため炭鉱のオーナーは再び実験を始め、北東部のほぼ全域で、スピードを上げようと車上でボイラーを装備した機械がガチャガチャ音を立てるようになった。

それでも、炭鉱の世界以外で鉄道が役立つようになるとは、ほとんど誰も想像しなかった。人や荷物を長い距離運ぶのに、運河や駅馬車と競い合えるとは、誰の頭にも浮かばなかったのだ。人びとが長期的な影響を過小評価するという、イノベーションに関する重大な真実の好例である。

1812年、リーズのマシュー・マレーという独創的な技術者が、ジョン・ブレンキンソップのために、シリンダーが1個ではなく2個の機関車をつくった。ウェリントン公爵アーサー・ウェルズリーがナポレオン軍を破ったスペインでの戦いにちなんで、サラマンカ号と名づけられた。彼はその後、同じ設計で機関車をもう1台北東部に向けて出荷しており、こちらは綴りの誤りでウィリントン号と呼ばれた。ラック（歯型のレール）とピニオン（歯車）を使う歯軌条式で前進するものだったが、ライバルのウィリアム・ヘドリーが手がけたパフィング・ビリー号（1813年）は、この方式をやめた。なめらかな車輪はなめらかなレールをしっかりつかめないという、根強い神話をついに打ち破ったのだ。直感では理解しがたいが、十分な重量の機関車なら、少なくとも傾斜が緩ければ、ツルツルのレールの上で重い貨物を引くことができる。

しかしヘドリーらはすぐに新たな問題にぶつかった。軌道の鉄板が機関車の重みに耐えきれず、砕けてばかりいるのだ。車輪の上だけでなく下にもイノベーションが必要なのは明らかだった。

ここはスティーヴンソンの出番だ。彼は機関とレールの両方にイノベーションが必要なことを、誰よりもわかっていた。翌1814年、キリングワースで2シリンダーの機関車をつくり、プロシアの将軍にちなんでブリュッヘル号と名づけた（この物語でのナポレオン戦争の影響は続く）。おもに手本としたのはマレーのウィリントン号の設計だ。ブリュッヘル号はうまく動いていれば、時速およそ5キロで、2トンの石炭を積んだ貨車14台を引っ張れるとわかった。ウマ14頭分の仕事をするのだ。それでも、石炭が安く手に入る炭鉱以外の場所では、運河はもちろんウマが引く車とも競えるほどの信頼性はなかったが、これはほんの序の口だったのだ。スティーヴンソンはすでに設計をあれこれ研究していた。

レールについて言うと、スティーヴンソンはすぐにウィリアム・ロッシュとともに、機関車の重さに耐えられる新たな鋳鉄レールの設計の特許を取得した。しかしその後、方針を変えた。マイケル・ロングリッジという友人が、キリングワースから遠くないブライズ川沿いのベッドリントンで製鉄所の経営を引き継いだばかりで、可鍛（かたん）（低炭素）鉄をつくるための新しい精錬プロセスを使って、鋳型によって錬鉄製のレールをつくり出すアイデアを思いついた。ロングリッジの技術者のジョン・バーケンショーは、上部が広く基部が狭い、横断面がくさび形になるレールのデザインを考え出した。これなら金属を節約しながら、機関車の車輪とうまく接触できる。1822年にストックトンからダーリントンまで鉄道が建設されることになったとき（私はこの文章をダーリントン駅で書いている！）、スティーヴンソンはロッシュの怒りを買いながらも鋳鉄をやめて、バーケンショーとともに錬鉄製レールを採用した。

ここで、ジョージ・スティーヴンソンと息子のロバートは驚くほど大胆なことをした。ストックトンまでダーリントンから石炭を引っ張るために、機関車を備えた40キロ（最終的に64キロ）の錬鉄製鉄道を調査し、建設したのだ。

この偉業には偶然の発見がひと役買った。裕福なクエーカー教徒の羊毛商で慈善家のエドワード・ピーズは、ダーリントンからストックトンオンティーズの川まで、石炭や羊毛やリネンを運ぶのに、運河ではなく馬車鉄道を提案していた。しかし馬車鉄道でも運河と同様、建設するには土地を入手し、議会に法案を通させるために、弁護士や仲介者への膨大な額の出費が必要だった。ピーズと仲間のダーリントンに住むクエーカー教徒は、貴族院議員から猛反対をくらい、エドワード・ピーズの断固たる決意と、ロンドンの政治家たちに延々と語りかけるという苦労があってようやく、1821年4月、法案が通った。ただし、これは馬車鉄道のためのものだった。

1821年4月19日、法案が通ったまさにその日に、ピーズはストックトンから会いに来たジョージ・スティーヴンソンと顔を合わせた。彼が鉄道を計画していると聞きつけたらしい。スティーヴンソンはルートの調査を申し出て、さらにウマだけでなく機関車も使うよう、ピーズを説得した。これが原因で地主からまた新たに怒りがわき起こった。彼らはこの（反対派の言う）「悪魔の機械」は時速16ないし19キロで進むという、（支持派の言う）「ばかげた」うわさに恐れをなしたのだ。

ロバート・スティーヴンソンはストックトン-ダーリントン間の鉄道で走らせるために、改良された機関車の建造を仕切った。1825年9月27日の華々しい開業で、ティモシー・ハックワースが中心になって設計した第1号のロコモーション号は、石炭を積んだ車両12台と、小麦粉用車両1台、そして人を乗せる車両21台からなる列車を引っ張った。ストックトンに着くころには、乗客は600人以上になっていた。のちにロコモーション号は時速38キロまで出せることを示した。熱が初めて人を運ぶ仕事をしたのだ。

正確に言うと、ダーリントン-スットックトン間の鉄道はそれから2、3年はウマにかなり頼っていて、機関車はたまに強引に入ってくる信頼できない危険な代物だった。しかし、スティーヴンソン親子はそれで終わりにはしていない。彼らの最も有名な設計の機関車ロケット号を、1829年のレインヒル選考会に参加させた。これはジョージ・スティーヴンソンが建設していたリバプール・マンチェスター鉄道のための機関を選ぶコンテストだ。条件として、機関の重量は4・5トン以下、車輪は4個だけ、スプリングが効いていて、小型列車を引いて56キロを1度も止まることなく往復する――そしてその偉業を繰り返す――必要があった。

ロケット号はロバートの設計だったが、いろいろと巧妙な改良が組み込まれており、そのほとんどは新しい協力者のヘンリー・ブースの設計だった。たとえば、蒸気発生率を上げるためにボイラー内に複数の煙管を設置し、シリンダーを斜めに取りつけ、2個の動輪とピストンを直接つなげ、排出される蒸気を送風管によって煙突内に垂直に送り出して、炉を通る排気を増やす。

要するに、それは数人が少しずつあれこれ研究し、試行錯誤した結果であって、ひとりの天才による想像力の目覚ましい飛躍ではなかった。レインヒルでロケット号には競争相手が9両あり、そのうち5両は起動に失敗した。そのほかウマに引かれるサイクプト号はへたり込み、パーセヴィアランス号は故障し、サン・パレイユ号はシリンダーが割れ、観衆の人気だったノヴェルティ号はすごいスピードで走り出したが、そのあとパイプが破裂し続けた。ウサギだったノヴェルティ号に対して、カメを演じていたロケット号は落ちついて蒸気を出し、13トンを引っ張りながら、時速46キロに達した。これがその後数十年にわたる機関車の基本設計を決めたのだ。

鉄道バブル

リバプール－マンチェスター線が開業して、すばらしい成功を収めたあと数年は、たいしたことが起こらなかった。短距離の鉄道があちこちに建設され、技術はゆっくり磨かれた。

その後、国債の低金利と株式市場の自由化に後押しされて、お金を貯めている人たちが狂ったように株を買ったことで資金が調達され、1840年に鉄道事業の異常なブームが始まった。

全国に新しい鉄道線路が出現し、都市間を、次に町と町を、そして村と村をつないだ。鉄道による移動は当たり前に、高速に、そして少し信頼できるものになった。ただし、現在の水準からすると安全にはほど遠かったが。駅馬車が消えるとともに道の石畳のあいだには草が生えた。

鉄道ブームは競争バブルであり、一部の人に利益をもたらし、多くの人に甚大な損害をもたらし、誇大宣伝と詐欺に満ちていたが、イギリス各地がかつてないほど密接につながったおかげで、商業が盛んになり、利用者にとってはとてつもなく有益だった。

イギリス以外の世界もすぐあとに続いた。アメリカ初の鉄道は1828年、フランスでは1830年、ベルギーとドイツで1835年、カナダで1836年、インドとキューバとロシアで1837年、オランダで1839年に運用が始まった。アメリカでは1840年にはすでに4300キロ、1850年には1万4000キロの鉄道が整備されていた。

蒸気船とスクリュープロペラの進化

蒸気機関が船に搭載されるようになったのは同じころだが、外洋航行の蒸気船がスピードだけでなく価格でも帆船と張り合えるようになったのは、１８００年代後半、外輪に替わるスクリュープロペラが発明されてからのことだ。帆走術は１８６０年代末、カティ・サーク号などの高速大型帆船の進水でピークに達していた。

スクリュープロペラの物語には、イノベーションによくある要素すべてが盛り込まれている。長きにわたる前史、ふたりのライバルによる同時進行の難関突破、そして長い年月をかけたゆっくりの進化だ。アイデアは実際に１６００年代からあり、18世紀にもあちこちで生まれ続けたが、１８３０年代には代わりに外輪船がいたるところで見られた。スクリューの設計に関する特許は次々と出願された――ある歴史家によると、このアイデアに関連する名前は４７０確認されており、とくに先進的だったのは、１８３８年、作家のエドワード・ブルワー・リットンの愛人でへンリエッタ・ヴァンシッタートという女性が出願したものだった――が、実用試験はほとんど失敗していた。

そして１８３５年、ロンドン郊外のヘンドンで農業を営む27歳のフランシス・スミスという人物が、ぜんまい仕掛けのスクリューを搭載した模型の船をつくり、池で試した。翌年、彼は改良版をつくり、「水中で回るスクリューによって船を進ませる」ことに関して特許を取得した。

またもや驚くべき偶然だが、わずか６週間後に同じロンドンで、スミスとは知り合いでなかったジョン・エリクソンという名のスウェーデン人技術者が、同じような装置の特許を取っている。スミスはすでにトーマス・ピルグリムという技術者の助けを借りて、6馬力のエンジンを積んだ本格的な10トンの船をつくっていた。

船は1836年11月にパディントン運河へと進水し、すぐに幸運な事故に遭遇した。スミスがつくったスクリューは木製の軸に木製のコルク栓抜きをぐるりと巻いたようなもので、栓抜きの長さ方向にらせんが完全に2回巻いていた。ところが衝突でそのらせんが1巻き減り、そのあと船ははるかに速くなったのだ。乱流と抗力に関係する予想外の発見である。

翌年、スミスはらせん1巻きだけの金属のプロペラを設計し直し、船は海に出て、ケントの海岸を一周してもどり、荒れた天候でのその価値を証明した。エリクソンのものは1本の細い軸ではなく2個の円筒を装備し、スクリューが逆方向に回転する。その特徴は魚雷が開発されるまでほとんど不要だった。

ほとんどの発明家と同様、スミスは真剣に取り合ってもらうのに苦労した。海軍本部は5ノット以上出せる大型船での実演を求めたあと、ようやくその技術を試すことを考えた。スミスは会社を設立し、アルキメデス号という237トンの船を建造し、80馬力の蒸気機関を積んで、1839年10月、海軍最速の外輪蒸気船ウィジェオン号とドーヴァーで、ヴァルカン号とポーツマスで対決し、勝利した。それでも将官たちは不服を唱えたが、アルキメデス号はヨーロッパ中を行き来して力を見せつけた。

最終的に1841年、海軍本部はスクリュー船ラトラー号を発注し、1843年に進水させ、翌年に就役させている。1845年、ラトラー号は同じような重量と馬力の外輪蒸気船アレクト号と、船尾に綱をつけて綱引きで対決。アレクト号は2ノットで後ろに引っ張られるという屈辱を味わった。

一方アメリカでは、エリクソンがアメリカ海軍のプリンストン号など、一連の船を建造していた。フランスはスクリュー駆動のナポレオン号を進水させた。世界の海軍はほぼ一夜にして、スクリュー船に切り替えたのだ。しかしイノベーションは続き、スクリューの設計は年を追うごとに、乱流と抗力への理解が深まるにつれて劇的に進歩している。最終的に羽根の形状は軸の近くでは狭く、外に行くほど広く、そして先端は丸くなった。

「負け犬」だった内燃機関が蒸気自動車を葬り去る

内燃機関の物語は、イノベーションによくある特徴を示している。失敗が目立つ長く深い前史、同時特許出願と競争が起こるとともに比較的短期間での手ごろさ実現、そして試行錯誤による進化的改善だ。

1807年、フランス系スイス人の砲兵隊将校が、爆発を利用して動きを生み出せる機械の特許を取得し、さらにそれを実際につくった。フランソワ・イザーク・ド・リヴァがつくったのは、垂直シリンダーを搭載した「荷車」で、そのシリンダー内で水素と酸素を混ぜ、火花点火で爆発させる。滑車の仕組みによって降下するシリンダーの重みが荷車を前進させ、そのあと爆発がピストンを再び上にもどす。これはうまく作動し、数年後につくられたもっとはるかに大きいものもうまく動いたが、蒸気機関車と競い合える望みはなかった。

1860年、ペンシルヴェニアで初の油井が掘られた翌年、ジャン・ジョセフ・エティエンヌ・ルノアールが、石油で動く内燃機関の設計に関する特許を取得し、1863年、パリ郊外をひどくゆっくり、9キロを3時間かけて走るものをつくった。イポモビールと呼ばれたその乗りものは三輪の荷車だった。ひどく無駄が多くて非効率だった原因はおもに、シリンダー内で空気が圧縮されなかったことにある。

当時はどちらも失敗作だった。輸送では相変わらず蒸気をつくる外燃が優位であり、すぐに鉄道だけでなく道路も征服することは確実に思われた。

1880年代までに、アメリカとヨーロッパのあちこちで、蒸気自動車を製造販売する会社がどんどん生まれ、新世紀が始まるころには、自動車市場における蒸気の支配をおびやかすのは、おもに最新式の電気自動車に思えた。1896年に発売されたスタンレー・スティーマはベストセラーになり、10年後には時速204キロの世界記録を達成している。

ところが数年とたたないうちに、負け犬だった内燃機関が専門家の意見を裏切り、すべてに打ち勝った。蒸気自動車と電気自動車は過去のものになったのだ。

内燃を支える中心的発明は、圧縮と点火のオットーサイクルだ。(1) 燃料と空気がシリンダーに入り、(2) その混合物をピストンが圧縮し、(3) 点火が動力行程を駆動し、(4) ピストンによってガスが排出される、という4サイクルのプロセスである。食料品店の店員だったニコラウス・オットーが、16年にわたってルノアールの機関を改良しようと努力した結果、1876年にこの設計を思いついた。そこにいたるまでに定置機関の製造販売で十分に成功しており、会社を拡張しているが、それがのちにドイツAGとなり、いまでも世界有数のエンジンメーカーである。

オットーはさまざまなエンジンを売ったが、自動車の開発には興味がなかったので、社員だったゴットリープ・ダイムラーとヴィルヘルム・マイバッハは退社し、自動車用のガソリン（石油）エンジンをつくり始めた。

1880年代に発明に貢献した人は、ほかにもフランスやイギリスなどいたるところに大勢いたが、1886年、初めて完全な自動車を連続生産したのはカール・ベンツだった。ドイツ南部に住み、自転車屋の奥で働く有能な技術者だったベンツは、馬車より自転車に着想を得た設計の三輪自動車をつくった。家族の言い伝えによると、1888年、妻のベルタがカールに内緒でその車にふたりの息子を乗せ、はるばるマンハイムからプフォルツハイムまで、途中、薬局で買った揮発油で燃料補給しながら、とてもゆっくり走らせたという。100キロ近い旅だ。1894年までにベンツ・モトールヴァーゲンは100台以上売れた。

一方、マイバッハとダイムラーは、ベンツのものより速く走り、はるかにパワーの出る4サイクルのエンジンを完成させていた。フランスでは、エミール・ルヴァッソールがダイムラーのエンジンを製造するライセンスを取得し、すぐに自動車設計のイノベーションを開始した。フロント搭載エンジンと冷却水ラジエータである。その設計を今度はダイムラーが模倣した。

1900年、マイバッハとゴットリープ（その年亡くなった）の息子のポール・ダイムラーが市場に送り出した車は、のちに業界がしたがう標準設計となる。試作品はとくに、ニースに住んでいた裕福なハンガリー人の自動車ディーラー、エミール・イェリネックのためにつくられた。イェリネックの娘の愛称にちなんでメルセデス35hpと呼ばれたこの車は、馬車と蒸気機関が自転車置き場の裏で出会った結果には見えなかった。マイバッハは、車がひっくり返るのを防ぐために、車幅を広く車高を低くし、重心を低くした。そしてアルミニウム製エンジンを、初めて鋼鉄製車台の前車軸の上に搭載し、水冷式ハニカムラジエータとゲート式変速機の特許を取得した。この車は１９０１年にニースで行なわれたカーレースですばらしい結果を出したので、誰もが欲しがり、シュツットガルトの生産工場はそれから数年にわたってフル回転だった。

贅沢品だった自動車を庶民のものにしたフォード

それでもイェリネックの逸話であらためて感じるのは、自動車産業の黎明期でも、コンピュータや携帯電話その他多くのイノベーションの黎明期と同様、発明家たちは自分が上流中産階級向けの贅沢品を開発していると考えていたことだ。

自動車を贅沢な発明からみんなのイノベーション、つまり一般人のための手ごろな実用品に変えるには、デトロイト出身の農民の息子が不可欠な存在だった。ヘンリー・フォードは１９０８年以降に業界に革命を起こし、蒸気自動車と電気自動車を過去に追いやり、自動車を大衆の手の届くものにしたのだ。そのおかげで人間の行動が非常に広範囲にいろいろと変わったので、蒸気機関が19世紀を代表するテクノロジーだったように、20世紀の代表は飛行機ではなく自動車である。

当初、変わり者で頑固なフォードは関係のない凡人に思われただろう。技術的に新しいものはほとんど開発していない。高価なドイツ車やフランス車の設計をまねしようとするだけだった結果、自動車会社を2度設立し、失敗している。最初の会社は断念し、2番目の会社からは追放された。モデルAという平凡な設計で始めた3度目の試みは、資金がほぼ底をついたが、なんとかやっていけるだけの数が売れた。

しかし彼には徹底したコスト管理の才能があり、市場のほとんどの製品よりシンプルで、比較的安い車をつくり始めた——そして大量生産によってさらに安くしたのだ。「ティン・リジー」で知られるモデルTは頑丈で信頼できるため、町に出る必要のある中西部の農民を引きつけた。1909年には工場で生産されるそばから売れており、フォードは野心に燃えていた。まだ舗装道路が少なかったので、主要な競合相手はウマだった。フォード社が広告で訴えていたように、「家族の馬車馬ドビンはフォード車より重い。でも出せる力はフォード車の20分の1、それほど速くも遠くも行けず、維持費は高く、値段はほぼ同じ」。

自動車の「発明者」は誰か

では、内燃機関で走る自動車を発明したのは誰なのか？　蒸気機関や（後述の）コンピュータと同じように、単純な答えはない。フォードはそれをどこにでもある安価な品にした。マイバッハはおなじみの機能をすべて与えた。ルヴァッソールはきわめて重要な変更を行なった。ダイムラーは安定して走るようにした。ベンツは石油で走るようにした。オットーはエンジンのサイクルを考え出した。ルノアールは最初の未完成バージョンをつくった。ド・リヴァは歴史の幕開けに立ち会った。そしてこの複雑な歴史にはほかにももっとたくさんの名前が残されている。ジェームズ・アトキンソン、エドワード・バトラー、ルドルフ・ディーゼル、アルマン・プジョー、等々。イノベーションは個々の現象ではなく、集合的で、漸進的で、こんがらがった網のような現象なのだ。

内燃機関の成功はおもに、熱力学の成功だ。エネルギーの専門家のヴァーツラフ・シュミルが述べているように、重要な測定基準は1ワットあたりのグラム数（g／W）、すなわち、一定量のエネルギーを生み出すのに、どれだけの重さが必要か、である。人間と役畜はおよそ１０００g／Wで働く。蒸気機関はそれを約１００g／Wまで下げた。メルセデス35hpは８・５g／W、フォードのモデルTはわずか５g／W。そしてコストは下がり続けた。１９１３年、平均的なアメリカ人の賃金を稼ぐ人が、モデルTを買うには２６２５時間働く必要があった。２０１３年、平均賃金で５０１時間、つまり18パーセントの時間だけ働けば、シートベルトとエアバッグとサイドウィンドウとバックミラーと暖房と速度計とワイパーを装備したフォード・フィエスタを買うことができる――どれもモデルTにはついていなかった。

ディーゼルの悲劇と勝利

ルドルフ・ディーゼルはいくつかの意味で異色のイノベーションヒーローだ。彼は生きて自分の装置の成功を見ることはなかった。１９１３年のある夜、イギリスのディーゼル工場のオープニングに向かう途中、北海でフェリーから飛び降り自殺したらしい。巨額の負債を残して。

彼は野心だけでなく社会正義にも突き動かされており、ミシンのような小さな機械で使われることによって、産業を分散させるものを発明していると（まちがって）信じていた。「私の重大な成果は、社会問題を解決したことだ」と、労働者経営の工場を組織する方法に関する売れなかった本を書いたあとに言っている。

そして多くの発明家とちがって、ディーゼルはまず科学的原理から始めた。カルノーサイクルの熱力学に取りつかれたのだ。内燃機関が温度を変えずに熱を仕事に転換するという、効率100パーセントに到達する理論的概念である。彼は1890年代に、燃料が火花ではなく純粋に圧縮によって点火するよう、過剰空気と高圧を用いる機関を発明することによって、この目標に近づこうと努力した。

こうしたアイデアのどれも新しくはなかったが、その可能性をディーゼルが実際的に探究したことで、やがて新しい境地が開けた。1897年までに、もっと実践的な生産技術者のハインリッヒ・フォン・ブズの助けを借りて、彼は当時市場に出回っていた最良のガソリンエンジンの2倍の効率で動くエンジンの設計を実現した。ただし、カルノーサイクルの特徴はだいぶ放棄されている。その時点で、彼とブズは目的を達成したと考えた。しかし、信頼できて手ごろな値段の製品に到達するのは、ほぼ不可能なほど難しいとわかる。そのおもな理由は、高圧下で作動する機械をつくるのが難題だったことだ。

ディーゼルを批判する人たちは、彼は自分のアイデアのオリジナリティを主張しすぎるうえ、それを実際に使えるものにすることはできなかったと語る。彼の人生に対する幻滅が、死ぬ直前に書かれた手紙に吐き出されている。「たとえ発明が成功しても、その［発明の］導入は、愚かさと嫉妬、無気力と悪意、ひそかな抵抗とあからさまな利益の対立との闘いに満ちた時間であり、人との争いに費やされる恐ろしい時間であり、克服しなくてはならない苦難である」

しかし今日、ディーゼルエンジンは世界を動かしている。ヴァーツラフ・シュミルによると、巨大なディーゼル――最大のものは10万馬力以上を出す――が世界の大型貨物船のほぼすべてを動かし、世界貿易を可能にし、貿易に関する政治的合意よりもよほど大きな役割をグローバル化において果たしている。小型のディーゼルは道路や鉄道で品物を運ぶ。そしてほぼあらゆる農業用トラクターやブルドーザーはディーゼルで動いており、近代経済はそれなしでは想像できない。21世紀初頭のヨーロッパでは、その効率が気候変動を心配する政治家に受けた結果、しばらくディーゼルが自動車市場を席巻するまでになったが、都市の大気に対する影響がわかってくると、その判断は覆されることになった。

ライト兄弟にあってラングレー教授になかったもの

初のモデルTが出る5年前、１９０３年12月のアメリカ東海岸で、長年にわたる実験と事故と失望を経て、人間は動力飛行を経験しようとしていた。

自分は飛行機を製作できると確信していたサミュエル・ラングレーの実験を支援するのに、アメリカ政府は陸軍省を通じて5万ドルをつぎ込んでいた。この航空界の先駆者にはさらに2万ドルが、電話を発明したアレクサンダー・グラハム・ベルをはじめとする友人たちから寄付されていた。

天文学者のラングレー教授は、人脈が広いがかなり高慢なニューイングランド出身者で、ワシントンのスミソニアン協会の会長を務めた。彼は自分の装置の詳細について極秘にすることを要求し、少ない仲間内のほかは誰にも自分のアイデアを話さなかったが、実演は大勢の観衆を集めた。「大エアロドローム」と呼ばれた彼の巨大な装置は、翼長が14メートルもあり、ポトマック川に浮かべたハウスボートの屋根に設置した軌道から発進することになっていて、ガソリンを動力とするプロペラが空中で機体を前進させる一方、2組の角度のついた翼が揚力を生み出すはずだ。

7年前の1896年、蒸気機関を搭載した無人の模型版は、川に墜落する前に90メートル、およそ90秒の飛行を成功させ、前途有望だった。8月にその実験が繰り返されたが失敗し、10月には人を乗せた実機が屈辱的にも直接水に突っ込んでしまった。この12月のテストはおそらくラングレーにとって最後のチャンスだったが、彼は成功を確信していた。

ラングレーは大柄すぎたので、パイロットは彼ではなかった。そのありがたくない特権はチャールズ・マンリーに与えられ、望み薄と思っていた彼は、コルクを裏打ちしたライフジャケットを着て、午後4時にエアロドロームに乗り込んだ。エンジンをかけ、いくつか調整を行なったあと、群衆が息をのんで見守るなか発進。マシンは曲線を描いて空中へと上がり、失速し、ひっくり返り、バラバラになりながら、ハウスボートから10メートル足らずのところで、氷の浮かぶ川へと墜落した。マンリーはしきりに悪態をつきながら、残骸から這い上がった。ラングレーの評判が回復することはなかった。

この失態のせいで、10年もお金を無駄にしたあげくに、動力飛行に対する政府の支援は突然打ち切られた。

ところがわずか9日後、ほんの数百キロ南、キティホークというさびれた漁村近くの吹きさらしの砂浜で、ほとんど誰も見る人がいないなか、オハイオ出身のふたりの兄弟が、ラングレーの予算よりはるかに少ない費用で、初めての操縦動力飛行を達成した。

１９０３年12月17日午前10時35分、弟のオーヴィル・ライトが操縦装置をコントロールするために2枚のうち下側の翼の上で腹ばいになり、兄のウィルバー・ライトが助走中の飛行機を安定させるために並んで走るあいだに、「フライヤー」は木製の軌道からやっかいな向かい風へとなめらかに浮き上がった。ガソリンエンジンが推力を、複葉の翼が揚力を与える。12秒後、36メートル進んだところで、飛行機はスキー板を使って着陸した。見守っていたのはたった5人。その日そのあとウィルバーがほぼ1分間、２５０メートル以上もフライヤーを飛ばした。

ラングレーがまちがったことばかりしていた――たくさんお金を使い、政府に頼り、ほかの人にはほとんど相談せず、問題をひとつずつ解決して少しずつ進めるのでなく、本格的な装置をゼロからつくった――のに対し、ライト兄弟はすべてを正しく行なった。

経験豊かな自転車屋で熱心な職人だった彼らは、動力飛行の問題を解決するのに必要な課題に1歩ずつ体系的に取り組んだ。まず他人に手紙を書き、その経験を利用した。とくに、ドイツ人のグライダー設計士オットー・リリエンタール（１８９６年に自分のグライダーの墜落事故で死亡）と、シカゴの風変わりなフランス系アメリカ人オクターヴ・シャヌートだ。後者は克服すべき問題をみごとに研究しており、彼自身、飛行に関するアイデアを交換する大きなネットワークの要（かなめ）だった。ライト兄弟はシャヌートに合計１７７通の手紙を送っている。さらに兄弟は空を飛ぶ鳥もしつこく観察した。

こうした研究すべてから、兄弟は揚力を与える翼型の湾曲や、複葉機の概念、操縦するために翼をたわませる考えなど、きわめて重要なアイデアを集めていた。

そして1900年、グライダーを製作し、分解して風の強いカロライナの堡礁(ほしょう)島に運び、試してみた。最初は凧(たこ)のようにロープでつないで飛ばし、そのあと人が乗って、斜面を駆け下りながら風に乗せた。1901年、蚊の異常発生と荒れた天候にもかかわらず、彼らはキティホークで助手ふたりとシャヌート自身とともにキャンプをして、設計に調整を加えたが、前年よりかえって機能が悪くなったとわかっただけだった。グライダーはすばやく舞い上がったが、すぐに失速してしまう。リリエンタールが推奨した湾曲翼の高さと幅の比率――1対12――は曲がりすぎていることがわかった。1対20のもっと平らな翼にすると、グライダーは再び機能した。

この時点でデイトンにもどったふたりは、模型による風洞内実験を始める。そして揚力と抗力を十分に理解するまで、何千回も面倒な測定を行なった。1902年、夏の新たな自転車販売シーズンのピークが終わるとすぐ、グライダー兼凧の第3の設計をたずさえてキティホークにもどり、とくに方向舵に調整を重ね、装置を空中で操縦する方法を苦労して習得した。その技術をマスターするまで、何度も墜落している。彼らは少しずつモーター以外のすべてをつくり上げていった。

このころまで彼らは、少なくとも理論的にレオナルド・ダ・ヴィンチができなかったことは、何もしていなかった。彼らの発明を構成するのは木の骨組みに布の覆いだった。たしかに、形を保つ金属のワイヤーと(ライト自身の出身地オハイオ州で発明されたばかりの)ミシンは、翼の製作と修理に欠かせない。それでもこれは、翼が巨大で重さが最小限の木製ハンググライダーの一種にすぎず、人ひとりを運ぶことしかできない。そして実用的な用途にはちっとも役に立たなかった。なにしろ離陸に強い風が必要なのに、いとも簡単に吹き飛ばされて墜落する。それ以前、そんなものを誰も発明しなかった理由のひとつは、次の段階である動力飛行がじれったいほど手の届きそうなところにあったからだ。

新式の自動車に囲まれていたライト兄弟は、変化を起こすのはエンジンでありモーターであるとわかっていた。ただ、ほかの発明家とちがって、彼らはモーターを最後に残していた。十分な推進力を与えさえすればよいので、けっして難しいものではないと考えていたのだ。

ここで彼らは幸運に恵まれた。自分たちが留守のときに自転車屋を任せるために雇ったチャーリー・テイラーという男性が、非常に優秀なメカニックだったのだ。市販の軽量エンジンが見つからなかったので、彼はゼロから設計し、アルミニウムで製作した。それは4気筒モーターで、何度も失敗したが、最終的に信頼性を証明するものができ上がった。

一方、オーヴィルとウィルバーはプロペラのさまざまな設計をあれこれ研究して、おそろしく難しい数学と船のプロペラの見本は、とくに助けにならないと知った。

1903年秋にはすべてが整った。彼らはキティホークに移り、季節が変わるころに、人がエンジンの後ろに腹ばいになって空中に到達することができたのだ。

航空界の先駆者はたいていラングレーのように、実務的な職人ではなく好事家の紳士か科学者だった。牧師の父親ミルトンと教師の妹キャサリンと一緒に暮らしていたライト兄弟の際立った特徴は、大変な仕事へのひたむきさだ。兄弟は結婚せず、軽薄なことや少しでも歓楽めいたことにはいっさい興味をもたず、日曜日を除いて神から授かる時間すべてを働くことにささげた。唯一大学の学位をもっていたキャサリンを含めて、彼らは互いに共鳴し合っていた。初飛行の写真を見ると、ウィルバーは何週間もノースカロライナの海岸で凍てつく風にさらされながら、簡易宿泊所と格納庫ですごしていたにもかかわらず、まるで教会に行く身支度をしているかのように、黒いスーツと硬いカラーを身につけている。その写真を撮影したキティホーク住民のジョン・ダニエルズが言うように、彼らは「私が知るいちばんの努力家だ。……彼らが飛んだのは幸運のおかげではない。懸命な努力と良識のおかげだ」。

初飛行のニュースは、身分の低い学位もない発明家の資質を考えるととても信じられないとして、世界からほとんど無視されたが、それでもライト兄弟は自分たちの設計をあれこれ検討し、微調整を続けて、とうとう向かい風なしでも射出機（カタパルト）を使って離陸し、空中でゆっくり旋回し、1度に数分間飛び続けられるようになった。1905年にはオハイオ州デイトン郊外の野原で、ウィルバーが24マイル（39キロメートル）、39分間の連続飛行記録を打ち立てている。

それでも地元紙でさえ、自分たちの目の前で起こっていることを理解していなかった。サイエンティフィック・アメリカン誌の重鎮コメンテーターは、1906年になってもまだ、兄弟の主張に関するうわさは取り合わないのが適切と考えており、「ライトの飛行機とその伝説的な性能」というタイトルの記事に、上から目線の皮肉をこめて次のように書いている。

もしも、ほとんど誰もがとても強い関心を抱いているテーマについて、国のそれほど僻地でない場所で、それほどセンセーショナルできわめて重要な実験が行なわれているのなら、野心的なアメリカの記者がずっと前にそのすべてについて突き止めていなかったなどと、信じることができるだろうか？

できなかったようだ。人びとはライト兄弟を信じたときでさえ、彼らがしたことの価値を疑った。「私たちはただ、飛行機の現在または将来的な進歩の実用的価値を疑っているだけだ。それが商用の乗りものになるとは思えない」とエンジニアリング・マガジン誌は述べている。

アメリカ陸軍省は、ライト兄弟のフライヤー実演の申し出をきっぱり断わった。ラングレーの失態で考えが決まっていたのだ。１９０７年と08年にウィルバーがフランスに行き、もし動力飛行を実演して一定の目標を達成できたら報酬を受け取るという、兄弟にとって有利な契約にサインしたときでさえ、はったりだとみんなにばかにされた。

１９０８年8月8日、ル・マンの競馬場で実演が予定されていた日、少しばかり観衆が集まり、なかにはフランス飛行クラブの学のある疑い深いエルネスト・アルシュデックの姿もあった。彼は観衆が待っているあいだも、耳を傾ける人全員に向かってライト兄弟の主張をさげすみ続けた。ライトが準備するのに何時間もかかり、疑念はどんどん高まった。

そして午後6時30分、彼がとうとう空中へと舞い上がったとき、その衝撃と興奮はものすごかった。左に旋回し、もどってきて観衆の上を通りすぎ、もう一度円を描き、高さおよそ10メートルを2分間飛んだあと、芝生の上になめらかに着陸した。「その熱気は言語に絶するものだった」とル・フィガロ紙は報告している。「すばらしい！」とその場にいたルイ・ブレリオが叫んだ。「彼ははったり屋じゃない！」と誰かが、たぶんアルシュデックに向かって大声を上げた。

一方、ワシントン近くのフォートマイヤーでは、オーヴィルも同じ設計の飛行機で観衆から喝采を浴びていた。９月９日、彼は２度にわたって1時間以上空中にとどまり、フィールドを50回以上旋回した。

それ以降、ライト兄弟は大変な有名人になり、行く先々で歓待された。ライバルたちは追いつこうと奮闘し、1年とたたないうちに22人のパイロットがランスでの航空フェスティバルで空高く上がり、それを20万人の観衆が見守り、ブレリオは壊れやすい単葉機でイギリス海峡を渡っている。わずか10年後、１９１９年６月、ジョン・アルコックとアーサー・ブラウンが、霧と雪と雨のなか16時間かけて、ノヴァスコシアからアイルランドまでノンストップで大西洋を横断。それまでに第1次世界大戦が設計や飛行技術の開発を急速に推進していた。その多くはいずれにせよ起こっていただろうが。

それでも、動力飛行の発明を社会に役立つイノベーションに変えるには、まだ長くつらい歩みが必要だった。ライト兄弟のアイデアのなかには、捨てられたものもあった。前方昇降舵（しょうこうだ）は不安定すぎ、舵を取るためには翼全体をたわませるよりも、蝶番（ちょうつがい）で取りつけられた下げ翼や補助翼のほうがうまく機能する。しかし、旋回するとき飛行機を操縦するには、翼を使って横転させ、方向舵を使って水平面内の回転を制御する必要があるという、兄弟の一般的な発見は欠かせなかった。

ライト兄弟自身すぐに賞金や契約で裕福になったが、特許を守ろうとして大変な法廷闘争に巻き込まれる。ウィルバーは１９１２年、45歳のときに腸チフスで亡くなった。キャサリンは１９

29年、オーヴィルは1948年にこの世を去っている。

連続体の「一部」としてのライト兄弟

振り返ると、1903年のキティホークは注目される運命にあった。動力飛行機が操縦されながら地面を離れる唯一の瞬間が来るはずだったからだ。しかし事実としては、パタパタ動く大きな翼で空中に飛び上がろうとした変人たちの奇妙で命取りの試みで始まった、きわめて長い進化の道のりにおける1歩だった。同様に、ライト兄弟の設計も旅客機、超音波ジェット機、ヘリコプター、そして現代のドローンへと少しずつ進化し続けた。連続体なのだ。

ライト兄弟がいなくても、20世紀初頭の10年のうちに、誰かが飛行機を空に飛ばせたことはまちがいない。モーターが開発されたおかげで、当時多くの人びとが試すことは必然であり、実際に必要だったのは試行錯誤だけである。事実、当初はライト兄弟を信じる人はあまりに少なかった（パリ・ヘラルド紙は1906年に彼らを「飛行士(フライヤー)かうそつき(ライヤー)か」と呼んだ）ので、動力飛行のライバル先駆者、とくにフランスのクレマン・アデールやアルベルト・サントス・デュモン、アンリ・ファルマン、ルイ・ブレロアのような人たちが、兄弟とはまったく無関係に、プロペラと翼を使って、ある程度うまく、ある程度操縦しながら、地面から飛び立ち始めていた。

オーヴィル・ライトにとって腹立たしいことに、1914年にスミソニアン協会は歴史を書き換えようとした。ラングレーのエアロドロームを復活させ、修正し、短時間飛ばしてから、修正箇所を取りはずして、ラングレーは動力飛行が可能な最初の機械を設計したのだという主張とともに展示したのだ。ライト兄弟のフライヤーがようやくスミソニアン博物館に置かれたのは、1948年、オーヴィルの死後のことである。

国際競争とジェットエンジン

「タービンは知られている最も効率的な原動機なので、とくに石油によって動かす手段を考え出せれば、航空機用に開発することが可能だ」と若きフランク・ホイットルが1928年に、未来の航空機設計というテーマで書いている。彼はすぐそのあと、1930年、独自のジェット機の設計に関する特許を取得した。それまでにジェットエンジンのアイデアにはすでにかなり長い歴史があって、たとえば1921年にフランスでマキシム・ギョームによる飛行機用の軸流ターボジェットエンジンの設計が特許を取得したが、それをホイットルは知らなかった。大型のタービンはすでにフランスとドイツの工場稼働に使われていたが、飛行に採用するにはあまりに効率が悪かった。

しかし、ジェット推進のアイデアを思いつくことから、実際にジェット機をつくるところまではとても長い道のりであることに、ホイットルは気づきかけていた。高速回転しているときのきわめて高い圧力と灼熱に耐えられる、圧縮機とタービン羽根用の材料を見つけるのはむり難題だった。1700年代の蒸気機関の場合と同じように、そして現代の核融合の場合と同じように、着想はできても形にできない進歩を実現するためには、材料のイノベーションが不可欠なのだ。

技術者のアラン・グリフィスはイギリスの王立航空研究所で、1926年からすでにひそかにこの問題に取り組んでいた。グリフィスはその年、「タービン設計の空気力学理論」という重要な論文を発表し、あらゆるタービンの性能不足について説明していた。羽根の形状が悪くて「飛びながら失速している」という。ライト兄弟が使っていたような航空機の翼の形状のほうが、はるかにすぐれていることがわかった。グリフィスは2段階エンジンでプロペラを動かす軸流ターボジェットエンジンを考え出そうとしていた。ターボプロップエンジンの前身である。

新しく任命された少尉のホイットルが接近してきたとき、グリフィスは歓迎していたが、やんわりと思いとどまらせるように、こう書いている。「圧縮機とタービン両方の性能が大幅に改善されなければ」、ジェットエンジンは機能しないだろう。ホイットルはずっとあとにこれを鼻であしらわれたものと回想しているが、それでもイギリス空軍は寛大にもエンジニアリングを学ぶためにホイットルをケンブリッジにやり、彼はそこから1935年5月、友人にあてて、「私は特許が切れるのをよしとした。実験に莫大なコストがかかるので、誰も手を出さないだろうし、私はいまだにこの発明に全面的な自信をもっているが、世間はそれほどまちがっていなかったと思う」と書き送っている。

わずか半年後の1935年11月、ハンス・ヨアキム・パプスト・フォン・オハインが、ゲッティング大学での業績証明書にもとづいて、ドイツでジェットエンジンの特許を出願した。彼はホイットル、グリフィス、ギョームの研究を知らなかった。オハインはドイツの業界で好評を博し、1937年3月、彼のエンジンはロストックにあったハインケル社の航空機工場で初試運転の準備を整えた。1カ月後にはホイットルの設計も生まれて、ラグビー市のブリティッシュ・トムソン・ヒューストン社で初めて作動した。ホイットルは実業家の支援を受けて、1935年に自分の事業をパワー・ジェッツという会社として復活させていたのだ。同時に起こったイノベーションの例として、日付がほぼ一致して並行するホイットルとオハインの話は極端だが、驚くほどよくある一般的現象である。

並行は続く。オハインのジェットエンジンはホイットルのものよりかなり前にハインケルの飛行機を舞い上がらせた。初飛行は1939年8月27日、ドイツによるポーランド侵攻が第2次世界大戦の始まりを告げる数日前だ。ホイットルのエンジンがグロスター・エアクラフト社の飛行機を空に送り出したのは1941年5月15日。そしてドイツ軍もイギリス軍も初めてジェット戦闘機を手に入れたのは同じ月で、グロスター・メテオは1944年7月17日、メッサーシュミット262は7月25日に飛び立ったが、高速だったものの移動距離が限られていたので、戦争に与えた影響はわずかだった。戦争中にイギリスはアメリカにその技術を教え、終戦までにアメリカのジェット機も空を飛んでいた。

ホイットルはいささか苦々しく思っており、経済的な見返りもあまりなかったので、のちに当局と官僚と企業による妨害に刃向かう孤独な天才の話として回想録を書いたが、歴史家はこの記述を読み返して、イギリス政府とイギリスの業界は実際にはホイットルのアイデアを——少なくとも動きが鈍い彼らの標準からすると——かなり取り入れようとしていて、ジェットエンジンの物語はぱっと見よりもはるかに集団的な努力なのだと認識している。実際、現在のジェットエンジンの主要な設計はグリフィスの軸流式を使っているが、ホイットルは遠心式を使っていた。アンドリュー・ナハムが言うように、「振り返る時間を少しでも与えられれば、ホイットルなしにジェットエンジンは存在しなかったと主張する歴史家どころか技術者も、かなり数少ないだろう」。

同じことがオハインにも言える。どちらも聡明なパイオニアであり、歴史の方向性に影響を与えたが、ジェットエンジンは彼らなしでも生まれていただろう。興味深いことに、ふたりは１９６６年まで会ったことがなく、その時点でオハインはアメリカ空軍で働き、ホイットルは引退して久しかった。

レーダーやコンピュータと同様、ジェットエンジンは戦時の発明力の産物だとされることが多い。しかしほかにも例があるとおり、じつは主要な仕事はイギリスでもドイツでも敵意が爆発するずっと前に行なわれており、１９４０年代が繁栄と平和の時代だった別の宇宙で、ジェットエンジンがどれだけ迅速に開発され、商用化されていたかを知ることは不可能だ。

第２次世界大戦後、軍用機だけでなく旅客機向けにもジェットエンジンを改良し完成させる競争は、おもに大企業３社、プラット・アンド・ホイットニー、ゼネラル・エレクトリック、そしてロールスロイスのあいだで展開された。ヒーローの時代は終わり、ごまんという実験と膨大な量の計算をやっているのは技術者のチームだ。彼らは少しずつだんだんにジェットエンジンの出力を上げており、熱を仕事に変える効率はオハインやホイットルの最初のジェットエンジンで10パーセントだったのに対し、現在は40パーセントに到達している。

なぜ飛行機事故による死者がゼロになったのか

空の旅の安全記録に見られる真にたぐいまれな改善は、段階的だが現実的な影響とともに広がるイノベーションの好例である。

２０１７年、商用旅客ジェット機の墜落による死者は、初めてゼロを記録した。貨物機、自家用機、プロペラ機による死亡墜落事故はあったが、商用旅客ジェット機のものはなかった。それでもその年、商用飛行は３７００万回という記録を出している。

世界の飛行機事故による死者数は、１９９０年代の年間１０００人超えから２０１７年のわずか19人まで、着実に減少した。しかも飛行機に乗る人の数は大幅に増えている。２件の事故が２０１８年にインドネシアで（死者１８９人）、２０１９年にエチオピアで（死者１５７人）、どちらもボーイング７３７－ＭＡＸ８機にコンピュータのエラーが原因で起こっているが、それでも一般的な傾向は変わっていない。この2件の例外的な悲劇で、そうした事故がどれだけまれになったかが浮き彫りになり、結果としてその機種すべてが飛行禁止になった。

半世紀前との比較はさらに鮮明だ。現在、１９７０年とくらべて10倍の人が飛行機に乗っているが、航空安全ネットワークによると、死者数は以前のほうが10倍多かったという。１９７０年、有償旅客キロ〔訳注：料金を払って搭乗した客数にその輸送距離を乗じた値〕１兆あたりの死者は３２１８人だった。それが２０１８年にはわずか59人――54分の１になっている。アメリカでは移動距離１マイルあたりで考えると、飛行機で死ぬ確率より自動車で死ぬ確率のほうが７００倍以上高い。

航空事故の減少は、ムーアの法則によるマイクロチップのコスト低下と同じくらい急激で感動的だ。これはどうやって実現されたのだろう？　答えはほとんどのイノベーションと同様、さまざまな人がさまざまなことに努力した結果、少しずつそうなった、ということだ。

ひとつ初期の例を挙げるなら、1940年代、陸軍航空隊の事故原因を特定する任務を負ったアルフォンス・チャパニスが、疲れたパイロットは着陸するときにフラップではなく着陸装置を格納していることがあると気づいた。このふたつの制御装置は形がそっくりで、隣どうしにあった。彼はその制御装置の位置と形の両方を変更して、車輪の制御装置は車輪に、フラップの制御装置はフラップに、似て見えるようにすることを進言した。

もっと一般的に、1970年以降に大きな変革を起こしたのは、「クルー・リソース・マネジメント」手法〔訳注：安全な航空機運航のために利用できる資源（人的資源や情報）を有効活用するための訓練プログラム〕や数々のチェックリスト、乗組員どうしの照合検査のような、平凡でローテクだがきわめて重要な活動が広く使われたこと、そしてチャレンジの文化だ。

1992年、最新のエアバス320のエアインター便が、フランスのストラスブール空港に着陸しようと接近中に山に突っ込み、乗客乗員96人のうち87人が死亡した。たしかに天候は雪で暗かったが、もっと多くの要因が事故に関与しており、そのすべてが避けられるものだった。いちばんの原因は乗員が飛行管理誘導システムのまちがったモードを選んだことだ。「飛行経路角」モードでなく「垂直速度」モードにしていた。これはあまりに犯しやすく、あまりに気づきにくい誤りだ。つまり、数字の「33」を入力したとき、飛行機は3・3度ではなく分速3300フィートで降下を始めたが、ディスプレイにはこれが十分はっきり示されなかった。航空管制塔が乗員にまちがった航行位置を知らせていたために操縦室に混乱が起きたこと、乗員どうしがきちんとコミュニケーションを図っていなかった、または互いに照合確認していなかったことも原因だ。

最後に、この航空機には対地接近警報装置が装備されていなかった。なぜなら、山岳地帯で誤警報を発しすぎる可能性があると考えられていたからだ。

こうした例が示すように、安全設計者が飛行をより安全にするにあたって、きちんと理解しなくてはならないテクノロジー、手順、心理の要因はいくつもある。最も重要なのは、この事故のような過ちから学ぶことであり、そのために事故調査の結果を公表し、透明性高く全世界で共有することだ。現代の航空業界は、文字どおり試行錯誤によって驚異的な安全記録を達成している。その手法は、外科手術、海底油田、ガス爆発のような、生活のほかの分野で手本とされている。

規制緩和と安全性向上

この安全性向上は、規制緩和と価格下落の時代に起こった。過去半世紀にわたって航空業界で起こった大民主化は、迅速な改善、実質本位のサービス、そして格安チケットを実現したが、手抜きやリスク増大につながるどころか、安全革命と同時に進行したのだ。

2019年に87歳で亡くなったハーブ・ケレハーは、格安航空会社革命の最も著名なヒーローの有力候補だ。彼は1967年、商用航空が政府出資のカルテルとして、たいてい国営航空会社として運営されていた時代に、サウスウェスト航空を設立した。アメリカ国内の州間フライトは完全に政府に牛耳られており、航空会社は価格設定とルート決定について、民間航空委員会の指示を受けていた。

したがってケレハーも当初は、自分の会社の航空路線はテキサス州を出られないと判断していた。それでも既存の航空会社3社がすぐに、ケレハーの飛行機が飛ぶのを妨げる差し止め命令を要求し、それが通った。彼はこのカルテルに対抗する裁判で何度も負けたが、最終的にテキサス州最高裁判所は満場一致で、彼に有利な判決を下した。そのあとも法廷闘争はしつこく続いたが、ケレハーは弁護士だったので闘い方を知っていた。作家のジブラン・カーンが述べているように、ブラニフ航空とテキサスインターナショナル航空の2社は、彼に対する苦情を連邦民間航空委員会に申し立てた。しかしケレハーは法廷で自分の言い分を主張して勝ち、委員会は反論を却下する。すると2社は、数年前にサウスウェストに不利な判決を下した別の判事を見つけて、また差し止め命令を獲得した。しかしテキサス最高裁判所は緊急会議を行ない、その差し止め命令を覆した。1977年、ブラニフとテキサスインターナショナルは、業界の独占を共謀したかどで告訴されている。

1971年、晴れてサウスウェスト便は空を飛び、低料金を提示しているにもかかわらず、1973年には利益を上げていた。それはいまも続いており、破産と合併に傷ついている業界において無比の記録だ。

ケレハーのイノベーションには、客室乗務員はジョークを言うよう奨励されるべきだというシンプルなアイデアや、離陸の準備ができているのに食べものが届いていないとき、食べものを待つべきかどうかについて乗客に投票してもらうというアイデアもあった（投票はたいてい待たないほうが勝つ）。

政府が航空会社のチケット価格を設定していた1974年、ニューヨークからロサンゼルスまで、標準クラスのチケットの最低価格は現在のドルに換算して1550ドル以上だった。現在はその数分の1である。ケレハーの戦略をまねる多くの人が、同じコスト節減の道をたどり、成功の度合いは、破産したフレディ・レイカーからヨーロッパ最大手の格安航空ラインエアーを率いるマイケル・オライリー、そしてノルウェー・エアシャトルを創立したビョルン・ショスまでさまざまだ。彼らは現在の輸送に関する真のイノベーターであり、スティーヴンソンやフォードの後継者である。

何が思いもよらない結果を生み出すのか

イノベーションが何をするか、畏敬の念とともに振り返ろう。人類誕生から1810年代まで、疾走するウマより速く移動したことのある人間はいなかった。その速さで重い荷物を運ぶなどもってのほかだった。ところが1820年代に突然、動物はどこにも見えないのに、山積みの鉱物と火と少量の水だけで、大勢の人と大量の品物が猛烈な速さで移動していた。ずっと前からそこにあったごく単純な材料が、巧妙に組み合わされれば、思いもよらない結果を生み出せるのだ。

20世紀初期、人びとは空へと飛び立ったり、自分の車を操縦して道路を走ったりすることになった。これもまた、熱力学的平衡とはほど遠いパターンに、分子と原子を再配列することによって実現している。

第4章

食料のイノベーション

「ジャガイモ反対、カトリック反対！」
——群衆、1765年

ジャガイモというイノベーション

ジャガイモはかつて旧世界におけるイノベーションだった。スペイン人征服者がアンデス山脈から故国に持ち帰ったのだ。新しいアイデアと成果が社会に広がっていくのは、容易であり困難でもあることを示す好例である。

ジャガイモは主要農作物のなかで最も生産性が高く、単位面積あたりのエネルギーは穀物の3倍だ。約8000年前、標高3000メートル以上のアンデス高地で、塊茎が硬くて有毒な野生植物から栽培品種化された。なぜ、どうやって、そんな危険な先祖を栄養になる植物に改良することができたのかは、長い歳月に覆い隠されているが、おそらくチチカカ湖に近いどこかで起こったのだろう。

１５３０年代、フランシスコ・ピサロと征服者一団はインカ帝国を破壊し略奪しているとき、ジャガイモに出会ってそれを食べた。しかし彼らが重視していたのは、自分たちに身近な旧世界の農作物と動物を新世界に持ち込むことであって、その逆ではなかったので、ジャガイモが大西洋の東側に現われるまでに30年以上あった。トウモロコシ、トマト、タバコのほうがはるかに早く旧世界に持ち帰られている。

大西洋の東側で栽培されたジャガイモについて、初めて明確に記述された場所はカナリア諸島だった。島の公証人の記録保管所に、１５６７年11月28日にファン・デ・モリナからアントワープにいる兄のルイス・デ・ケサダに送られた品のリストが収められている。「申請された中サイズの樽(たる)３個の中味はジャガイモ、オレンジ、グリーンレモンである」

到着が遅かったジャガイモは、ヨーロッパで広まるのも遅かった。その背景にあったのは、習性と偏見の組み合わせだ。ジャガイモは南回帰線付近の原産なので、昼が12時間の環境に順応していたが、ヨーロッパの夏の昼はもっと長時間なので塊茎ができず、したがって「実る」のは秋になったあとで、しかもがっかりするような収穫だった。この問題が選択と品種改良によってしだいに解決されたのは、おそらくカナリア諸島でのことだろう。

偏見に関して言うと、18世紀に入ってもまだ聖職者は教区民にジャガイモを食べることを禁じていた。聖書に言及がないというおそろしく愚かな理由だ。どういうわけか、たぶんその議論にアイルランド人の気配があったからか、イギリス人はジャガイモがローマカトリックをもたらす害悪だと信じるようになった。１７６５年の選挙中、サセックス州ルイスで群衆が叫んだ。「ジャガイモ反対、カトリック反対！」

それでも雨の多いランカシャー州やアイルランドでは、穀物が腐るような雨の多い年でも確実な収穫を生み出すジャガイモの力は、たまらなく魅力的だとわかった。１６６４年、ジョン・フォースターという人物が、ジャガイモの栽培権で儲けるべきだと国王に勧めるパンフレットを書いた。タイトルだけでもこれだけ盛り込まれている。

うち続く不作への確実で容易な対策――ジャガイモなる根菜を栽培することにより、毎年、8～9カ月連続で、以前の半分の経費で、（小麦粉を加えれば）上質でおいしくて健康にいいパンをつくることができるのです。

インテリとして通っている人たちが説いていた、植物はよく似た病気を治すことができるというおかしな学説も、ジャガイモは克服しなくてはならなかった。たとえばクルミは脳に似ているので、精神病に効果があるというのである。この考えは１５００年代に、錬金術師で占星術師のパラケルススによって始まり、16世紀にさまざまな薬草医によって軽率に繰り返された。

またジャガイモはハンセン病にかかった指に似ていると思われていたが、ハンセン病は非常にまれだったので、人びとはどういうわけかジャガイモはハンセン病を引き起こすおそれがあると考えるようになった。１７４８年、万が一ハンセン病を引き起こすといけないということで、フランス議会はヒトの食用にジャガイモを栽培することを禁止する――のちに遺伝子組み換えを禁止することになる予防原則の早期事例である。

そのような不安感にはばまれて、ヨーロッパ大陸と北アメリカ大陸では、ジャガイモを栽培して食べることは、なかなか好まれるようにならなかった。実際、ジャガイモは1600年代にヨーロッパよりインドと中国で急速に広まった。きっとアンデス山脈を思い出したのだろう、とくにヒマラヤ山脈にうまく根づいた。

18世紀のヨーロッパ大陸で、庭の飾りではなく畑の作物としてのジャガイモが、現在のベルギーの海岸から南へ、アルザス地方から北西へと広がったようだ。ジャガイモ栽培は1760年代にルクセンブルクで、1770年代にドイツの大部分で習わしになっていた。

抵抗を乗り越えた要因のひとつは戦争だ。コムギとオオムギに依存していた地域では、侵攻軍が貯蔵穀物の倉庫や家畜小屋を襲い、農作物を踏み荒らしたり食べつくしたりして、住民は飢えることになった。しかしジャガイモは、こうした略奪をまぬがれることが多かった。軍事行動の季節には地中にあって、兵士が掘り出すには手間がかかりすぎる。そのため、ジャガイモを栽培している農民のほうが戦争をうまく生き延びる傾向があり、その習慣が広まった。ジョン・リーダーが詳述しているように、フリードリヒ大王が何度も戦争を起こした結果、1700年には中央および東ヨーロッパの大部分で知られていなかった、あるいは嫌われていたジャガイモが、1800年にはヨーロッパの食生活に欠かせないものになったのである。

ジャガイモのイノベーターたち

フランスは後れを取った。フランス人は当時のプロイセン人の贅沢で太るような食生活と、それによってもたらされる死亡率や疾病率の脅威に神経質に注目していた。

ここで、この物語の後半になってようやく、少なくとも言い伝えによるジャガイモのイノベーターがちらりと姿を現わす。

アントワーヌ＝オーギュスタン・パルマンティエは、フランス軍に協力する薬剤師で、7年戦争のあいだ、かなり不注意なことに5回もプロイセン軍に捕らえられた。そのとき食料としてジャガイモしか与えられなかったが、自分がその食事でどんどん太り、健康になっていくことに驚いた。そして1763年にフランスにもどると、繰り返されるフランスの飢饉に対する解決策として、ジャガイモのメリットを熱心に説くことに没頭する。不作で穀物の値段が上がっており、彼はすでに開かれたドアを押していたのだ。

パルマンティエはちょっとしたショーマンで、自分のメッセージを伝えるために、一連の宣伝を考え出した。まず、ヴェルサイユ宮殿の庭で王妃マリー・アントワネットと、たぶんわざとらしく出会ったあと、彼女の注意を引き、ジャガイモの花を髪に飾るよう説得した。さらに、パリのはずれの畑にジャガイモを植え、それを守るために護衛を置いた。護衛の存在そのものが作物の価値を宣伝し、夜には空腹の盗人を引き寄せると知っていたのだ。盗人が来ると、なぜか護衛はいない。彼はベンジャミン・フランクリンをはじめとする有力者に、ジャガイモ料理の夕食もふるまった。
しかし科学的なアプローチもしている。１７７３年（議会がジャガイモ禁止を撤回した翌年）に発表された「ジャガイモの化学検査」は、ジャガイモの栄養成分を称賛している。革命寸前の１７８９年、広まる飢餓を背景に、国王はパルマンティエに、ほかの根菜だけでなく「ジャガイモの栽培と利用」に関する論文を再び書くように命じた。これで王の首が救われたわけではない。その恩恵を十分に受けたのは革命家たちのほうで、彼らはチュイルリ宮殿の庭でジャガイモを育て、パリ・コミューンの統治下で大衆が飢えるのを防いだ。
アイルランドではジャガイモが人口爆発をあおり、すぐにもマルサスの惨事〔訳注：人口増加を抑えなければ食料が不足して起こるとされる人類の破滅〕が起こるおそれがあった。19世紀初期の急速な人口増加で見つかる土地はすべて耕され、人口密度はヨーロッパのどこよりも高くなり、大家族もなんとか大人になるまで生き延びていたが、土地が子孫間で分割されるため、しだいに貧困が絶望的になっていった。歴史家のセシル・ウーダム・スミスが１８００年代初めに著書『大飢饉（The Great Hunger）』で、次のように説明している。

１１４もの委員会と61の特別委員会が、アイルランドについて報告するよう指示され、その調査結果は例外なく惨事を予言した。アイルランドは飢餓寸前だった。その人口は急増し、労働者の４分の３が失業し、住宅事情は最悪で、生活水準は考えられないほど低い。

崩壊が起きたのは１８４５年、ジャガイモがアンデス山脈に残してきた寄生性の葉枯れ病菌

（*Phytophthora infestans*）が、アメリカ経由でアイルランドに入ってきたときだ。その年の9月、アイルランド中で畑のジャガイモが地上でも地中でも腐った。貯蔵されていたジャガイモでさえ、黒く腐敗した。2、3年のうちに、100万人が飢餓と栄養失調と病気で死亡し、100万人以上が他国へ移住した。800万以上だったアイルランドの人口は急減し、いまも1840年のレベルにもどっていない。葉枯れ病によって引き起こされた、それほど深刻でないにしても同じような飢饉のせいで、ノルウェー人、デンマーク人、そしてドイツ人も大西洋を渡るしかなかった。

現在、ジャガイモは新しいイノベーションの波を経験している。1960年代に合成殺菌剤が発明されたおかげで、ジャガイモ農家は病気を未然に食い止めることができるようになったが、ほぼ週1回または1シーズン15回、作物に噴霧しなくてはならない。ところが2017年にアメリカで、葉枯れ病に耐性のある新しい品種の発売が認可された。アイダホ州のJ・R・シンプロット社が遺伝子組み換えによって開発したもので、とくに、アルゼンチンに見られる品種から耐病性遺伝子を導入している。新品種には、薬の噴霧が必要だとしてもごくわずかだ。遺伝子編集によって開発された葉枯れ病に耐性のある品種も、市場に参入しつつある。

なぜアンモニアの生成は偉大なイノベーションなのか

フリッツ・ハーバーが1908年、圧力をかけながら触媒存在下で水素と反応させることによって、空気中の窒素を固定してアンモニアをつくる方法を発見したことは、史上最も重要なイノベーションの候補である。その理由は、世界人口を養い、飢饉を克服することに絶大な効果を上げたからだけではなく、爆弾の製造をはるかに容易にするという、穏やかでない効果をおよぼしたからだけでもなく、一見不可能な問題解決を行なった、ごくまれな事例だったからである。

おもに窒素分子でできている空気から有益な窒素化合物をつくる方法は、解決する価値があると誰にでもわかる難題だった。しかしハーバーがそれを解決した時代では、鉛を金に変えるという錬金術師の夢をかなえるのと同じくらい難しく、けっして努力は報われないだろうというのが、おおかたの結論だった。これは世界が求めて手に入れたイノベーションの例である。

窒素が作物の生長を左右する栄養物であることは、何世紀も前から、少なくともなんとなくは知られていた。そのため農民たちは、見つかるかぎりの肥やし、尿素、または尿の源を求め、借り、盗んだ。しかしどんなに努力しても、作物が潜在能力を十分に発揮できるほどの窒素を与えるのは難しかった。最善の方法には、ラクダ、ブタ、そして人間の糞便だけでなく、エンドウやインゲンなどの「間作作物」もかかわっていた。こうしたマメ科植物は、どういうわけか空気中の窒素を固定できるので、肥やしなしで勢いよく育ち、しかも翌年の作物のために土壌を豊かにしてくれる。もしマメにそれができるのなら、工場でもできるのではないのか？

この窒素への渇望を説明する科学が登場するのは、ずっとあとのことである。タンパク質やDNAの分子の構成要素はどれも数個の窒素原子を必要とし、空気はおもに窒素原子でできているが、ペアになって固く結びついている、すなわち原子のペアそれぞれに3重の共有結合があることが発見されたときだ。この結合を断ち切って、窒素を役立つものにするには、膨大なエネルギーが必要だった。熱帯地方では、頻繁な落雷がそのエネルギーを供給するので、土地がある程度肥沃に保たれ、稲作農業では、藻などの植物が空気中の窒素を固定して、土壌に補給する。コムギのような作物を栽培する温帯の畑は、窒素欠乏で作物が育たないほどではないにしても、窒素不足であることが非常に多かった。

１８４３年、ハートフォードシャー州ロザムステッド農業試験場で、ブロードバークと呼ばれる畑が、肥料の効果を実証するために確保された。畑の1区画ではそれ以降毎年、秋まきコムギが肥料をいっさい与えられずに栽培された。そこは消耗して荒れはてた光景になり、収穫される穀物はどんどん減って、１９２５年の収穫高は１ヘクタールあたり５００キログラムにも届かず、堆肥や硝酸塩肥料を与えられた区画の収穫に比べて、ごくわずかだった。１９２５年以降、土地が1年おきに野生のクローバーから窒素をいくらか取りもどせるよう、輪作に休閑が導入された。肥料を施されない区画の収穫は増えたが、若干程度にすぎなかった。

人間にとっての教訓は明らかだ。ほかの場所で、またはほかの時期に作物を育て、それをまず家畜か人に与えて肥やしにしたものから継続的に窒素が投入されないと、農業は持続的に人びとを養うことができない。

19世紀のあいだ、このことはそれほど問題ではなかった。農耕用の鋤は西の大草原へ、東のステップへ、南のパンパスや奥地へとどんどん進み、野生の草食動物の群れや原住民に裸にされた未開拓地を耕し、その肥沃な潜在能力を解き放ってきた。土地が増えれば、養える人数も増える。肥やしかクローバーを補給されなければ、土地がすぐ不毛になってしまうことは問題だったが、耕すべき新しい土地がつねにあった。

窒素の需要が競合していたことは不利だった。国王や征服者たちも、火薬をつくって戦争をしかけるために、イオン化窒素を欲しがったのだ（彼らはそういうものとは知らなかったが）。たとえば1626年、イングランド王チャールズ1世は臣下に、「まる1年分の人の尿をすべて、取っておける動物の尿をすべて、使いやすい器か目的に合う容器に、注意深くつねに保存し」、それを使って火薬の基本材料である硝石をつくるよう命じた。世界中の農民は肥やしから硝石をつくって、税として納めるように強いられた。統治者が主張する暴力の独占を支えるためだが、そのせいで彼らの畑には肥料になるものがなくなってしまう。イギリスによるベンガル征服の動機には、ガンジス川河口の豊かな硝石（しょうせき）鉱床に近づくこともあった。

太平洋にアメリカ領が多いのは「鳥の糞（ふん）」ブームの名残り

１８００年代初め、リンとカリウムという植物に欠かせない2元素と合わさった、固定窒素の巨大な主脈がたまたま発見された。ペルー沖合の魚が豊富な海に、小さな島がいくつかある。そうした環境のおかげで、ウとカツオドリを中心とする繁殖鳥が何百万と集まる。島を洗い流す雨がほとんど降らないので、たくさんの糞が何世紀にもわたって堆積し、深さ数百メートルにおよぶ灰色の鳥糞石（グアノ）をつくっていた。そこには尿素、アンモニア、リン酸塩、そしてカリウムが含まれている。農家の収穫を豊かにするのに最適だ。

19世紀半ばの数十年にわたって、イギリスをはじめヨーロッパ諸国の農家のニーズを満たすために、奴隷とほとんど変わらない中国人の契約労働者によって、ひどい環境のなかで大量のグアノが採掘された。何隻もの船が何カ月も列をつくり、汚くて悪臭を放つ貨物を積むチャンスを待っていた。

グアノを手に入れようとあせったアメリカ議会は、太平洋にグアノの島を発見したアメリカ人は誰であれ、それがアメリカ合衆国のものだと主張できるという法案を可決した。だからこそ、現在、太平洋の真ん中にアメリカ領の環礁がこれほどたくさんあるのだ。それでもペルー沖のチンチャ諸島ほど豊かな島は、数少ないとわかった。

ナミビアの海岸にも同じように豊かな海と乾燥した砂漠の空気という条件がそろっており、1843年、リバプールの商人がそこのイカボー島でグアノ採掘を始めた。1845年には、400隻もの船を満杯にし、着実に島の高さを低くし、ライバルの採掘業者と大激戦を繰り広げていた。しかし、イカボーとチンチャのグアノはすぐに底をつき始めた。現在、ウとカツオドリとペンギンが島にもどり、ゆっくりグアノを再建している。

グアノブームで大金持ちになった人はいたが、1870年代までにブームは終わった。それを引き継いだのがチリ硝石ブームだ。干上がった昔の海が隆起して山になり、極端な乾燥気候のおかげで水に溶けることもなく残った結果、チリのアタカマ砂漠で豊富に見つかる鉱物のカリーチに、水を加えて熱すると生成される貴重な硝酸塩である。鉱山と精製所はおもにペルーとボリビアにあったが、採掘していたのはチリ人で、1879年、チリは宣戦布告し、主要な地方を攻略して、ボリビアを海から切り離し、ペルーの一部を切断した。1900年、チリは世界の肥料の3分の2と、爆薬の大部分を生産していた。しかし世界一のチリの硝酸塩鉱床もまた、すぐに枯渇の兆（きざ）しを見せていた。

こうしたことを背景に、著名なイギリス人化学者の講演が、突然世界の注目を集めた。ウィリアム・クルックス卿は裕福な独立した科学者で、タリウムの発見、ヘリウムの分離、陰極線管の発明で知られており、1898年、英国科学振興協会の会長に選ばれた。これは1年任期の仕事で、最後に正式なスピーチをして、何か深い話をするのが責務だった。彼は「コムギ問題」について話すことにした。具体的には、当時はコムギが圧倒的に世界最大の収穫量を誇る農作物であり、チリ硝石に代わる合成窒素肥料をつくる方法がなければ、1930年までに世界は飢えに苦しむことになる危機が迫っている、という問題である。

クルックスの警告は、とくにドイツで注目された。増加する人口を支えるために、ますます大きな帆船を使って、ほかのどの国よりも多くのチリ硝石を輸入していたのだ。クルックスのスピーチの翌年、イギリスが南アフリカに定住したオランダ系とドイツ系のボーア人との戦争に突入したため、ヴィルヘルム・オストヴァルトという名高いドイツ人化学者が考え始めた。もし戦争が起こって、ドイツから火薬と肥料をつくるための原料を奪うために、イギリス海軍がチリとの貿易を邪魔したらどうなる？

オストヴァルトは空気中の窒素を固定する競争に加わったが、ほとんどの人が試していた電気を使うのではなく、鉄をはじめとする化学触媒を試みた。1900年、彼はアンモニウム生成に成功したと思ったが、化学薬品会社のBASFが特許を買う前にチェックしようと雇ったカール・ボッシュが、それは幻想だと暴いた。そのアンモニアは鉄の混入物で、鉄窒化物から抽出されたのだ。オストヴァルトは失意のうちに引退した。

窒素固定に挑んだハーバーとボッシュ

ここでフリッツ・ハーバーを紹介しよう。野心的で、神経質で、落ち着きのない天才であり、自分のユダヤ人としての生い立ちを気にし、反ユダヤ主義の差別のせいで、自分は与えられてしかるべき輝かしい賞を逃しているのではないかという（正しい）疑念を抱いていたが、同時に、帝政ドイツのためを思う熱烈な国粋主義者(ナショナリスト)でもあった。

ハーバーもまた、窒素の固定を究極の目標と考えた。2008年に刊行されたハーバーの伝記にある印象的な表現を借りれば、それは事実上「空気からパン」をつくることだ。

1907年、ハーバーは熱と触媒を使って少量のアンモニアをつくったと初めて主張し、オストヴァルトの弟子のヴァルター・ネルンストと争いになった。ネルンストは、ハーバーが主張しているほどの少量でも、彼につくれたはずがないと反論したのだ。腹を立てたハーバーは、ネルンストがまちがっていることを証明しようと決意して研究所にもどったが、非常に高い圧力を使えばうまくいくかもしれないという手がかりも、ネルンストから得ていた。そしてすぐに、圧力が高ければ高いほど、反応が起こる温度が低くなることを発見した。

これはとても重要である。なぜなら、温度が非常に高いと、アンモニアは生成されるとほぼ同時に自己破壊してしまうからだ。

ハーバーの助手のロバート・ル・ロシニョールは、硬い石英をくり抜いてつくった容器(チャンバー)の中で、高い圧力をかけて材料を結びつける方法を、段階を踏んで少しずつ見つけ出した。伝記によると

「画期的発明の瞬間があったわけではなく、小さな改良と少しずつの進歩がたくさん積み重なっただけである」。

この時点でハーバーは、合成藍色染料を開発して大金を儲け、次にやるべきことを探していた巨大化学薬品会社、BASFに近づいた。BASFは窒素固定を解決しようと決めていたが、進むべき道は電気だと考えていた。ハーバーのアイデアに投資したのは、おもに万一に備えてのことだ。それでも彼に実験室と、巨額の予算と、販売額の10パーセントと、カールスルーエ大学にとどまるチャンスを与えた。BASFの資金と専門技術のおかげで、ハーバーとル・ロシニョールは、実験の圧力を水深1000メートルの海中に相当する100気圧以上に上げ、温度を摂氏1000度から600度に下げることができた。

しかし、結果はがっかりするほど商用化にほど遠かったので、ハーバーはちがう触媒を試し始める。電球のフィラメントに適切な材料を探すエジソンのように、ほとんど手あたり次第にさまざまな金属を探しまわり、実際、照明のフィラメントを手がかりに、最終的にオスミウムにたどり着いた。密度が高く、艶のある濃藍色の金属元素で、通常、白金のそばに見られ、1804年に初めて報告された。

1909年3月、ハーバーはオスミウム触媒の2回目の実験で、装置から液体アンモニアがしたたるのを見守った。なぜオスミウムでうまくいくのかわからなかったが、とにかくうまくいったのだ。

彼はすぐにBASFに対して、自分のアイデアを本格化するよう提案した。しかし会社は懐疑的だった。オスミウムは希少で高価なうえ、爆発を起こさずに100気圧で製造工場を稼働させるなど想像できず、もちろん妥当なコストで建設することも考えられない。しかしカール・ボッシュ――9年前にオストヴァルトの失敗を暴き、BASFの窒素研究の責任者になっていた人物――は、試しにやってみることに賛成した。ほかのアイデアが尽きていたことがおもな理由だ。

それから数年かけて、ボッシュはハーバーの発明を実用的なイノベーションに変えた。アンモニアを小さじ単位ではなくトン単位で、しかもチリから船で運ぶよりも低コストで生産するために、おもちゃでなく工場を建設するべく、次から次へと生じる問題を解決していく。彼はまず、世界中のオスミウムをほとんど買い占めた。2、300キログラムあったが、それでも十分ではない。ウランでも同じくらいではないにしても機能することをハーバーが発見したが、ウランのほうがはるかに安いわけでも、はるかに豊富だというわけでもない。

そこでボッシュは、新しい触媒をテストできて、同時に高圧の材料を入れる新しい設計も試せる装置を用意した。爆発しても死者が出ないように、頑丈な壁で囲う。結局、ボッシュの助手のアルヴィン・ミタッシュが純鉄にもどり、次に鉄化合物を試し、スウェーデン産の磁鉄鉱のあるサンプルが良好な結果を出すことに気づいた。磁鉄鉱に含まれる何かの不純物のおかげで、その鉄がすぐれた触媒になっているのだ。

1909年末までに、彼らは鉄、アルミニウム、カルシウムの混合物に決めた。オスミウムと同じくらいうまく働き、はるかに安い。ミタッシュはさらにすぐれた触媒を探し続け、2万種類の材料を試したが、その鉄混合物を改良することはできなかった。

1910年、BASFはハーバーにオスミウムによる躍進の発表を許可したものの、触媒については内密にしておくよう指示したため、同社は業界トップを維持するための暗黙知を手にすることになった。

それでも膨大な数の難題が残っていた。空気から窒素を精製する方法、熱いコークスにさらされる蒸気から、気体中に一酸化炭素を入れずに十分な水素を取り出す方法、前代未聞の高圧を実現する方法、そのような圧力を猛烈な高温で抑える方法、気体を供給してアンモニアを抽出する方法、という具合だ。その開発チームは、マンハッタン計画前では最大規模の研究者と技術者の集団に膨れ上がった。

実業家ボッシュのイノベーション

ハーバーとボッシュの物語は、多くのイノベーションと同様、学者（ハーバー）による賢い洞察を受けての、実業家（ボッシュ）による必然的な応用として語られることが多いが、これはまちがいだ。ボッシュが汗している期間には、ハーバーがひらめきを得る期間より、はるかに多くの創意工夫が必要だった。先の伝記が語っているように、こうした難題のどれも、ほかの業界で展開中だったアイデアを利用できなければ克服できなかっただろう。イノベーションがイノベーションの生態系のなかで目標を達成する好例だ。

ボッシュのチームは設計のヒントを求めて、機関車、ガソリンエンジン、さらにはルドルフ・ディーゼルが開発した新しいエンジンなどを調べた。ボッシュは技術者とともにドイツの鉄鋼業界の人たちに会い、ベッセマー製鋼法について学び、クルップ社の代表と大砲の設計や冶金学の新たな進歩について話した。そしていくつもチームを立ち上げて、部品の設計に取り組ませた。高速応答バルブに自閉式バルブにスライド式バルブ、大小の往復ポンプと循環ポンプ、あらゆる種類と大きさの温度モニター、圧力平衡装置、濃度記録計、誤作動警報器、比色計、高圧パイプ用の継ぎ手。すべて頑丈で、密封式で、高圧高温で動作しなくてはならない。オーブンは小さな爆弾のように爆発するおそれがあるので、ボッシュは注意深く監視し、装置に何か不具合が起こったらすぐ停止できるようにしたかった。完全な信頼性と、電光石火のスピードが必要だ。彼が望んだのは、相撲取りの強さと、短距離走者のスピードと、バレリーナの優雅さを兼ね備えたマシンだったのだ。

半年間、ボッシュは克服できそうもない問題に立ち往生した。水素がオーブンの鋼鉄の壁に浸潤し、壁をもろくするので、数日後にオーブンが爆発するのだ。彼は別の合金を試したが、どれも役に立たなかった。そこでアプローチ全体を考え直し、内側に弱い鋼鉄の犠牲層をつくり、2層のあいだから水素を排出する小さい穴を開けることでようやく、この問題をコントロールすることができた。1911年には、継続的に稼働し、安く——システムの開発費を忘れることにすれば——アンモニアを生産する試作機ができあがった。

よくあることだが、ここで知的財産権が立ちはだかった。ライバル会社のヘキストがオストヴァルトの助言を受けて、熱と圧力を用いたアンモニア製造に関するハーバーの特許に異議を申し立てた。ネルンストがオストヴァルトの指示のもと、全体的な構想を始めていたと主張したのだ。破滅の危機に直面したＢＡＳＦはシンプルに、裁判でＢＡＳＦに有利な証言をする見返りの高額の5年契約で、ネルンストを買収した。

オッパウに建設された同社の巨大な工場で、第1次世界大戦にちょうど間に合う1913年末、アンモニアの生産が始まった。ドイツは爆薬をつくるために使えるチリ硝石について、短期の戦争ならもつと思われる量を在庫しており、アントワープがドイツの手に落ちたとき、さらに多くを獲得した。しかし戦争が膠着状態に陥り、チリ硝石貿易を妨害していたドイツ艦隊をイギリス海軍がフォークランド諸島沖の戦いで沈めると、銃のための爆薬と畑のための肥料をつくる固定窒素が尽きるという見通しに直面した。オストヴァルトが恐れていたとおりだ。そこでとりあえずはコストの高いシアナミド法で、電気と炭化カルシウムを使って少量の硝酸塩をつくり始めた。

そして1914年9月、ボッシュは新しく発見された鉄ビスマス触媒を使って、アンモニアを硝酸塩に変えるようにオッパウ工場を改造できると、有名な「硝石の約束」をした。彼はさらに大きな工場をロイナに建設し、大量の硝酸塩を製造し、そうすることでおそらく戦争を長引かせた。一方のハーバーは毒ガス戦争を発案し、1915年3月、イーペルへの初の塩素攻撃を個人的に取り仕切った。

第1次世界大戦後、ハーバー=ボッシュ法は、大規模に窒素を固定するのに世界中で使われるようになった。そのプロセスの効率は、とくにエネルギーと水素の供給源として天然ガスが石炭に取って代わると、着実に上がった。

今日、アンモニア工場が1トンのアンモニアをつくるのに使うエネルギーは、ボッシュの時代の3分の1である。世界のエネルギーの約1パーセントが窒素固定に使われており、それが平均的な人間の食料に含まれる固定窒素原子の約半分を提供している。

ヨーロッパ、南北アメリカ、中国、そしてインドが大量飢餓を回避し、飢饉をほとんど歴史書に追いやることができたのは、合成肥料のおかげだ。1960年代の飢餓による年間死亡率は、2010年代の100倍だった。1960年代から70年代にかけてのいわゆる「緑の革命」は、農作物の新品種を広めることが目的だったが、そうした新品種のおもな特徴は、風や雨になぎ倒されることなく、より多くの窒素を吸収し、より多くの食料を生み出せることだった（次節を参照）。ハーバーとボッシュがほぼ不可能なイノベーションを実現していなかったら、ウィリアム・クルックスが予想したとおり、世界は可能なかぎりあらゆる土地を耕し、あらゆる森林を伐採し、あらゆる湿地を干拓し、それでも飢餓寸前にあっただろう。

ハーバー＝ボッシュ法を超える新イノベーションへの期待

とはいえ、私がこれを書いているいま、ハーバー＝ボッシュ法が不要になる将来を垣間見ることが可能だ。

1988年、ふたりのブラジル人科学者、ヨハンナ・デーベライナーとウラジミール・カヴァルカンテが、奇妙なことに気づいた。なんの肥料も施（ほどこ）されずに、数十年も安定して収穫を上げているサトウキビ畑があるのだ。

彼女らは植物の組織の内側を調べて、グルコンアセトバクター・ジアゾトロフィクス（*Gluconacetobacter diazotrophicus*）という細菌を発見した。それが空気中の窒素を固定していたのだ。この能力はエンドウやインゲンのようなマメ科植物に見られる。植物とその根の特殊な根粒に生息する細菌との共生のおかげだ。しかしトウモロコシやコムギのような作物に、このマメの習性をまねさせようという試みは、それまですべて失敗していた。ひょっとするとこの新しい細菌は、植物の内部に生息していて特殊な根粒を必要としないので、もっと良い結果を出すかもしれない。細菌のサンプルがノッティンガム大学のテッド・コッキング教授に届けられ、彼はすぐにその細菌を、さまざまな植物の細胞内に生息させようと試みた。するとほどなく実地試験で、トウモロコシ、コムギ、およびコメの収穫量とタンパク質含有量の顕著な向上が示された。

２０１８年、コッキングがデイヴィッド・デントと設立したアゾティックという会社が、その細菌を種子にまぶす粉剤として、アメリカの農家向けに売り出すと発表した。もしこの単純な固定が成功すれば、工場で製造されるアンモニアなしでも、世界を養うことは可能だと証明されるかもしれない。

日本生まれの矮性（わいせい）遺伝子と丈夫なコムギ「農林10号」

ボッシュが空気中の窒素固定を完成させているころ、地球の反対側では、植物の育種家が別のイノベーションを達成しようとしていた。それはボッシュの製品の活用にとってきわめて重要だとわかる。

１９１７年、東京の西ヶ原にあった中央農事試験場で、何者かはわからない誰かが、２品種のコムギを掛け合わせることにした。ひとつは「硝子状フルツ」と呼ばれ、1892年にアメリカから輸入されたコムギ品種に由来していた。もうひとつは丈が低い日本の在来品種で、ダルマと呼ばれていた。その結果生まれたフルツダルマが、1924年にターキーレッドと呼ばれる別のアメリカ品種と掛け合わされた。

　このコムギのサンプルが育てられ、自己交配されたあと、岩手県農事試験場でテストされた。最良のものはダルマの低い丈（矮性）とターキーレッドの高い収穫量を保っているようだ。場長の稲塚権次郎は最も有望な系統を選択し、1935年、純粋種のコムギ新品種として「農林10号」の名で市場に導入した。地元の農家は初めて矮性コムギを商用に栽培するようになったのだ。

　10年後、第2次世界大戦直後に、セシル・サーモンという農学者でコムギ育種の専門家が、カンザス州から日本にやって来た。彼は当時日本の事実上の統治者だったダグラス・マッカーサー将軍のスタッフとして働いていた。サーモンは盛岡の農事試験場で見た矮性コムギに興味をそそられ、アメリカの小穀物コレクション〔訳注：農務省が維持・管理する世界中の多様な穀物の遺伝資源を集めたもの〕に16種類のサンプルを送った。そのひとつが稲塚の農林10号だった。

　一方、3人目のコムギ育種家、ワシントン州立大学のオーヴィル・ヴォーゲルは、ハーバー＝ボッシュの窒素肥料によって引き起こされた問題に取り組んでいた。畑に肥料を施すと、コムギが太く高く生長する。ということは、風が吹いて雨が降るとすぐに、実りつつあるコムギが自身の重みで倒れ、つまり「倒伏」し、そのあと地面に横になったまま腐りがちだということだ。

　日本からサーモンが送った種子がヴォーゲルに救いの手をさし伸べるのだが、その仲介をしたのが、4人目の育種家バートン・ベイルズだ。ヴォーゲルはこう書いている。

倒伏問題を知っていたB・B・ベイルズが、1949年、プルマンでの予備観察のために、半矮性コムギを集めたものを送ってくれた。そのなかから、当時、最も倒伏に強く、収穫量が多い、茎の短い短稈品種とされていたブレヴァーと交配するものとして、農林10号が選ばれた。

もっと茎の短いコムギなら倒れる可能性が低く、倒伏から救われ、新しい肥料に適応できるかもしれない、とヴォーゲルは論理的に考えた。たしかに、農林10号の新しい交配種、とくにブレヴァーとの交配種は、直立状態を保ちながら、ヴォーゲルの記録ノートによると収穫量が「とても良好」だった。唯一の問題は、その土地の病気に弱いことだったので、ヴォーゲルは市場に出す前に、より強い系統を求めて実験を続けた。

5人目のコムギ育種家がヴォーゲルの実験のことを聞きつけ、彼にサンプルを求めた。それがノーマン・ボーローグである。ミネソタ出身で、ジャガイモ飢饉のときにノルウェーを離れた難民の子孫だ。ボーローグは林学者としてのキャリアを打ち切ったあと、メキシコのロックフェラー財団で働いていた。そこでの目標は、さび菌に耐性のある収穫量の多いコムギの品種を見つけることだった。

ボーローグとそのチームは順調に進歩していた。当初、収穫はすばらしいのに、新しい品種を信頼するメキシコの農家はなかった。最終的に1949年、ボーローグの説得で少数の農家がその新品種を植え、肥料を使用した。すると収穫量増加のニュースが広まり始める。収穫量も収入も倍増できることを、農家が理解したのだ。1951年までに、メキシコ中でコムギの収穫量が増加していた。1952年には、ボーローグのコムギが国のコムギ作付面積の大半を占めるようになり、全国のコムギ生産量は倍増した。

すぐにボーローグはヴォーゲルと同様、倒伏問題に悩まされることになった。倒れにくい品種を求めて、アメリカのコムギ品種をすべて調べたが見つからない。アルゼンチンへの出張中、たまたま同じアメリカ政府のコムギ育種家であるバートン・ベイルズと、一杯飲みながら話す機会があった。そう、農林10号の種子をヴォーゲルに送った人物だ。ボーローグはベイルズに、倒伏に強い短稈コムギを知っているかと尋ねた。ベイルズは農林10号について話し、ヴォーゲルに連絡するよう勧めた。ボーローグはヴォーゲルに手紙を書き、ヴォーゲルは純粋な農林10号の種子と交配種の農林ブレヴァーの両方を送った。ボーローグは自分のメキシコ系コムギとの交配を始め、そして見事な結果を出した。

農林10号の派生種から交配種に、丈の低さだけでなく、ほかの遺伝子も多く導入されており、小穂あたりの稔性小花の数、枝あたりの小穂の数、株あたりの分蘖(ぶんげつ)の数が増えた。

ヴォーゲルと同様、ボーローグも新品種がさび菌感染症にかかることを知った。しかし彼にはワシントンのチームより有利なことがあった。標高がまったく異なる2カ所でコムギを育てていたのだ。つまり、ソノラ川流域北部の低地で灌漑栽培されているコムギは、中央高地の作物を植えつける前に収穫できる。そうやって1年に2回、収穫期を迎えられる。彼は何万種類もの品種をさび菌耐性について検査した。1962年までにボーローグは、短稈で、肥料を与えれば多収量で、倒伏が少なく、さび菌への耐性も強く、商用として通用する品種を、メキシコの農家向けに実現した。

国はメキシコだけではない。6人目のコムギ育種家として、パキスタンのマンズール・バジュワを紹介しよう。バジュワはボーローグが1960年にパキスタンを訪れたときに彼と会い、すぐにメキシコに渡って彼と一緒に研究することに打ち込んだ。そしてインダス川流域で試そうと、交配種の中から短稈でさび菌に耐性のある系統を特定した。新品種は西パキスタンの農業大臣、マリク・クーダ・バクシュ・ブチャの注意を引いた。しかしパキスタンの科学界は冷笑的で、ボーローグとバジュワに対し、メキシコのコムギは病気に弱いうえ、雑草を生やすだけの肥料に頼っているので、パキスタンには適さないと主張した。あるいはもっと想像力豊かに、新品種の遺伝子は家畜を不妊にしたり、イスラム教徒を毒殺したりするおそれがあり、国をアメリカのテクノロジーに依存させるCIAの策略だと言った。そのため進歩は止まってしまう。

インドの飢饉(ききん)と政府の壁

国境の向こうのインドでは、この物語の7人目のコムギ遺伝学者、モンコンブ・サンバシヴァン・スワミナサンも注目していた。彼は1963年、コムギ改良の集中プログラムに着手するよう政府を説得するのに協力してもらおうと、ボーローグをインドに招いた。それは困難な仕事だった。ボーローグはのちにこう述べている。

私が農業近代化の必要性について尋ねると、科学者も行政もたいていこう答えた。「貧困は農民の運命であり、彼らはそれに慣れている」。農民は自分たちの低い地位を誇りにしているのだと言い、彼らは変化を望まないと断言するのだ。アイオワとメキシコでの自分自身の経験があったので、私はその話をいっさい信じなかった。

インドの官僚は、メキシコのコムギはこの国で推奨されることはおろか、認可さえされるべきでないと譲らなかった。生物学者は、そのコムギが失敗した場合の荒廃と病気を警告した。社会学者は、コムギが成功した場合——そして一部の農民がほかよりもお金を儲けることになった場合——の「取り返しのつかない社会的緊張」と暴動を警告した。このように、イノベーションの反対者は現状を維持するために、どんなにばかげたことでも反論を探す。

それでもインドは増加する人口を養う新しい方法が、喉(のど)から手が出るほどほしかったはずだ。飢えと栄養不良が広がっていた。

1960年代末に向かって、季節風の不足が飢饉を引き起こしたあと、欧米の専門家はインドが国民を養うことは不可能だと考えるようになった。環境保護論者のポール・エーリックは、1975年までに「信じられない規模の」飢餓を予測した。もうひとりの著名な環境問題研究家のガレット・ハーディンは、インドを養うことは、難破船の生存者を超満員の救命ボートに這い上がらせるようなものだ、と述べた。アース・デーの事務局長は1970年に「大量飢餓を回避するにはもう遅すぎる」と言った。ウィリアムとポールのパドック兄弟——ひとりは農学者、もうひとりは外交官――は、共著書『飢饉１９７５！（Famine 1975!）』で、インドのように「（原因が人口過剰、農業の機能不全、政治の無能のどれであるにしても）どうしようもないほど飢饉に向かっている、または飢饉に陥っているために、われわれの援助が無駄になるような国」を、見捨てることに同意している。「『救いようのない国』は無視され、運命に任されるのだ」、と。

その暗く無情な予測は、かつてないほど速やかに誤りだと証明された。10年とたたないうちに、インドもパキスタンも、矮性コムギのおかげで穀物を自給するようになったのだ。

１９６５年、農業大臣からの断固たる支持を受けて、インドは２００トン、パキスタンは２５０トン、ボーローグのメキシココムギの植えつけ用種子を発注した。その注文に対応することはボーローグにとって悪夢だった。積荷がロサンゼルスに向かう途中のアメリカ国境で止められ、ロサンゼルスの黒人が多く住むワッツ地区で起きた暴動で遅れ、ボンベイとカラチに到着したのは、インドとパキスタンで短い戦争が勃発している真っ最中だった。しかし、コムギは植えつけになんとか間に合う時期に目的地に到着し、収穫は有望だった。それから数年のあいだに少しずつ、ボーローグは批判する人たちを納得させ、とくにパキスタンはコムギ収穫量の顕著な増加を経験するようになった。

インドでは、現場の農民たちはすぐに品種のちがいを理解し始めたが、新しい品種が潜在能力を発揮するのに十分な肥料の輸入や、外国企業による肥料工場の建設を、政府が認めようとしなかった。ボーローグの長きにわたる推進運動は、１９６７年３月31日、副首相で計画部長だったアショク・メータとの大荒れの会合で頂点に達する。

ボーローグは思い切ったことをすると決めていた。そして議論の最中に、こう叫んだ。

その5カ年計画を破り捨てましょう。やり直して、農家支援のためのすべてを3倍、4倍にするのです。肥料を増やし、最低保障価格を上げ、融資資金を増やして。そうすれば、インドを飢えから守るのに必要なものに近づきます。飢饉のない国を想像してください……それが手の届くところにあるのです!

メータは聞き入れた。わずか6年後、インドのコムギ収穫量は倍増する。貯蔵する場所がないほどのコムギが収穫されたのだ。

1970年、ノーマン・ボーローグはノーベル平和賞受賞スピーチで、「人間は過去によくやってきたように、うわべだけ後悔しながら、ただ飢饉の犠牲者を救済しようとするのでなく、将来的な飢饉の悲劇を防ぐことができるし、そうしなくてはならない」と述べている。

矮性遺伝子が最初に日本で発見され、ワシントンで交配され、メキシコで改良され、インドとパキスタンで激しい反対を押して導入された、この50年にわたる物語は、人類史上まれにみる奇跡である。稲塚=ボーローグの遺伝品種と、ハーバー=ボッシュの窒素肥料のおかげで、インドは自国を養い、飢餓の悪化という予測が誤りだったことを証明しただけでなく、輸出国になった。こうして、農林10号の矮性遺伝子が(成長ホルモンへの反応を低下させるRht1とRht2と呼ばれる2つの突然変異体だとわかっている)、空気から固定された窒素肥料と合わさって、世界を変えた。イネもすぐあとに続いて矮性品種と多収量を実現し、その他の作物も同様だった。

この緑の革命が、国内のさまざまな環境問題や農民の自殺のような社会問題を引き起こしたと非難する宣伝は、フェイクニュースであることが判明している。インドの農民が自殺する可能性は、実際にはインド人一般よりも低い。

害虫に強い作物をつくる

１９０１年、石渡繁胤（いしわたしげたね）という日本の生物学者が、「卒倒病」と呼ばれるカイコの致死的病気の原因を調べ始めた。国家的に重要な養蚕業にとって実害をおよぼすからだ。彼はすぐに原因となる細菌を特定した。その発見がほぼ1世紀後、農業のやり方を変え、生産性を高めるだけでなく、環境に優しいものにする、きわめて重要なイノベーションにつながることを、彼はほとんど知らなかった。それは害虫耐性の作物だ。

同じ細菌が１９０９年、ドイツの研究者によって再発見され、命名された。エルンスト・ベルリナーは、ベルリンの穀類加工研究所でスジコナマダラメイガの研究をしていた。チューリンゲンの製粉所から出荷された小麦粉に、病気の青虫が入っていたせいで、その病気が研究所で育てられていたスジコナマダラメイガに急速に広まった。ベルリナーはその感染症の原因となった細菌を分離し、バチルス・チューリンゲンシス（*Bacillus thuringiensis*）と命名したのである。それは日本のカイコの死因と同じ生物であることが判明した。

「Ｂｔ」と呼ばれるようになったその細菌は、あらゆるガとチョウの幼虫を殺す能力をもっていた。そのような昆虫にとって致命的な、結晶性タンパク質を生成する遺伝子のおかげだ。そのタンパク質は昆虫の腸壁で受容体をつかみ、その壁を穴だらけにしてしまう。

１９３０年代までにフランスでは、Ｂｔはスポレインと呼ばれる生物殺虫剤として、細菌芽胞のかたちで買うことができるようになった。いまでもディペル、チューリサイド、ナチュラルガードという商品名で販売されており、化学工業製品ではなく生物学的駆除の手本なので、おもにオーガニックの農家や園芸家に使われている。結晶は哺乳類では胃酸によって破壊され、いずれにしろ哺乳類の受容体には合わないため、人には無害であることが繰り返し示されている。１９７７年と１９８３年、それぞれハエと甲虫を殺すことができる細菌が、製品ラインナップに加えられた。

しかしＢｔは温室では役立つが、農家にとっては費用対効果があまり高くない殺虫剤だ。高価で、成果にむらがあり、日光で効果がなくなったり、雨に洗い流されたりしやすい。ワタアカミムシガの幼虫やトウモロコシの茎食い虫のような、植物内部に生息する昆虫には届かないことも多い。

ここでベルギー人生化学者の登場だ。マルク・ファン・モンタギューは１９３３年、大恐慌のさなかにヘントで生まれた。家族は貧しく、母親は彼を産んで亡くなった。親にもきょうだいにも学校を出た人はいなかったが、叔父が教師で、彼は学校に通い続けるだけでなく、大学にも行くべきだと主張した。彼は核酸の生化学のエキスパートになり、１９７４年、同僚のジェフ・シエルとともに大事な発見をする。「腫瘍誘発（Ｔｉ）プラスミド」だ。これはアグロバクテリウム・トゥメファシエンス（*Agrobacterium tumefaciens*）と呼ばれる細菌内の小さな環状染色体で、植物内に腫瘍——クラウンゴール腫瘍と呼ばれる——を引き起こすが、腫瘍そのものには生息しない、奇妙な特徴があることがわかった。

3年後、ファン・モンタギューは、Tiプラスミドは感染の一環で自身のDNAの一部を植物自体のDNAに縫い込むという発見で、セントルイス・ワシントン大学のメアリー・デル・チルトンにぎりぎり先を越された。2、3年前に、動物や植物の遺伝子を細菌に挿入する——たとえば糖尿病のためのヒトインスリンをつくる——ツールが開発されていたことを考えると、今度は逆が実行可能になった。つまり、細菌の遺伝子を植物に挿入するのだ。

これもまた同時発明の例になるが、ファン・モンタギュー、チルトン、そしてモンサントのロバート・フレイリーそれぞれが率いるチームすべてが、6年以内に、この洞察を発明に変えている。腫瘍誘発遺伝子をプラスミドから取り除き、それを異なる生物からの遺伝子に取り換えることによって、どんな遺伝子でも植物に挿入するようにアグロバクテリウムを操作できることを示したのだ。その結果、新しい遺伝子をもつ健康な植物ができる。農業バイオテクノロジーの誕生だ。科学者たちはTiプラスミドを使って、除草剤耐性のトウモロコシやダイズ、ウイルス抵抗性のパパイヤ、ビタミン強化の「ゴールデン」ライスなど、数多くの遺伝子組み換え作物をつくり出した。

ファン・モンタギューはこのテクノロジーを開発するために、プラント・ジェネティック・システムズ社を設立した。同僚たちが植物に挿入しようと思いついた最初の候補遺伝子が、虫を殺すBt由来のタンパク質である。すでにオーガニックの農家や園芸家に人気だったからだ。

1987年、染色体にBtの鍵遺伝子が入っていることをのぞいて、あらゆる点で正常なタバコが研究所でつくり出された。そして、よくいる害虫のタバコスズメガの幼虫にとって、致命的であることが証明された。その後すぐにモンサントがこのテクノロジーの使用許諾を受けて、害虫に強いワタ、トウモロコシ、ジャガイモその他の作物を生産するようになった。

ワタキバガの幼虫や根食い虫のように、植物組織に穴を開けて中に入り込む虫に噴霧剤は届きにくいが、殺虫性タンパク質は植物内部にあるので、そうした虫も殺す。しかし化学薬品の噴霧とちがって、作物を食べない無害な虫には影響をおよぼさない。

このイノベーションはみごとな成功を収めた。現在、あなたが買う木綿の服はほぼすべて、そのような遺伝子組み換えされた植物からつくられている。世界で栽培されているワタの90パーセント以上が害虫耐性なのだ。

そのメリットが世界各地で劇的に明らかになるにつれ、インドとパキスタンでは、まだ非合法だったにもかかわらず、農家はこのテクノロジーをどんどん採用した。そのあと合法化され、現在、この2カ国で栽培されるワタのほぼすべてがBtである。

Bt遺伝子導入のおかげで、世界で栽培されているトウモロコシの約3分の1が、いまや同様に害虫耐性だ。79パーセントのワタがBtになっているアメリカでは、20年にわたるこのテクノロジーによる農家所得の累積利益が、250億ドルを超えている。おかしなことに、有機農業界は同じ分子を自分たちの噴霧剤に使っていたのに、建前上バイオテクノロジーに反対しているので、新しい植物を受け入れようとしない。

Bt作物には噴霧剤がほとんど、またはまったく施されないので、Btテクノロジーを採用した農場では目に見えて野生生物が増え、噴霧による農民自身の被毒事故も減った。中国の研究では、Btワタの畑で、テントウムシ、クサカゲロウ、クモなど、小さな昆虫にとっての天敵が倍増したことが記録されている。つまり、害虫すべてが天敵によってうまく抑制されているということだ。メリーランド大学の研究で、Ｂｔ作物を栽培していない周囲の作物や畑も、害虫問題が減るという、「ハロー効果」が明らかになっている。Ｂｔ作物の導入から20年後、よく見られる害虫で、どちらもトウモロコシだけでなくほかの植物も襲う、アワノメイガとオオタバコガの幼虫の生息数がアメリカの3州で大幅に減ったおかげで、遺伝子組み換えを用いない有機農家でさえ、噴霧の回数を以前より減らすことができて、トウガラシは85パーセント減である。

総合すると、Ｂｔテクノロジーの効果に関する包括的研究が出した結論によれば、４億ヘクタールに植えられたあと、予期せぬ結果はゼロで、標的でない昆虫には大きなメリットがあった。

このテクノロジーはとくに開発途上国で役立つことが証明されつつある。アフリカは現在、深刻な危機に直面している。２０１６年にアメリカ大陸からやって来た害虫――アワヨトウの幼虫――が、大陸全土のトウモロコシを壊滅させているのだ。

Ｂｔトウモロコシが使われているブラジルでは、害虫はもはや問題ではないが、資金が豊富な遺伝子組み換え作物のイデオロギー的反対派から圧力を受けているアフリカ諸国は、Ｂｔトウモロコシの栽培をなかなか許可しない。

こうした反対派はとくにヨーロッパで成功してきた。１９９０年代末、遺伝子組み換え作物についての恐ろしい話を動揺しやすい消費者に広めれば、どんどん資金が集まることを知ったのだ。ファン・モンタギューにとって残念なことに、ヨーロッパはこのテクノロジーの展開に、コストのかかる高い規制の障壁を設け、結果的に事実上禁止することによって、イノベーションをほぼ全面的に拒否した（第11章参照）。

Ｂｔ作物の問題というより殺虫剤の問題なのだが、害虫駆除はすべて最終的に害虫側の耐性の進化に突き当たる。しかし最新世代のＢｔ作物には、昆虫がＢｔタンパク質への耐性をなかなか獲得しないようにする、非常に高度な機能が追加されている。したがって、1世紀以上前のカイコの細菌性疾患の発見から続いてきたイノベーションの道は、作物の損失、殺虫剤の使用、および環境への損害の劇的減少につながった。

現在、ほとんどのＢｔ作物は除草剤耐性もあるので、土壌を破壊する耕起という慣行なしに、効果的に雑草を抑えることもできる。真菌性の病気や渇水への抵抗力をつけるよう組み換えられている品種もあれば、細菌の助けを借りて自身の窒素を固定し、収穫量を大幅に上げるよう組み換えられているものもある。あらゆる「Ｃ３」植物（コムギ、イネ、ダイズ、ジャガイモは含まれるが、トウモロコシは含まれない）には、酸素が光合成機構を無駄なものの生成に流用する代謝損失が見られるが、これを取り除くよう組み換えられている品種もある。２０１９年に発表された実地試験では、そのように改良されたタバコは、40パーセント収穫量が増え、開花が1週間早かった。

CRISPR（クリスパー）遺伝子編集競争の陰に隠れた功労者

とても有益な科学的発見には、ほぼつねに——ばかばかしいほどしょっちゅう——誰の手柄かについての壮絶な論争がともなう。これが最も当てはまるのは、２０１２年に世界が目覚めた遺伝子技術で、医療だけでなく農業においてもすばらしい成果を約束する、CRISPR(クリスパー)の物語である。

この例で論争を激しくしている原因は、アメリカの東海岸と西海岸の有名大学2校が競い合っていることにある。カリフォルニア大学バークレー校にはジェニファー・ダウドナがいて、最近ウィーンからスウェーデンのウメオに移ったフランス人教授のエマニュエル・シャルパンティエ、およびダウドナ研究室のポスドク研究員マルティン・イーネックと共同で取り組んでいた。マサチューセッツ工科大学ではフェン・チャンが同僚のル・コンとフェイ・アン・ランとともに研究していた。

どちらのグループも同じころ、きわめて重要な突破口を開いた。当初、受賞はダウドナのグループのほうが多かったが、激しい特許争いには最終的に法廷でチャンのグループが勝利している。とはいえ、巨額の予算と贅沢(ぜいたく)な実験室をもつアメリカの大規模大学のどちらも、本人たちが求めているほどの称賛に値しないかもしれない。称賛を受けるべきは、細菌についての実際的だがはやらない疑問に取り組んでいた、ふたりの無名の微生物学者である。ひとりは大学の実験室で製塩業界が興味を抱く問題に取り組み、もうひとりは食品会社にいた。生物化学的に珍しい現象の発見からテクノロジーの発明までの道のりは、例によって長く曲がりくねっている。そしてこの場合、大学から産業に向かうのではなく、少なくとも部分的には反対方向に進む。

スペインのアリカンテ市の近くに大きなピンク色の湖があり、さらに濃いピンク色のフラミンゴが点在している。サリーナス・デ・トレビエハと呼ばれるこの1400ヘクタールある湖は、海面より低い位置にあり、3世紀にわたって塩の生産に利用されてきた。6月、海水が湖に流れ込む。夏のあいだ水が蒸発するにつれ、湖底で塩が結晶になり、特殊な機械ですくい上げられ、不純物を除去されて販売される――1年に70万トンだ。ピンク色のもとは2種類の塩好きの微生物――真正細菌と古細菌――で、微生物を食べるエビもピンク色、エビを食べるフラミンゴもピンク色になる。

意外ではないが、地元の大学の微生物学部は、好塩性のピンク色の微生物を研究するのに、この資源を利用していた。ハロフェラックス・メディテラネイ(*Haloferax mediterranei*)という古細菌は、アリカンテで初めて報告されている。そのような好塩性の種なので、とくに塩分の多い場所でバイオテクノロジーに使われたのだろう。

その近くで生まれたフランシスコ・モヒカは、この生物の遺伝子を研究して、1993年に博士号を取得した。そしてかなり奇妙なことに気づいた。そのゲノムの一部に、同じ30文字が何度も反復する特徴的な配列が隠れていたのだ。反復それぞれは35から39文字の配列で区切られており、そちらの配列はどれも異なる。反復配列はほとんどが回文配列だった――前からでも後ろからでも同じに読める綴りだ。

モヒカは別の関連する好塩性微生物を調べ、配列は異なるがほぼ同じパターンを見つけた。その後さらに、真正細菌と古細菌合わせて20種類の微生物でも発見している。同じパターンは1980年代に日本の研究者によって発見されていたが、彼はそれを追究しなかった。

モヒカはそれから10年、なぜこのパターンがあるのか理解しようと試みた。彼の仮説は大部分が誤りだと証明された。そしてオランダ人研究者のルート・ヤンセンが、その奇妙な文字列のそばにはつねにＣａｓ（キャス）遺伝子と呼ばれる特定の遺伝子があることに気づいた。ヤンセンはそのパターンを「Clustered Regularly Interspaced Short Palindromic Repeats（一定間隔を置いた短い回文の反復クラスタ）」、略してＣＲＩＳＰＲと命名したのである。

その後、２００３年のある日、モヒカは幸運に恵まれた。回文配列の間にある反復でない「スペーサ」配列のひとつを腸内細菌から取り出し、一致するものを確認しようと、遺伝子配列データベースに入力した。ビンゴ！　答えが返ってきたのだ。それはウイルスの遺伝子、具体的にはバクテリオファージ・ウイルス、略して「ファージ」の遺伝子と一致した。この小さな粒子は、アポロ計画の月着陸船の極小版とでも言えそうな形のウイルスで、自分のＤＮＡを細菌に注入し、その細胞機構を乗っ取って、ファージをさらに増やす。

モヒカはほかのスペーサ配列も調べて、その多くが細菌に感染するウイルスに由来することに気づいた。そして自分が見ているのは微生物自身の免疫系であり、そこでは微生物が識別して破壊できるように、ウイルス性疾患の遺伝子が記録保持されるのではないかと考えた。Ｃａｓ遺伝子がその仕事をしている。

ヨーグルト会社の無名研究者に訪れたひらめき

モヒカが研究結果を発表するのに1年以上かかったので、一流の雑誌は、重要な発見がアリカンテのような僻地（へきち）の無名の科学者から出てくるものかと鼻であしらった。

ピレネー山脈を越えたフランスでは、工業微生物学者がすでに次のステップに進んでいた。

フィリップ・ホーヴァートは、ほどなくダニスコの一部になったあとデュポンに買収された、ロディア食品で働いていた。ヨーグルトとチーズは発酵乳だ。つまり、細菌に乳を摂取させ、それを細菌体に変換したものを、私たちが食べている。乳製品業界が飼い慣らした極微の乳牛は、ストレプトコッカス・サーモフィラス（*Streptococcus thermophilus*）と呼ばれる無害な生物である。平均的な人は年間1兆×10億個のサーモフィラス菌を食べる。そのためヨーグルトを製造する大企業は、培養する微生物群をより深く理解するために、巨額の資金を細菌学につぎ込み、とくに細菌が病気になるとどうなるかに関心を抱いている。酪農家がウシを乳腺炎から守りたいのと同様、ヨーグルトメーカーはストレプトコッカスが「ファージ」に感染しないようにする必要がある。

ホーヴァートとダニスコでの同僚のロドルフ・バラングは、ほかよりもファージの流行に強い培養菌があることを知った。その理由を理解することが業界を助けるかもしれない。

ＣＲＩＳＰＲについて会議で耳にしたあと、ホーヴァートはそれが答えを教えてくれるかもしれないと直感した。そしてすぐに、スペーサが最も多い細菌が耐性菌株である可能性が最も高く、特定のファージのＤＮＡに由来するスペーサのある細菌は、そのファージに耐性があることを明らかにした。これでモヒカが正しいと証明された。ＣＲＩＳＰＲの仕事は――Ｃａｓ遺伝子の助けを借りて――特定の配列を識別し切断することによって、ウイルスを弱体化することなのだ。

次のステップ、というか論理の飛躍は、「私たち人間が自分たちの目的のためにＣＲＩＳＰＲを借用できるかもしれない」と考えることだった。切除したい遺伝子を含むスペーサを取り替え、挿入したい新しい配列と結合させて、微生物のシステムを並はずれて正確な遺伝子組み換えツールにつくり変えるのだ。1920年代に行なわれていたようにすぐれた遺伝子を自然がもたらすのを待つのではなく、1960年代に行なわれていたようにガンマ線を使ってランダムに遺伝子を変異させるのでもなく、1990年代に行なわれていたように、場合によってはどこか有益な場所に着地すると期待して、特定の新しい遺伝子を投げ入れるのでもなく、いま私たちは、植物や動物のゲノムを文字どおり編集できる。CRISPR＝Cas9（ナイン）システムを使って、ここの1文字を変え、あそこの1文を変えられる。遺伝子編集の誕生だ。

2017年、エディンバラ近くにあるロスリン研究所の研究者たちは、ブタ繁殖・呼吸障害症候群（PRRS）と呼ばれるウイルスから守るために、ブタの遺伝子編集を行なったと発表した。彼らはCRISPRを用いて、ウイルスがブタの細胞に入り込めるようにするタンパク質をつくる遺伝子から、ごく一部を切り取ることでウイルスが入れないようにしたのだが、タンパク質の機能は変えなかったので、ブタはあらゆる点で正常だが、病気に対して免疫ができた状態で成長した。

2018年、ミネソタ大学と遺伝子に関連する会社カリックスの研究者が、TALENと呼ばれる別の遺伝子編集技術を用いて、必要な殺菌剤を減らせるように、うどんこ病菌に耐性のあるコムギをつくった。同じ年、アルゼンチンの科学者たちはCRISPRを用いて、ジャガイモのポリフェノール・オキシターゼ遺伝子の一部を切り取って、ジャガイモを切ったときに茶色くならないようにした。

2019年半ば現在、遺伝子編集プロジェクトが中国で500件以上、アメリカで400件近く、日本でほぼ１００件進行中だ（もちろん遺伝子編集は医療にも応用されるが、ほとんどは農業に関係している）。

規制によって後れをとるヨーロッパ

ではヨーロッパは？　世界の大半は早々に、遺伝子編集植物をＧＭ（遺伝子組み換え）作物と同じ、クリアするのにコストも時間もかかる規制の対象にするのではなく、従来の栽培品種のように扱われるべきだと認めた。ヨーロッパ中の科学者たちは、ヨーロッパの当局も同じ結論を出すよう願い、祈った。欧州委員会は、欧州司法裁判所が見解を出すのを2年待った。裁判所の法務官は自由化に賛成したが、２０１８年7月、裁判所は政治的圧力を受けて、彼の助言を退け、遺伝子編集生物はＧＭ作物と同じ規制にしたがって扱わなくてはならないと裁定した。ガンマ線や化学薬品を使う、はるかにリスクの高いプロセスで処理された突然変異誘発作物には、はるかに簡略な規則が適用されるというのに。

２０１９年、３人のフランス人科学者がＣＲＩＳＰＲ製品の特許を見直し、ヨーロッパがすでに圧倒的に遅れていることを知った。アメリカが８７２件、中国が８５８件の対応特許を取っているのに対し、ＥＵはわずか１９４件にすぎず、その差はどんどん開いている。彼らはこう結論を下した。「ＧＭ作物禁止がヨーロッパ大陸のバイオテクノロジーの将来に大きな悪影響をおよぼしていないと考えるのは妄想だ」

遺伝子編集は急速に変化している。遺伝子編集よりはるかに正確な塩基編集、またはプライム編集──DNA鎖を切断せずに、DNA塩基を化学的に置き換える──がすでに出現しつつある。将来的に、食料となる作物の収穫量、栄養品質、そして環境への影響が格段に改善されることはまちがいない。

農業革命は「自然を破壊」したのか

20世紀に、機械化、肥料、新品種、殺虫剤、そして遺伝子組み換えの結果として、農業の生産力が大幅に向上したことで、人口は増え続けているのに、地球上から飢饉がほぼ完全に消え、栄養失調は劇的に減った。この状況を予測した人はほとんどいなかったが、この改善は自然を犠牲にして実現したと心配する人が大勢いる。

実際には、その逆であることを示す有力な証拠がある。食料生産のイノベーションのおかげで、農地の生産性が上がったことで、多くの土地や森が耕起や放牧や伐採をまぬがれている。この「土地温存」は、土地共有──畑の作物のそばにたくさんの野生生物が生息することを願って、収穫量の少ない作物栽培を行なうこと──よりも、はるかに生物多様性にとって良いことは明らかだ。

１９６０年から２０１０年のあいだに、一定量の食料を生産するのに必要な土地の面積は、およそ65パーセント減った。もしそうなっていなかったら、世界中の森林も湿地も自然保護区もすべて耕されるか、家畜が放牧されていて、アマゾンの雨林はもっとはるかにひどく破壊されていただろう。しかし実際には、原野と自然保護区は着実に増えており、森林面積の減少は止まり、多くの場所で現在増えつつあるので、1982年以降、全体的に見れば森林面積は7パーセント増加している。今世紀の半ばまでに、世界は1950年に30億人を養っていたときより狭い土地面積で、90億人を養っているだろう。

さらに最近の研究では、一定の食料産出量に対して、集約農業のほうが有機農業や粗放農業より、使用する土地が少ないだけでなく、出す汚染物質が少なく、引き起こす土壌流出も少なく、消費する水も少ないという結論が出ている。

想像してみてほしい。イノベーションが光合成の効率を調整し、窒素固定細菌を植物の細胞に挿入し、害虫や菌や雑草による損失をさらに減らし、植物それぞれのエネルギーをもっとたくさん貴重な食料に転換することによって（このすべてが実際に起こっている）、農家の生産量は増え続けるので、コメ、コムギ、トウモロコシ、ダイズ、ジャガイモのような作物の平均収穫高が2050年にはいまより50パーセント増えている。これはいかにもありそうだ。ということは、耕す土地をはるかに少なくして、国立公園や自然保護区を拡大し、土地を森林や手つかずの自然にもどし、花や鳥やチョウのために管理する土地を増やせるということである。自分たちの食料を確保しながらでも、地球の生態系を改善できるのだ。

第5章

ローテクのイノベーション

「数にゼロを足しても、数からゼロを引いても、その数は変わらない。
そしてゼロを掛けるとゼロになる」
——ブラフマグプタ、628年

ヨーロッパ人を感激させた「インド数字」

「9、8、7、6、5、4、3、2、1。これがインド人の使う9つの数字だ。この9つの数字と、アラビア語でゼフィラムと呼ばれる0という符号を使って、どんな数でも表わすことができる。それをこれから証明する」。こうして1202年（ローマ数字で表わすとMCCII年）ごろ、ひとりのイタリアの商人がヨーロッパに、近代的な数字、近代的な算術、そしてとくに重要なゼロの使用を紹介した。いまではフィボナッチの愛称で知られるレオナルド・ダ・ピサは、子どものころにピサから北アフリカ沿岸の港町ブギアに移った。そこで父親がピサの貿易業者の代理人として手腕を発揮し、羊毛、織物、木材、鉄を北アフリカに輸入し、絹、スパイス、蜜蠟（みつろう）、皮革をジェノヴァに輸出していたのだ。

フィボナッチはブギアでアラブ式の算術をおそらくアラビア語で学び、すぐに、インド人から取り入れたアラビア記数法のほうが、ローマ数字よりもはるかに実用的で万能だと気づいた。「9つのインド数字を使う技法のすばらしい教えから入り、その技法の概論と知識が何よりも楽しい。誰であれそれに通じている、近くのエジプト、シリア、ギリシア、シチリア、プロヴァンス出身の人たちから、彼らのさまざまな手法とともに学び、その地方の商売が行なわれている場所をあちこち旅した」と、のちにフィボナッチは自慢している。

インドの数体系には、とても有益な特長が2つある。ひとつは、並んでいる数字の位置が、その大きさを表わすという考えだ。したがって、90は9の10倍大きい。それに対してローマ数字のXは、数のどこに現われても10を意味する。もうひとつの特長は、10個の数字のうち1個が何もないことを表わす場合にかぎり、この位取り法は10進法として機能することだ。ロバート・カプランによると、数学の言語は「ある操作を示す記号としてゼロが入ってきたときに真価を発揮する。その操作とは、位置を移すことによって数字の値を変えることだ」。

「ゼロ」というイノベーション

しかし、何もないことを示す符号とは、あらためて考えると、困惑するほどわけがわからない。

何が「何もない」のか?

イギリスの数学者アルフレッド・ノース・ホワイトヘッドは、次のように述べている。「ゼロについて重要なのは、日常の営みで使う必要がないことだ。ゼロ匹の魚を買いに出かける人はいない」(ただし、私は釣りに出かけて魚をゼロ匹釣り上げることがある)。ゼロは数を形容詞から名詞に変え、そしてそれ自体が数になる。これは広範囲に影響をおよぼしたイノベーションだったことはまちがいないが、テクノロジーはいっさい関与していない。

インド数字の「伝達者」フィボナッチのイノベーション

インド数字が現代の生活にとってどれだけ不可欠か、それなしで生活するのがいかに不可能かを考えると、このイノベーションは並はずれて重要だったのに、西洋文明の物語に入ってくるのが遅かったのは不可解だ。古代世界と中世前期のキリスト教世界が使っていた数を数える体系では、掛け算はほぼ不可能であり、代数は理解しがたく、会計は発達しようがなかった。

この革命におけるフィボナッチの役割は忘れられていたが、18世紀末になってようやく、15世紀の偉大な数学者(レオナルド・ダ・ヴィンチの親しい友人だった)ルカ・パチョーリの功績を研究していた、ピエトロ・コッサーリという学者が、パチョーリが「私たちはおもにレオナルド・ピサに追随している」と、話のついでに言及していることに気づいた。コッサーリは昔のレオナルドの原稿を探し出し、13世紀から15世紀までの数学の論文はほぼすべて、多かれ少なかれ、彼の大部の学術書『算盤の書(Liber abaci)』に直接由来していることを知った。「フィボナッチ」の名前は19世紀、いいやつの息子を意味する「フィリウス・ボナッチ」という表現を縮めてつくられたもので、彼の著書のタイトルページに記されている。『算盤の書』は印刷革命より2世紀前に出ていたため、書き写しに頼っていたので、その原稿が収めた成功は長い歳月のあいだに忘れ去られていたのだ。

フィボナッチの著作は、全ヨーロッパ史のなかでもとりわけ影響力が大きく、神聖ローマ帝国の知的好奇心旺盛だが残酷な皇帝フリードリヒ2世に信奉されただけでなく、複写されてヨーロッパ全土にばらまかれたおかげで、最終的にインド数字がほぼ完全にローマ数字に取って代わった。皮肉なことに、インド数字は地中海の北岸でまったく知られていなかったわけではないが、それは学者の専門分野であり、とくにスペインでキリスト教の修道士がアラブ人から取り入れたのも、数学を研究するためにすぎなかった。偉大な代数学の解説者だったアル・フワーリズミの業績も、ラテン語に翻訳されていたのは学者向けであって、商人向けではなかった。

フィボナッチが行なったのは、この算術を毎日の商取引に使うやり方を商人たちに教えることだった。彼の本には実用的な問題が満載で、どれもが、イタリアの都市国家と近東およびマグレブの貿易相手国が主役だった地中海貿易の世界を思わせる。たとえば、「1ハンドレッドウェイトのリネンその他の商品が、シリアまたはアレクサンドリアの近くで、サラセンのベザント金貨4枚で売られて、37反がいくらになるかを知りたければ……」という具合だ。

注目してほしいのは、これが書かれたのは3回の十字軍遠征のあと、第4回のころなので、大勢のキリスト教徒の騎士や聖職者が近東で生活し、統治し、戦っていたが、メッセージを理解したのは商人だったことである。このイノベーションも多くのイノベーションと同様、商業を通じて広まったのだ。

フィボナッチがどんなに有能なイノベーターだったとしても、「発明家」ではなく「伝える人」だった（たしかに、有名なフィボナッチ数列やそこから導き出される黄金比など、多くの数学を考案したが、インド数字やゼロを発明したわけではない）。彼の情報源はアラブ人で、なかでも最も偉大だったアル・フワーリズミは、その名を英語の「アルゴリズム」に残した数学者だ。フィボナッチは彼の著作をおそらくアラビア語だけでなく、イタリアにもどってラテン語訳でも読んだだろう。

しかしアル・フワーリズミもまた、著作の内容を考案したのではなく、編集して世に広めた人物だ。彼の最も重要な著作のタイトルがそれを示している。820年ごろに発表された『ヒンドゥー数字による計算について』である。彼はフィボナッチがキリスト教世界で果たしたのと同じような役割を、イスラム世界で果たしていた。商人向けに本を書き、自分たちの文明が別の文明から取り入れたイノベーションを説明していたのだ。

ゼロの「発明者」は誰だったのか

足跡をさらに2世紀、628年までさかのぼると、ブラフマグプタにたどり着く。学問で知られていたグジャラーデサと呼ばれる西インドの王国の天文学者だ。彼は『宇宙の始まり(Brahmasphutasiddhanta)』というタイトルの本を世に出した。ほとんどが天文学についてだが、数学に関する章もあって、ゼロを、バビロニア人のように何もないことを示す記号としてではなく、実際の数として扱っている、知られているかぎり最初の著作である。

ブラフマグプタは、理解しやすい簡潔な文章でゼロの意味を提示し、初めてマイナスの数について考察し、要点を普通の言葉で明らかにしている。「借金引くゼロは借金。財産引くゼロは財産。ゼロ引くゼロはゼロ。ゼロから差し引かれた借金は財産。ゼロから差し引かれた財産は借金。ゼロに借金または財産を掛けた結果はゼロ」。ところが、そのあと足跡は途絶える。

位(くらい)を埋めるものとしてゼロ――当時は点だった――が使われた最古の記録は、現在のパキスタンで1881年に発見された、4世紀か5世紀のバクシャーリー写本に見られる。似たようなものは古代シュメールとバビロンで使われており、そこからアレクサンダー大王に追随したギリシア人とともに、東へとインドまで旅したのかもしれない。しかし、ゼロが現在の数字の形で使われ、算術を変えていたことを示す証拠は、ブラフマグプタの前にはない。

でも、ちょっと待った。並行イノベーションの好例として、ブラフマグプタと同じころ、ひょっとするともっと早く、マヤ人がゼロを発明した証拠がある。マヤ暦に使われた20を基本とする計数システムには、ヒンドゥーの0に似た空位を表わす記号があった。しかしそこで行き止まりだとわかっている。マヤ文明は崩壊し、最高の算術的概念もともに葬られてしまう。

旧世界で同じことが起きた可能性はあるのか？　フィボナッチと同時代のイングランドの獅子心王リチャード1世、イスラム王朝君主のサラディン、そしてモンゴル帝国の皇帝チンギス・カンはみな、血に飢えた戦士だった。戦争、宗教的狂信、そして専制国家が横行していた。すばらしい学問の都ふたつが神秘主義を支持し、思想の自由に背を向けたばかりだった――神学者ガザーリーの影響を受けたバグダードと、やはり神学者クレルヴォーのベルナールの影響を受けたパりである。インドもまた、イスラム王朝と原理主義に傾きつつあったヒンドゥー王朝との戦場となっていた。そして中国はモンゴル軍に打ち砕かれた。

フィボナッチが海を渡ってゼロをピサなど北イタリアの都市国家に伝えたのは、運が良かったのかもしれない。そこでは商業が栄え、人びとは栄光や神よりむしろ、安く買って高く売る実際的な事業に関心をもっていた。

フィボナッチのイノベーションは何世紀ものあいだ、計数板、割り符、算盤など、計数や会計のほかの方法と共存していた。紙の上でさえローマ数字と併用された。14世紀、台帳にはインド数字の列とローマ数字の項が混在したり、交互に記されたりすることもあった。それでもしだいに、とくに商人の勘定書作成では、インド数字が勝利した。商業が道を開いたのだ。ルカ・パチョーリが1494年に複式簿記に関する論文を書いて、会計士だけでなく数学者にとっても、フィボナッチのイノベーションが欠かせないことを明確にしたころには、ローマ数字はおもに日付と記念碑に使われるものになっていた。いまでもそうで、私は手紙の最初の日付に「7.ii.19」と書かれているのを見たことがある。

なぜ街中で下水の臭いがしないのか

私はよくロンドンを歩くが、数カ月前、目標を定めた。この広い都市のどこかで、通りを歩きながら下水の臭(にお)いを嗅(か)ぎつけよう。しかし、まだこの目標を達成していない。

ロンドンでは、おそらく排便が1日1000万回近く行なわれている。ほとんどの人が毎日することだからだ。自分から30メートル以内に、必ずと言っていいほど、実際にこの用を足している誰かがいるのではないだろうか。イギリス議会科学技術部によると、ロンドンで出される下水の量は、1日10億リットル以上だという。つまり年間4000億リットル、標準的なプール10０万杯だ。それでも、その臭いがまったくしない。なぜだろう？

これは新しい現象であり、イノベーションである。過去には、都市にはつねに下水の臭いが漂っていて、通りを歩いていれば、その臭いを嗅がずにいるのはもちろん、汚水を見かけたり、そこに足を突っ込んだりせずにいるのは至難の業だった。現在、下水は相変わらずあちらこちらにあるが、私たちから完全に切り離されているので、見かけることはもちろん、臭いを嗅ぐこともない。流され、処理され、消え去るので、ほぼ完全に見えない。考えてみると、これは私たちの文明のすばらしい成果であり、最高の部類に入る。

トイレの「S字パイプ」の発明者は数学者だった

これにはたくさんのイノベーションが貢献しているが、そのほとんどは下水管そのもののように、単純でローテクだ。おそらく最もすばらしいイノベーションは、あらゆるトイレの下を通るパイプのS字またはU字の継ぎ手だろう。そこに水が溜まるおかげで、臭いがパイプを上がってもどってくるのを防げる。みごとなまでに単純で、このうえなく賢い。これで水洗トイレがおまるの強力な競争相手になった。

水洗トイレは以前に何度も試されていた。最初は1596年にエリザベス1世の孫にあたるジョン・ハリントン卿が発明した装置で、女王はリッチモンド宮殿に設置させていた。ハリントンは、トイレを意味する当時の言葉の「ジェイクス」にかけて、『エイジャクスの変身』という語呂合わせのタイトルで、トイレについての本まで書いた。女王はトイレ読書のためなのか、その本をトイレの壁に掛けさせた。

しかしヒットはしなかった。水洗トイレは高価なのに信頼性が低いうえ、汚物を運び去るが臭いは運び去らないという、大きなデメリットがあった。その点については、おまるを建物の外に運び出すほうが、はるかに効果的だったのだ。

S字継ぎ手は、いつでも誰にでも発明されていた可能性があったと言えるもののひとつだ。熟練した配管工が聡明な思想家にできなかったことをした典型例になるはずである。

ところが意外にも、それは啓蒙主義真っ盛りに、立派な数学者によって考え出された。その名はアレクサンダー・カミング。おもに時計とオルガンを製作していたが、乗り物の車輪についての詳細な論文を書き、純粋な数学にも手を出していた。

カミングはエディンバラ生まれで、国王ジョージ3世に引き立ててもらおうとロンドンに来たこと以外、その出自はわかっていない。彼は国王のために、紙の図表上に気圧を記録する、精巧な振り子仕掛けの気圧計をつくった。彼のクロノメータ〔訳注：航海中の船の経度を測定するための高精度な時計〕はとても優秀だったので、北極探検家のコンスタンティン・フィップスは、スピッツベルゲン諸島の北にある小さな島に彼の名前をつけている。

そのことを除くと、カミング氏について話すことはあまりない。彼は「新たな構造にもとづく水洗トイレ」の特許を取得した。それには現在私たちが知っている機能もいろいろ入っているが、最も重要なのがS字継ぎ手である。頭上の貯水槽から勢いよく水を流したあと、少量の水がパイプの二重カーブに残って、臭いのバリアとして働く。しかしカミングは、まったく不要で、結果的にわずらわしい機能も取り入れていた。便器の底部、S字継ぎ手の上に、レバーで開閉しなくてはならないスライド式のバルブを取りつけたのだ。これが漏れやすかった。しかも、とくに凍えるような天気のとき（当時ほとんどのトイレは屋外にあった）、あるいはさびたり、水あかに覆われたりしたときに動かなくなる。そのためカミングの発明は、ハリントンのそれと同様、なかなか採用されなかった。

水洗トイレのイノベーターたち

3年後の1778年、水洗トイレは別のイノベーター、ジョセフ・ブラマーによって改良された。1749年にヨークシャーの農民の息子として生まれたブラマーは、さまざまな分野で次々と自分の名のつく発明をした。とくに重要だったのは液圧装置で、今日の多くの機械類に欠かせない。

ただし実際に肝要なアイデアに貢献したのは、彼が雇ったさらに有能なヘンリー・モーズリーだった。ブラマーの発明でとりわけ有名なのはブラマー錠だが、これも製作したのはモーズリーだ。ピッキングがほぼ不可能で、それを実証するために、ブラマーの会社は最初に成功した人に200ギニーの賞金を出すと発表した。ブラマーの死後も長いあいだ、1851年までのほぼ半世紀、賞金の請求はなかった。そしてようやく、アルフレッド・ホッブスというアメリカの錠前破りの興行主が、１カ月以上かけ、特製道具のクラッチを使って、その偉業をなし遂げた。それまでにブラマーの会社は新型の錠を開発していた。

ブラマーは10代のときのけがで脚が不自由になり、農作業には向かなかったが、木工に才能を見いだし、指物師として年季奉公したあと、家具製作の仕事をするためにロンドンに移った。彼を雇ったアレン氏なる人物は、水洗トイレを収納する家具をつくるためにカミングに用いられたのかもしれない。アレンは、水が便器全体に渦を巻くように流れるようにして、水洗トイレを改良した。

このころブラマーはまた事故に遭い、床に伏しているあいだに、水洗トイレをさらに改良することに目を向けた。１７７８年、スライド式バルブの代わりに蝶番（ちょうつがい）つきの蓋をつけるなど、一連のマイナーチェンジを加えた設計の特許を取得している。さらに、並はずれて高水準の職人技を製品に応用すると、それが認められるようになった。ブラマーは商売を始め、ほどなく、週に６台の水洗トイレを金持ち向けに、１回10ポンドあまりで設置していた。

この製品の成功を証明するように、ほかの人たちがすぐに真似するようになり、ブラマーは数人を告訴した。そして１７８９年の訴訟が判例になった。被告のハードキャッスル氏なる人物は、ブラマーの特許は言葉の表現があいまいすぎて、新しくない機能ばかりか、決定的なこととして、以前「公開されて」いる機能も入っている、と主張した。この後者の点に関しては、ブラマーが自分の設計で３台の水洗トイレをつくり、特許を出願する前にテストしていたというのだ。判事は――ひょっとすると実体験からか――その設計は以前のどれよりもうまく機能すると述べて、ブラマーに有利な判決を下した。

屋内水洗トイレがようやく必需品として実際に軌道に乗ったのは、19世紀も終わりに近づいたころだった。ロンドンで大がかりな新しい下水道が建設されたことで、ついに、ひどく粗末な家からでも、水洗トイレが排泄物を送る先ができたのだ。多くの人が抱いていた、水洗トイレを屋内に設置することへの嫌悪感は変わり始めた。

1860年代にロンドンに仕事場を構えたヨークシャーの配管工、トマス・クラッパーは、この新しい需要に乗じた起業家だった。ほとんど発明はしなかったが、S字継ぎ手ではなくU字継ぎ手を使うことによって、パイプを詰まりにくくして、排水トラップを改良した。さらに、貯水槽があふれるのを防ぐために、貯水槽からの吸い上げシステムと浮き球コック機構を改良した。

しかし彼の真の功績は、水洗トイレを信頼できる、シンプルで、手ごろな値段のものにしたこと、そしてそれを指す俗語に自分の名前「クラッパー」を貸したことだ――なぜか「クラップ（排便する）」という動詞はずっと昔からあったにしても。

世界中のQOLを上げた地味な「ブリキ波板」

醜さゆえに嫌われ、平凡さゆえに見すごされ、ずっと昔からあるせいで、イノベーションとは考えにくい。「波形鉄板」は思いも寄らないヒーローだ。

それでもかつては――発明されたのは1829年――目新しかっただけでなく、さまざまなもっと派手なものよりも、よほど人間のためになってきたと言っていい。波形鉄板は数え切れないほどの人びとを雨風から守り、しかもそれを名高い建築術より安上がりに、効果的に行なってきた。世界中のスラム街で、貧しい人たちを生きながらえさせてきた。アンダーソン・シェルター〔訳注：第2次世界大戦中にイギリス政府が国民に推奨した家庭用の防空壕〕というかたちで、敵の爆撃時に命を救った。カリフォルニア、オーストラリア、南アフリカでは、採金者が即席の町をつくるのに欠かせなかった。オーストラリアでは、入植者にも先住民にも人気を博し、後者はそれを「白人の樹皮」と呼んだ。大流行した時期には、それで教会を建てた建築家もいる。ヴィクトリア女王の夫のアルバート公は、バルモラル城に波形鉄板の舞踏場を増築した。

イノベーションの進み方として、波形鉄板の物語は比較的シンプルだ。ひとりの人物によって発明され、ライバルの挑戦を受けることもなかったようだ。その人は熟練の技術者であって、無名の天才でも異彩を放つ科学者でもない。特許に異議が唱えられることもなく、その期限が切れると、輸出産業としてどんどん成長した。過去に何度も改良が加えられたが、おもに腐食への耐性を強めるためであって、いまも基本的に誕生時と同じデザインを保っている。

発明したのはヘンリー・ロビンソン・パルマー。彼のほかのアイデアは両方とも時代のはるか先を行っていた。モノレールとコンテナ輸送だ。

パルマーは1795年にロンドン東部で牧師の息子として生まれ、技師見習いになり、すぐれた土木技師のトマス・テルフォードのもとで10年働き、やがては土木工学技術者協会を設立している。1826年、彼はロンドン東部の埠頭拡張を監督するよう任せられた。水門の掘削と建設を終えて、建物に注意を向けた。開放型の物置の屋根に、鉄の薄板を使うアイデアを思いつき、薄板を強くするために、錬鉄をローラーに通して正弦波状にしたようだ。1829年4月28日、彼は「溝付き、ジグザグ形または波形の金属製の、薄板または厚板を、屋根その他の建物の一部に使用または応用すること」の特許を取得した。この処理で鉄板が格段に強くなり、より硬くなって、雪のような負荷を支えるとき、追加の支えなしでも広い幅に差し渡すことができる。ブリキ波板の誕生だ。

埠頭の現場で波形にする作業が行なわれ、最初の建物は曲線状の自立した錬鉄の屋根で覆われた。アート・アンド・サイエンス誌の編集長ジョージ・ヘバートが、直後にそこを訪れ、「パルマー氏が新しく発明した屋根」に夢中になった。「溝(みぞ)をつける、というより、アーチと逆アーチを交互につくることで、強度が大幅に上がる」と、ヘバートは正確に報告している。そのおかげで、厚さわずか2ミリの薄い金属板で、5メートルに架かる頑丈な屋根ができた。「アダムの時代以降、人間がつくった屋根のなかで最も軽く、（その軽さで）最も強いと考えるべきだ」

以降、波形鉄板は次々と進化し、改良についての特許が大量に出願された。たとえば、10年とたたないうちに、フランスのスタニスラス・ソレルが発明した亜鉛めっきのプロセスが、亜鉛の薄い層で鉄をさびから守り、波形鉄板の寿命をはるかに延ばした。19世紀後半、主材料として鋼鉄が錬鉄に取って代わった。しかし基本デザインはほとんど変わっていない。パルマーは特許を自分の助手のリチャード・ウォーカーに売却し、ウォーカーは息子とともに、数十年にわたって業界を支配することになった。彼は1843年に特許が切れる前に財をなし、特許が切れるとようやく製品の価格が下がり、市場が急速に拡大した。つまり例によって、知的財産権はイノベーションを遅らせる役目を果たしただけである。

1837年には、ウォーカーは波形鉄板をオーストラリアで使おうと宣伝していた。この大陸では、ほかのどこよりもこの資材を活用するようになった。「オーストラリアはまちがいなく、波形鉄板の心の故郷だ」と、2007年に出版されたこの資材の歴史本は書いている。

シロアリと火に対する耐性、軽さ、労働力不足の国におけるプレハブ性〔訳注：建物の部材をあらかじめ工場で製作し、現場で組み立てる工法が使える性質〕、こうした特長すべてが、オーストラリア大陸の入植者に波形鉄板をアピールした。1850年代にヴィクトリア州で起きたゴールドラッシュは、間に合わせの新しい建築資材の需要増大を生み、すぐに、金鉱地にはまるごと波形鉄板でできた町が次々誕生していた。1853年、サミュエル・ヘミングによって完璧な教会がロンドンからメルボルンまで1000ポンドで出荷され、さらに500ポンドでメルボルンからギズボーンに牛車で運ばれ、建設された。

1885年にはオーストラリアが世界最大の市場になり、1970年代にジンカリウム鋼板の特許を取得したのは、オーストラリアのBHPという会社だった。ジンカリウム鋼板は鋼鉄でできた波形資材だが、アルミニウム55パーセント、亜鉛43・5パーセント、ケイ素1・5パーセントでコーティングされている。そのため、ふつうの亜鉛めっき鋼材より腐食に強い。

このようにオーストラリア史で重要な地位を占めているおかげで、波形鉄板は最近では、建築家や芸術家にとってのおしゃれな材料になっている。シドニーオリンピックの開会式では、敬意を表して特別に作曲された『ブリキ交響曲』が演奏され、芸術家のロザリー・ガスコインは彫像にこの材料を使っている。

波形鉄板で建設する慣習は、オーストラリアからアフリカに広がった。1800年代の南アフリカにおける金鉱ブームは、オーストラリアで生産され、ダーバンに出荷され、運搬人チームによって内陸に運ばれた波形鉄板に大きく依存していた。屋根、壁、貯水槽、建物全体、何をつくるにも使われたのだ。ボーア戦争のとき、イギリス軍は曲げた波形鉄板を二重外壁にした小型要塞を建て、鉄道を守るための砂利を詰め込んだ。第1次世界大戦の塹壕から、南大西洋のサウスジョージア島の捕鯨拠点まで、20世紀の建設にとって波形鉄板は欠かせない部品だった。アメリカ人土木技師のノーマン・ニッセンが発明したニッセン式兵舎は、鋼鉄の骨組みに波形鉄板をかぶせたかまぼこ形のシェルタで、第1次および第2次世界大戦において、安くて、安全で、すばやく建てられる建物であることを証明した。

現在、拡大しつつある巨大都市のスラムでは、財産権があいまいなので、波形鉄板は手ごろな値段で入手しやすいだけでなく、それで建てられたものは簡単に解体して移動させることができるという利点もある。地震被災地に迅速に避難所を提供するため、真っ先に送られる物資のひとつでもある。ほかの多くの建築資材より、必要な木材の支えがはるかに少ないので、多くの森林も救っていると思われる。

愛されることも称賛されることもないだろうし、波形鉄板の屋根に当たる雨の音は、けっして甘い音色ではないかもしれないが、確実に世界を変えたシンプルなイノベーションである。

ウォーリア号は、1954年にアメリカ軍が5000トンの一般貨物をブルックリンからドイツのブレーマーハーフェンまで、ふつうに航海して運ぶために契約した標準的な貨物船だった。貨物は19万4582個――木箱、段ボール箱、袋、紙箱、束、包、小箱、ドラム缶、樽、木枠、車両、等々――の荷物で構成されている。アメリカの151の都市から1156回にわたってブルックリンに発送されていた。積み込みにはストライキで作業がなかった1日を含めて6日。航海におよそ11日。荷下ろしに4日かかった。総輸送費23万7577ドルのうち、港での費用が37パーセントを占めていたのに対し、航海そのものの費用は11パーセントにすぎなかった。

こうしたことすべてがわかるのは、この1回の荷役に関する政府支援の研究のおかげだ。マルク・レヴィンソンがコンテナ輸送の発明についての著書『コンテナ物語』(日経BP)に引用している。研究の出した結論によると、高い港湾コストに取り組むにあたって、「改善のカギを握るのは、貨物の梱包、運搬、積み込みを、混載を避けるように行なう方法を見つけることだろう」。数年のうちに、コンテナ輸送が世界を変えるイノベーションになっていた。

画期的なイノベーションだが、必要だったのは新しい科学でも、高度なテクノロジーでも、たいした新しいローテクでもなく、さまざまなシステム化にすぎない。

1950年代半ば、物品の海上輸送は、何世紀も前とほぼ同じくらいコストが高く、遅く、非効率的だった。エンジンが速くなり、船は大きくなったにもかかわらず、港がコストのかさむボトルネックだったのだ。輸出入のコストの半分以上が港でかかるコストだった(その点、ウォーリア号の航海は、戦後ドイツの人件費が安かったおかげで、例外的にお得だった)。作業を担当する港湾労働者は、肉体労働者のなかでは高い賃金を稼いでいたが、仕事は労働集約的で、危険で、不安定で、時間が不規則で、体力を消耗するものである。貨物は埠頭周辺に下ろされ、分類され、倉庫に保管され、パレットに積み上げられ、船上のクレーンで吊り上げられ、パレットから下ろされ、おもに手作業で船倉に収納されるが、船倉はだいたい湾曲していて形もさまざまなので、貨物の固定は科学より芸術のなせる業だった。フォークリフトトラックやクレーンは役に立ったが、大勢の肉体労働者が大部分の仕事をしていた。目的地に到着すると、税関検査を加えたプロセス全体が繰り返される。

アメリカの経済に占める国際貿易の割合は、じつは1920年代以降、縮小しつつあった。その大きな理由が港で発生するコストだ。労働組合と提携する事業所が、埠頭での不定期の仕事の争奪にともなう賄賂と暴力を排除したばかりだったが、代わりに料金が値上げされた。1950年代、ロサンゼルス、ニューヨーク、そしてロンドンの港で、労働者の賃金は上がったにもかかわらず、1人が1年に扱う貨物の量は減少している。

標準コンテナのアイデア、つまり、大きさと形が統一された箱に工場で品物をあらかじめ積み込み、そのまま開けずに船に上げたり、船から下ろしたりするというアイデアは、新しくはなかった。鉄道では数十年前から、標準化されたコンテナの実験が行なわれていた。トラックもしかり。シートレイン・ラインズというアメリカの会社が、1929年、有蓋貨車を運ぶのに特殊な設計の船を使い始めた。しかし、結果は期待はずれだった。コンテナは大きすぎていっぱいにするのに時間がかかり、工場の周囲で無駄に時間をすごすことになるか、小さすぎてたいして役に立たず、コンテナ自体の重さが貨物のコストを押し上げるだけだ。船倉にぴったりはまらないか、半分空っぽになってしまうので、スペースが無駄になる。「コンテナは役に立つどころか邪魔なだけだった」と、大手海運会社の幹部が1955年に判断したが、その直後に、それは大きなまちがいだとわかった。マルコム・マクリーンが登場したのだ。

1913年にマクリーンが産声を上げたノースカロライナ州マクストンは、スコットランド系住民が多い、海のない地域だ。マクリーンは、金儲けは簡単だと思わせるような、野心的でリスク覚悟の起業家だった。ガソリンスタンドで働いていたとき、ガソリンを運ぶことでいい金儲けになると気づいたので、1934年、古いタンクローリーを借りて、トラック輸送を始めた。1年後には2台のトラックを所有し、自前のトラックを持つ運転手を9人雇っていた。

1945年には、彼の会社はトラック保有台数162台、売上220万ドルになっていた。マクリーンは面倒な州際通商規制を回避する方法を知っていたし、自営に近い運転手たちは競合他社の運転手ほど、ストライキを起こすこともなかった。彼らは事故を起こさないとボーナスをもらえるのだが、事故が減れば修理費を抑えられる。マクリーンは経費節減のために、早々とディーゼルエンジンに切り替え、トラック間で貨物を移動させるのに、いち早くコンベヤを導入した。1954年には、多額の借金を資金にして、600台以上のトラックを保有していた。

そのころ、彼には温めているアイデアがあった。沿岸海運は戦争の痛手から回復せず、衰退の一途をたどっていたが、道路はしだいに渋滞が増えていた。それなら、トレーラーを船に載せ、目的地に近い港で、トラックにトレーラーをピックアップさせればいいのでは？　リスクを覚悟しながら意欲満々で、彼はトラック事業を売却し、代わりに大手の船会社を借金で買収した。事実上、レバレッジド・バイアウトへの投資だ。

しかしその後、彼はもっといいアイデアを思いついた。トレーラー全体を船に載せるのではなく、トレーラーの車体からタイヤをはずし、船上で積み上げてはどうだろう？　彼はニューヨークからマイアミまでのビールの運送について、紙上で計画を試し、混載貨物と比較してコストを94パーセント削減できると知った。

「ひらめきの瞬間」というウソ

この物語に関して生まれた伝説がある。マクリーンは1930年代に港でトラックの荷下ろしを待っているとき、アルキメデスやニュートンと同じように、突然ひらめく瞬間を経験したというのだ。そういう話はどれもそうだが、これもうそである。ただし葬り去るのは難しい。歴史を調べたレヴィンソンは次のように語っている。

ところがたいていの人は、埠頭でのひらめきといったエピソードが大好きだ。ニュートンの頭にリンゴが落ちてきて万有引力の法則がひらめいた、といった輝かしい逸話はたしかに感動的ではある――たとえ作り話だったと後日判明したとしても。これに対して、すでに実用化されていたものを手直しし、どうやって利益を上げるか手探りし、せっかくのイノベーションがなかなか普及せずじりじりする、といった話はまったく魅力的でない。（『コンテナ物語』村井章子訳）

なぜ、そうした英雄伝説は根強く残るのだろう？　おそらく、人びとは自分もひとたび想像力を飛躍させれば英雄になれると考えたいのだろう。そのような呪術思考は、実在のイノベーターの特徴に関して大きな誤解を招く。事実はもっと地味だが、もっと圧倒的で、マクリーンはその典型である。

マクリーンはオイルタンカーのアイデアルX号を買い、特殊設計の甲板でコンテナを運ぶように改造し、２台の大きなクレーンを買い、コンテナを吊り上げるように改造し、そして33フィートのコンテナを大量発注した。その後、鉄道とトラック運送会社による法廷での妨害行動と闘いながら、州際通商委員会と沿岸警備隊の権力者に、船は安全であることを納得させるのに２年を費やした。

１９５６年４月26日、アイデアルX号は58個のコンテナを積んで、ニュージャージーからテキサスまで航行した。コンテナ1個を7分で甲板に揚げ、船積みは8時間で終了。航海が終わるまでにマクリーンは、通常の貨物運賃が1トン５ドル83セントなのに対し、この方法ならコストは1トンにつき16セント足らずだと計算した。

それほど大幅なコスト節減であれば、その効果は自明の理だった、あるいは、人はそう考えるだろう。しかしマクリーンの闘いは始まったばかりだった。

当初、エンジニアリングの仕事はスムーズに進んでいた。１９５６年、彼は港湾労働者のストライキを利用して、アラバマ州モービルの本部で、６隻の大型船をそれぞれ２２６個のコンテナを積めるように改造した。エンジニアのキース・タントリンガーが試行錯誤を重ね、船倉内にコンテナを収めるための金属製の「セル」にはどれだけの遊びが許容されるかを突き止めた。積み込みを容易にして、しかも嵐の中でもコンテナがずれないようにするには、長さで1インチ強、幅で1インチ弱だ（タントリンガーは、最初の航海でずれが起こらなかったことを証明するために、コンテナの周囲のスペースに粘土を詰めた）。タントリンガーは荷役にかかる時間を短縮するために、トレーラのシャーシからコンテナそのもの、船上で両方を固定させるツイストロックまで、すべてを体系的に設計し直した。船上の新しいガントリークレーンは、荷揚げと荷下ろしを同時にできる。

こうして1957年にモービルで建造された最初の船、ゲートウェイシティ号は、8時間で荷役を完了させることができた。アイデアルX号の5倍のコンテナを運ぶにもかかわらず、荷役にかかる時間は同じだ。

マクリーンが遭遇した最大の障害は、人的な問題だった。1958年、新しい船2隻をニューアークからプエルトリコに送ったのだが、プエルトリコの港湾労働者組合が、荷下ろしを拒否した。彼らが4カ月間、何もしなかったので、とうとうマクリーンが折れて、船それぞれの荷下ろしをするのに不必要なほど大勢の人を雇うことに同意する。その遅れのせいで、前年の利益がすべて吹っ飛んだ。1959年の別のストライキでさらに損失が生まれ、マクリーンの会社は倒産寸前に追い込まれた。ほかの海運会社はコンテナ輸送に参入するのに必要な莫大な投資を拒んでいた。労働者たちが非協力的ならなおさらだ。そのため港は変わろうとしない。コンテナ革命は失敗のように思われた。

問題を解決するためのマクリーンの対応は、以前経営していたトラック運送会社から、ハングリーで起業家精神あふれる若者たちを、シーランドと改名した会社に引き抜くことだった。彼はさらに借金して、さらに大きな船を建造した。そして東海岸からカリフォルニアまで、パナマ運河を通る海運業を始める。運にも恵まれた。プエルトリコ航路の主要な競合相手が、買収先が過剰な負債を抱えたあとに倒産したのだ。

1965年には、シーランドは55隻の船と1万3533個のコンテナを保有していた。労働組合は長い内紛のすえ、最終的に機械化を認めた。そのほうが港での仕事が増え、労働環境もよくなるからだ。西海岸の労働組合は、雇い主が作業の自動化に消極的だと非難さえしていた。

こうなると重要な問題は標準化だ。アメリカ政府と国際標準化機構は長年、「標準コンテナ」に最適の大きさと形の問題に取り組んでいた。しかし1965年には、使用されているコンテナの3分の2が、合意されている長さまたは高さの標準に合っていなかった。シーランドの35フィートコンテナか、太平洋ではマトソン社の24フィートコンテナのどちらかだったのだ。後者は、パイナップルをハワイからサンフランシスコに運ぶライバル会社による、似たようなプロジェクトの成果だった。それでも最終的に、業界はおもに長さ20フィートと40フィートの規格に落ち着いた。

何も発明しなかった現代貿易の父

マクリーンの次なる躍進はベトナム戦争とともに起こった。サイゴンとダナンの浅瀬と港湾設備の不備のせいで、アメリカは軍隊の結集と物資の補給につねに苦労していた。軍は過密と遅延と混乱を軽減しようと何度も努力するも、結果は芳(かんば)しくない。状況は悪くなる一方だ。

マクリーンはこれをチャンスととらえ、カムラン湾にコンテナ港を建設する許可がほしいと、ペンタゴンをせっついた。予想どおり反対されたが、彼の粘り強さが1967年にとうとう実る。シーランドは自己責任で港を建設し、1週おきに600個のコンテナ輸送を始めた。すると一気に、軍の補給問題は解決した。船で運ばれた冷凍コンテナにはアイスクリームまで入っていた。

じっとしていられない質(たち)のマクリーンは、次に空のコンテナを日本経由で送り返すチャンスに気づいた。そこで輸出品を引き受けることでアジアの輸出ブームにひと役買い、ひいては日本、台湾、韓国、中国、最終的にベトナムの経済を変えたのだ。軍はすぐに、ヨーロッパにいる部隊への物資補給の契約をマクリーンと結び、そのおかげでコンテナに懐疑的だったヨーロッパの港の態度が変わった。

1970年、マクリーンはシーランドを売却し、ほどなく会社を去った。彼は養豚やリゾートなど、さまざまな事業を試したあと、1977年、ユナイテッド・ステーツ・ラインズ社を買収して、海運業界に復帰した。コンテナ輸送の収容能力は年20パーセント増大し、船はどんどん大型化した。貨物1トンあたりで考えると、大きい船のほうが小さい船より建造コストが安く、必要な乗組員は少なく、消費燃料も少ない。唯一の制限は、パナマ運河の水門を通り抜けることだった。

1970年代、コンテナ船の平均スピードは、1973年と78年の石油危機の影響で燃料コストが上がるにつれて遅くなった。マクリーンはこれをチャンスととらえて、大型だが速度は出ない「エコノシップ」14隻を韓国で建造する。東回りで世界一周し、船が空のまま帰る問題を避けるのがねらいだ。うまい考えだったが、うまくいかなかった。石油価格が下落したうえに、世界一周はスケジュールどおりにいかないことがわかったのだ。

１９８６年、マクリーン・インダストリーズは12億ドルの負債を抱えて破産申請する。当時のアメリカでは過去最大の破産だった。リスクを冒す起業家が、ひとつ余分なリスクを冒してしまったのだ。彼はこの経験に心を折られ、しばらく世間の注目を避けた。２００１年、87歳でこの世を去ったが、彼の葬式の朝、世界中のコンテナ船が同時に汽笛を鳴らした。

今日、世界経済に欠かせないいくつもの海洋を渡る大規模なコンテナ貿易は、彼の遺産である。いまでは1隻で2万個以上の20フィートコンテナを運ぶ船もある。荷役はわずか３日で終えられる。

マクリーンは現代貿易の父だが、ハイテクはもちろん、新しいものさえ何も発明していない。もし彼がこの革命を起こさなかったら、誰かほかの人がおそらくやっていただろう。しかし彼がそれをやったのだ。

なぜキャスターは70年代まで発明されなかったのか

私は若いころ、重いカバンを引きずって鉄道駅や空港を移動していたので、キャスター付きスーツケースは文明の最高峰に入ると思っている。しかしこれほどローテクなものにしては登場したのが意外なほど遅く、人類が初めて月面に着陸したあとのことだ。１９６０年代、人はなぜキャスター付きスーツケースを発明できなかったのだろう？　なぜ現われるのがそれほど遅かったのか？　キャスター付きカバンは遅ればせのイノベーションの好例であり、もっと早く生まれてしかるべきだった。いや、そうなのか？

　１９７０年のある日、マサチューセッツ州の旅行用カバンメーカーの重役だったバーナード・サドウは、休暇で家族と一緒にアルバ島に出かけた。帰路にアメリカの税関で列に並び、前に進むたびに2個の重いカバンを持ち上げる。ちょうどそのとき、空港職員が重い機械を載せた台車を押しながら通りすぎた。「なあ、あれこそ僕たちの荷物に必要なものだ」と、サドウは妻に言った。帰宅したあと、衣装トランクからキャスターを4個はずし、スーツケースに取りつけた。そしてスーツケースにひもをつけて、家中を楽々と引きずった。

　サドウは転がる旅行カバンの特許を申請し、１９７２年に認められた。彼は申請書にこう書いている。「カバンはじつに滑らかに動く。さらに体の大きさ、力の強さ、年齢にかかわらず、だいたいどんな人でも、楽にむりせず容易にカバンを引くことができる」

　しかしサドウが試作品を小売店に持ち込むと、どこもそれを却下した。反対意見はさまざまだった。荷物用の台車に載せたり、ポーターに運ばせたりすることができるのに、なぜスーツケースにキャスターの重さを加えるのか？　なぜコストを上げるのか？　数年間、彼は成果を得られなかったが、最終的に百貨店のメイシーズがサドウに「滑るカバン」のラインアップを発注し、世間もあとに続くようになった。

　特許の歴史をざっと見ると、試みたのはサドウ氏が初めてではないことがわかる。アーサー・ブラウニングがキャスター付きカバンの特許を、サドウの前年の１９６９年に申請している。グレースとマルコム・マッキンタイアが１９４９年に試み、クラレンス・ノーリンがスペースにうまく収まる格納式キャスター付きスーツケースの特許を１９４７年に申請した。バーネット・ブックも1945年にキャスター付きスーツケースの特許を申請している。セイヴィア・マストロントニオは1925年に、「手提げカバン、肩掛けカバン、スーツケースなど」を転がすのに使える「手荷物を運ぶ道具」の特許を取得した。添付のイラストでは、ストライプのドレスを着た魅惑的な女性の前を、旅行カバンが硬く長いハンドルに押されて転がっている。

明らかに、問題はひらめきの欠如ではなかったようだ。ポーターは大勢いるうえに仕事熱心で、お偉方のためならなおさらだ。駅のホームは短くコンコースは狭くて、車がそばまで乗りつけられる降車場も近い。しかも階段がたくさんある。空港は規模が小さい。旅行するのは女性より男性が多く、彼らは荷物を持ち上げる力もないと思われることを心配した。キャスターは重くて壊れやすく、思いどおりに動かない。腰の重いスーツケースメーカーは頭が固かったのかもしれないが、彼らがまちがっていたのではない。1970年代に空の旅が急速に拡大し、乗客が歩かなくてはならない距離が増えたことで、キャスター付きスーツケースが真価を発揮する転機が訪れたのだ。

10年後、サドウのデザインはさらに優秀なイノベーションに取って代わられた――機内持ち込み手荷物だ。これはノースウェスト航空のパイロット、ロバート・プラスの思いつきだった。

1987年、プラスは自宅の作業場で、サドウがやったように長方形のスーツケースの底辺になる長辺に4個のキャスターをつけるのではなく、短辺の片側に2個のキャスターをつけた。これなら伸縮式ハンドルの助けを借りて、斜めに傾けて引きずることができる。プラスは仲間のパイロットにいくつか売ったが、一般の乗客がそれに気づき始め、どうすれば手に入るのかと訊かれるようになったので、航空会社を辞め、トラベルプロ社を立ち上げたところ、会社はまたたくまに成功した。キャスター4個のバージョン、新しいアルミニウムとプラスチックの軽量バージョン、全方向に回転するので引くだけでなく押すこともできるキャスターも続けて開発された。イノベーションが旅の体験を変え続けている。

キャスター付きカバンが教えてくれるのは、世の中の準備が整わないとイノベーションは実現できないことが多い、ということだ。そして世の中の準備が整ったとき、アイデアはすでにそこにあって、採用されるのを待っている――少なくともアメリカでは。共産主義のロシアや毛沢東の中国では、このようなことは起こらなかった。

イノベーションを起こし続ける先端レストラン業界

レストラン産業はイノベーション中毒になっている。入れ替わりが速く、かつてはやった食事スポットが新しいスポットに道を譲るのだが、イノベーションに抵抗することを選ぶ人たちに政府からの保護はゼロ、イノベーションを望む人たちへの助成金もゼロ、専門家からの総合戦略もゼロだ。許可不要のイノベーションシステムを実現できるかのようである。レストランは順応するか、さもなくば消えるしかない。何十年も続いて世界的ブランドを築ける店もあるが、そういう店もつねに好みの変化に適応しなくてはならない。一時的に成功するだけの店もあり、そのレシピは、かりにはやるとしても、つかの間のことだ。

これまで半世紀かそこらにわたって、食のイノベーションの多くは、外国の料理を輸入することから生まれた。1950年にロンドンで外食する人には、フランス料理はなじみがあっただろうが、インド料理、アラビア料理、日本料理、メキシコ料理、中華料理はおろか、イタリア料理さえなじみがなかっただろう。現在、こうした料理はどれも、私が今日のランチ（サモサ）を買ったマーケットで売られている。韓国、エチオピア、ベトナムなどの料理も、そう遠くないところで買うことができる。しかし、見つけられる外国文化の数は限られており、このイノベーション手法はやがて枯渇する。レストラン業界はさらなる目新しさを探すにあたって、創造力豊かでなくてはならない。

新しい材料が登場することも――頻繁ではないにしても――ある。キウイフルーツとチリアンシーバスは、数十年前は食べられていなかった食材の例だが、私たちはふだんチキンやジャガイモのようなものもいまだに食べており、その調理法はかつてないほど増えている。新しい調理方法もあって、「フォーム（泡）」とか「ジュ（焼き汁）」といったしゃれた名前がついている。スタイルの融合もあり、各国料理をミックスしたアジア料理が先頭を切っている。ビーガン料理も広まり、赤肉（赤いビーツがカギを握る）やフィッシュアンドチップス（バナナの花は驚くほど食感がタラに似ている）の食体験が巧みな方法で再現されている。

新しさの追求がほとんど絶望的になり、なじみの材料や料理法にもどる場合もある。その結果、シェフのレネ・レゼピがコペンハーゲンで経営するレストラン「ノーマ」は、世界で最も革新的なレストランに与えられるサンペレグリノ賞を、２０１０年から3年連続受賞したが、彼の手がける高級デンマーク料理の少なくとも一部は、動物をその生息地で育つ植物と組み合わせるという、レトロで斬新なアイデアがもとになっている。たとえば、豚の首肉にガマとスミレと麦芽といった具合である。逆説的だが、古代の狩猟採集民の極端な地産地消を再現することが、イノベーションになるのだ。

ふたりの（食いしん坊の）イノベーション担当教授によるノーマの研究は、そこで見られる主要なイノベーション手法は新しい発明ではなく、組み換え――昔ながらのものを合わせて新しい組み合わせにする――であること、そしてこれは経済のほかの分野のイノベーションでも一般的な特徴であることを強調している。「イノベーションとは既存の部品を探して組み換えるプロセスである」。これは１９３０年代にヨーゼフ・シュンペーターが指摘した点でもある。「イノベーションは部品を新しいやり方で組み合わせる」

この組み換えは無限に続けられるのか？　10種類の肉と、10種類の野菜と、10種類のスパイスやハーブ、そしてそれぞれの調理法が10種類あるとしよう。これは実際の状況をかなり単純化しているが、それでも1万種類の料理が考えられる。もっと現実的な数の組み合わせなら、材料の組み換え方法は天文学的数字になる。したがって、食べ物がやがて単調になり、変化がなくなる危険はそれほどない。

レシピについての実験的取り組みもある。２０１１年までスペインにあった「エル・ブジ」は、初めてミシュランの星とサンペレグリノ賞の両方を獲得したレストランである。オーナーのフェラン・アドリアとジュリ・ソレールは、独自の研究開発施設に投資することによって、この実績を達成している。その施設では料理人と食品科学者が、レストランが閉店している冬のあいだに、翌年のための新しいレシピを開発していた。イギリスの高級レストラン「ザ・ファット・ダック」は、オックスフォード大学の心理学者との共同研究により、貝殻に隠されたｉＰｏｄ ｎａｎｏから波の音が流れてくる、「海の音」というシーフード料理まで開発している。

料理人がどうやってイノベーションを起こすかを研究している人たちの報告によると、フィードフォワード試験と修正のプロセスにしたがい、顧客に認められると思える料理が見つかるまで、核となるアイデアをいろいろと実験するのだという。トーマス・エジソンが電球を改良したのとあまり変わらないやり方である。

マクドナルドを変えたセールスマン

しかし食のイノベーションは材料とレシピの問題だけではない。食べ方の問題でもある。簡単な食事は皿やフォークなしで食べられる形式を標準にして用意できるというレイ・クロックの認識と、世界中に広まった――マクドナルドという――その手法のことを思うと、変化を起こすのは発明ではなく商業化だとあらためて思い知る。

クロックは出張の多いセールスマンで、手ごわい競争相手に対抗し、ミルクシェイク用のミキサーを売ろうとしていた。リチャード・マクドナルドとモーリス・マクドナルドが経営するカリフォルニアの小規模なハンバーガーレストランチェーンも、クロックの顧客だった。店はことのほか清潔で、きちんとしていて、人気があった。「私の経験では、ハンバーガー屋といえばジュークボックス、公衆電話、喫煙室、それに革ジャンのやつらだ。妻をそんな場所に連れて行くつもりはなかった」と彼は書いている。

マクドナルド兄弟は、メニューがシンプルであれば手軽で確かな食事を用意できる、組立ライン手法のようなものを開発していた。クロックは兄弟と提携を結んで、統一性と値ごろ感を強調しながら、彼が規格を厳しくコントロールできる、フランチャイズ方式でマクドナルドを大きくした。当時のファストフードが信用できなかったのとは大ちがいだ。ほどなく、マクドナルドに張り合ってまねする店が、アメリカだけでなく世界中に次々と生まれ、やがてその人気に対し、文化評論家がえらそうに怒りを示すようになった。これほどすばらしい栄誉はないだろう。

古くて新しいシェアリングエコノミーの台頭

インターネットへの依存を考えると、シェアリングエコノミーをローテクと表現するのは妙に思えるかもしれない。しかし、インターネットが始まったときに予測されていなかったイーベイやウーバー、エアビーアンドビーのようなイノベーションは、実際には、昔からある単純で一般的なコンセプトが、現代世界の接続性（コネクティビティ）によって可能になったものだ。空き時間のある人は、車に乗せてもらう必要のある人を乗せることができる。空き部屋のある人は、休暇に泊まる場所が必要な人にそれを賃貸しすることができる。専門技術をもつ人は、それを必要とする人に貸すことができる。売りたいものがある人は、買おうとしている人が見つかる。

こうした活動はインターネットが普及する前にも行なわれていたが、世界がインターネットでつながるにつれ、はるかに儲かるようになり、さらに広まりつつある。このことはわかりきっていたはずだが、有望だと考えた人は多くない。

２００８年、ジョー・ゲビアとブライアン・チェスキーがエアビーアンドビーを創業した。いまや８万以上の町と都市に、５００万を超える物件が登録されている。貸し主に入る粗利益は、おそらく年間４０００億ドルを超えるだろう。この数字から、このイノベーションがニーズを満たしていることがうかがえる。人びとの家に隠された潜在的価値を解き放つことによって、持ち家を貸す人にうれしい収入をもたらす。より多くの賃貸物件を供給することによって、借りる人のために料金を低く抑える。たしかに問題も生じており、それはホテルチェーンにとっての問題だけではない。アムステルダムやドゥブロヴニクのような都市は賃貸される家だらけで、永住者にとって文化的に不毛の地になっている。

シェアリングエコノミーは、より少ないものからより多くを生みだすこと、あるいは縮小による成長──資源を倹約して使うことによって経済的に豊かになること──である。カーシェアリングの場合、多くの自家用車が寿命の95パーセントを使用されない状態ですごすので、もう少し使ってはどうだろう、ということだ。

ほかにも、まだ始まったばかりのシェアリングエコノミーの例がある。２０１３年にシンディ・ミーが立ち上げたヴィップキッドは、インターネットで中国にいる学生とアメリカにいる英語の教師をつなげる。２０１８年末には、６万１０００人の教師が空き時間を埋め、50万人の学生が英語を学ぶことができていた。中国人からアメリカ人に年間約10億ドルが送られている。２０１３年にアリッサ・ラヴァシオが立ち上げたヒップキャンプは、アメリカの国立公園近くに土地を所有している人が、お金を払ってその土地にテントを張りたいキャンパーを見つけられるようにしている。

シェアリングエコノミーは世界最古のアイデアである。必要以上にたくさんの魚をもっている人と、必要以上にたくさんの果物をもっている人をつなぐのだ。

第6章 通信とコンピュータのイノベーション

「ムーアの法則に関する法則がある。
ムーアの法則の終焉を予測する人の数は2年おきに倍増する」
——ピーター・リー、マイクロソフト・リサーチ、2015年

はじめて「距離」が消滅したとき

1832年、客船サリー号がルアーヴルからニューヨークに向かう途中、大西洋のうねりに翻弄されていたある夜、ふたりの乗客が夕食のあと、重要な会話を交わしていた。ひとりはボストンのチャールズ・トマス・ジャクソン。地質学者であり医師でもあり、ちょっとした天才だったが、頭がおかしくなる前の人生の大半を、医学、地質学、およびテクノロジーにおける他人の科学的発見について、優先権を猛烈な勢いで主張することに費やしていた。そして、そのときもそ

のつもりだった。

もうひとりは著名な画家のサミュエル・モールス。42歳で、誰からも高く評価されていた――大統領数人を含め大勢の肖像画を手がけていた――が、自身だけは例外で、自分は行きづまり、最盛期をすぎたと思っていた。それでも傑作を仕上げようとしている。ルーヴル美術館のグランドギャラリーの綿密な描写に、数カ月間取り組んでいたのだ。

しかし、ふたりの会話は芸術についてではなかった。5年後のモールスの回想によると、「私たちは電磁気に関する最近の科学的発見とアンペールの実験について話していた」。ほかの乗客のひとりが、電流は長い電線を停滞することなく遠くまで伝わることができるのかと尋ねた。ジャクソンは即座に、ベン・フランクリンが電流は電線を好きなだけ遠くまで、とても速く伝わることを示したと答えた。

その瞬間、モールスの頭にアイデアが浮かんだ。電流が長い電線の向こう端に届けば、なんらかの形でメッセージを届けることができる。「電気の存在を回線のどこでも望む場所で見えるようにすることができれば、情報を電気によって瞬時に伝えられない理由は何もない」。その後、モールスとジャクソンはこれを証明するための実験について話し合った。

5年後、モールスはその晩のことを思い出してもらうために、サリー号の乗客と船長に手紙を書いた。それまでに彼は実際に電信を発明していたが、彼より前に発明したというヨーロッパのライバルからの主張に悩まされていたので、優先権を確かなものにしたいと考えたのだ。船長はとくに助けになった。「新しい考えが浮かんだとあなたが言ったのを、私ははっきり覚えている。電線によって伝わる電信の可能性だ」。ふたりの乗客も同じように協力した。しかしジャクソンはちがい、そのひらめきは彼だけのものだったと主張した。「私がサリー号で生まれた発明すべての主導者であることを主張する。すべてが私のネタから生まれたのであり、私の依頼であなたがまとめた」。これにモールスは激怒し、最終的に訴えを起こした。

サミュエル・モールスは前後いずれの誰よりも、世界の距離を縮めることに貢献した。彼のイノベーションのおかげで、メッセージが目的地に届くのに必要な時間が数カ月から数秒に短縮されたのだ。

ジャクソンとちがって、モールスはもとのアイデアを装置に変えようと一連の実験を行なっている。中継装置を使うというニューヨーク大学のレオナルド・ゲールからの提案がきわめて重要だとわかり、1838年までにモールスは符号を使い、約3キロメートルの電線を介して「A patient waiter is no loser（辛抱強く待つ者は敗者にならない）」というメッセージを送ることができた。イギリスの発明家チャールズ・ホイートストンとウィリアム・クックのふたりに、もう少しで負けるところだったが（同時発見の典型だ）、1本の電線を使うモールス版のほうがすぐれていた。さらに、モールスは電信で使うための2値デジタルのアルファベットを発明した。モールス符号である。

多くの発明家と同様、彼はそのあと自分の優先権を守るのに数年を費やし、特許に関する15件以上の訴訟で争った。1948年、彼は「私が電磁式電信の発明者であるという証拠を法的な形にするにあたって、とりわけ無節操な特許権侵害者の動きを見張る必要にたえず迫られている！」と声を荒げた。そして1854年にようやく、晴れて最高裁で主張を認められた。

電信はいかに障害を突破したか

モールスの現実的な功績は、ほとんどのイノベーターのそれと同じように、政治的・実務的な障害と闘って前進したことだ。彼の伝記はこう書いている。

自分はイノベーターだというモールスの主張の基盤としていちばん説得力があるのは、そのやり方のなかで本人がいちばん評価していなかった要素、すなわち容易に屈しない起業家精神だ。粘り強く切望することにより、議会の無関心、いら立たしいほどの先延ばし、機械の故障、家族のトラブル、パートナーとの言い争い、報道機関からの攻撃、長引く訴訟、うち続く不景気にもかかわらず、彼は自分の発明を市場に導入した。

1843年、議会は執拗な説得に降参し、ワシントンからボルチモアまで初の電信線を敷設する予算をモールスに割り当てた。鉄道の横に絶縁した電線を固定する設備は見込みがないと判明する一方、彼のパートナーたちは腹黒くて信頼できないとわかる。翌年、彼は方針を変えて、電線を柱から吊るすやり方を始め、成功率を高めた。5月、半分完成した電線を使って、ヘンリー・クレイがボルチモアのホイッグ党大会で大統領候補に選出されたニュースを、列車が確証を運んでくる1時間以上前に入手することができた。

1844年5月24日、電線が完成し、ボルチモアからはるばるワシントンの最高裁判所まで、彼はメッセージを送っている。友人の娘のアニー・エルスワースの提案で、聖書の民数記からの引用だ。「what hath God wrought（神のなすところ）」
電信によって距離が消滅することの意味は、アメリカのような広大な国ではすぐさま理解された。２、３年後、公式報告が次のように述べている。

一般的な代議制共和政体のもとで暮らす国民に必要とされる、考えと情報の迅速で十分な徹底した交信が、それほど広範囲で行なわれると期待できることに、多くの愛国者が疑念を抱いた。その疑念はもはや存在しえない。モールス教授による電磁式電信のすばらしい成功によって、その疑念は解消され、永遠に葬られた。

電信線はほどなく大陸を縦横に走り、１８５５年までにアメリカだけでも6万７０００キロを超えた。１８５０年、英仏海峡を横断した初の海底ケーブルは、「ガタパーチャ」と呼ばれるゴムノキから採れる樹液でつくられる絶縁体で覆われた。１８６６年には大西洋横断ケーブルが敷設され、１８７０年にはイギリスからインドまでの海底ケーブルが開通し、１８７２年にはオーストラリアまで届いている。海外に広がる帝国だったイギリスが海底ケーブル敷設業界を牛耳り、ロンドンは海底ケーブル網のハブになった。海底ケーブルの容量は１８７０年からの30年で10倍に増えている。
電信が社会におよぼした影響として、理想郷的な希望の広まりも挙げられる。１５０年後のインターネットと同じだ。電信線のおかげで戦争が起こりにくくなり、家族は連絡を取り合い、融資の慣習が変わり、犯罪が抑止されるだろう、と評論家は考えた。ユーティカ・ガゼット紙は詩的に表現している。「暴君、暗殺者、盗人たちよ、光を、法律を、自由を憎む者たちよ、逃げるがいい。電信が迫っている」

電信が使われるようになれば、そのうち電話があとを追うのは必然だった。1876年、同時発明のみごとな事例としてよく引用されるが、アレクサンダー・グラハム・ベルが電話の発明に関する特許を申請するために特許庁に到着し、そのわずか2時間後、エリシャ・グレイがまったく同じものの申請書をたずさえて同じ特許庁にやって来た。実際、ふたりは数年にわたって電話（あるいは彼らの呼び方では「高調波電信」）開発レースのライバルであり、互いに互いの仕事や特許庁との交渉を嗅ぎ回っていた証拠がたくさんある。そのため、これもまた同時発明は不可解でなく、ただ競争が激しいのだという例である。

現在、じつは電話に関してベルもグレイも、アントニオ・メウッチに負けていたことがわかっている。キューバへ、そのあとニューヨークへ移住したイタリア人だ。彼は電話の受話器の主要部品である「振動板と帯電磁石」の実験を1857年にすでに行なっており、1871年に特許の仮出願をしている。装置をたくさんつくり、スタテン島の自宅でフロア間の通信に使っていた。歴史がメウッチを忘れた理由は、何としてももと思っていたベルとちがって、彼はアイデアを発展させたり特許を守ったりするためのお金を工面するでもなく、経営していたロウソク工場がつぶれて、貧困と倒産に見舞われたからだ。彼は発明家だったがイノベーターではなかった。

マルコーニ無線の奇跡と理想

グリエルモ・マルコーニはいくつかの点で異色のイノベーターだ。まず、彼は上流階級であり、家族の別荘につくった実験室で、執事を研究助手として使っていた。第2に、技術的発明にも新しいアイデアの商業生産にも長けており、一流の実業家になった。第3に、それ以前の発明家のほとんどはエンジニアか技術者であって科学者ではなかったのに対し、彼は現実にアイデアの一部を科学から、ハインリッヒ・ヘルツから得た。しかしある1点については、マルコーニは完全に典型的だった。何度も試行錯誤を重ねたのだ。

マルコーニはボローニャの大邸宅の一室で生まれ、最初は郊外の丘に建つ別荘で育てられた。父親は裕福なイタリア人実業家、母親はアイルランド人でウイスキー蒸留を手がけるジェムソン一家の出である。家族はイギリスのベッドフォードに引っ越し、4年後にはフィレンツェへ、そのあとリヴォルノに移り、そこで若き日のマルコーニは家庭教師から科学を学んだ。彼のいとこは、少年時代のマルコーニはいつも発明をしていて、電気に夢中で、両親はそんな彼の趣味を応援していたと回想している。

1888年、ハインリッヒ・ヘルツは、物理学者のジェームズ・クラーク・マクスウェルが予測したとおり、光速で伝わる電磁波の存在を実証する、巧妙な実験の結果を発表した。「この不可思議な電磁波は裸眼では見えない。しかしそれはそこにある」と彼は書いている。しかし用途については「何もないと思う」と。

マルコーニはこれについて読んで知り、モールス信号をケーブルなしで送る無線電信に応用できると考え始めた。ごく短い距離であれば、地中、水中、または空中の電気誘導を利用して行なう方法について、すでにいくつかアイデアが出ていたが、どれも実用性は証明されていなかった。マルコーニ以前に信号を送信したという主張もあった。とくに目立ったのはマーロン・ルーミスというアメリカ人歯科医師によるもので、彼は１８７２年、凧(たこ)を使って「大気の電気的平衡に外乱」を生み出す「空中電信」の特許を取得している。その開発に対する多額の予算を実現するために、議会にまで足を運んだが、らちがあかなかった。

マルコーニがいつ、どうやって、最初の実験を行なったのか、正確にはわかっていない。なぜなら彼自身のちに説明を二転三転させているからだ。

しかし、１８９５年末までにはボローニャ郊外の別荘ヴィラ・グリフォーネで、電鍵を3回叩く信号を丘の向こうの受信機に送り、助手が受信したことを発砲で知らせることに成功した。

まだ22歳だったマルコーニはすぐにロンドンに移り、自分の発明に関してイギリスの特許を出願する。ひと財産になると確信していたのだ。

ロンドンではいとこのメアリー・コールリッジに助けられた。『老水夫の歌』の著者サミュエル・テイラー・コールリッジのめいで、自身も著名な作家だったメアリーは、マルコーニを近しい友人のヘンリー・ニューボルトに紹介した。当時、有能な弁護士であり、のちに愛国的な詩の作者として文壇と政界の中心人物になったニューボルトはすぐに、マルコーニの発明の将来性を認め、関心をもった企業からマルコーニが提示されていた契約が彼にはとても不利だと気づく。そしてマルコーニに特許専門の弁護士を探すよう助言し、自分の人脈を通じて、のちに無線協会の会長になったアラン・キャンベル・スウィントンに紹介すると請け合った。そしてスウィントンがマルコーニを、灯台船間の通信を開発しようとしていた郵政省のウィリアム・プリースに紹介した。

もちろん、マルコーニに社会的地位があり、ロンドンに広い人脈のある家族がいたことは役立ったが、この人たちに彼を助ける義理はなかった。彼らがマルコーニを助けたのは、多くを実らせる可能性を見てとり、その幸運を祈ったからだ。

半世紀前の電信の先駆者と同じように、マルコーニはグローバルな通信を解放することで諸国民どうしの平和と調和が深まるいっぽうだと信じていた。この理想郷を思い描く考えは魅力的だった。物理学者のウィリアム・クルックス卿もまた、情報を伝えるのにヘルツ波を使うことを予測しており、それを用いて「収穫を増やし、寄生虫を殺し、下水を浄化し、病気を撲滅し、天候を制御する」ことについて書いていた。

もしマルコーニがいなくても……

もしマルコーニがいなくても、無線通信は1890年代に生まれていただろう。インドのジャガディッシュ・チャンドラ・ボーズ、イギリスのオリヴァー・ロッジ、ロシアのアレクサンドル・ポポフが、電磁波を使って、通信とは限らないにしても、離れた場所に作用を引き起こす実験を行ない、発表していた。フランスのエドゥアール・ブランリーやボローニャのアウグスト・リーギのように、そうした波を送受信する、もっとすぐれた装置を発明している者もいた。そして次にニコラ・テスラが現われた。じっとしていられない天才であり、電気モーター、交流電流、無線通信に関係するさまざまなアイデアの発案者である。

マルコーニは非常に優秀だとはいえ、実験者のひとりにすぎなかったが、ニューボルトのおかげで自分の発見についてできるだけ広範な特許を迅速に取得したのだ。このことから、多くの発明家からひとりを選び出すのに貢献するのが知的財産制度であって、その逆ではないことがわかる。

マルコーニは、他人の装置やアイデアを取り込み、単純で実用的なかたちにまとめ上げるやり方も知っていた。彼の伝記は次のように述べている。「1895年、数カ月にわたって試行錯誤を重ねて、マルコーニはコヒーラ検波器を完成させ、安定した電鍵を発明し、誘導コイルの効率を高め、モールス信号の印字機と電信中継装置を送受信機につなげ、派生する放電を制御した」

彼はほとんどのライバルより商業志向でもあった。1897年、ブリストル海峡の海中14キロを横切って信号を送り、テクノロジーの開発と実証を続けるためにワイト島とボーンマスに局を開設している。1899年には英仏海峡の向こうにメッセージを送り、1902年にはカナダのケープブレトン島からコーンウォールのポルドューまで、大西洋を横断して送信した（1901年に、性能の劣った受信機で大西洋を横断したメッセージが聞こえたという彼の主張は事実かもしれないが、当時は一般に信用されていなかった）。

数年後には彼はうんざりするような法廷闘争に巻き込まれ、とくにアメリカの発明家、レジナルド・フェッセンデンとリー・ド・フォレストとの裁判は熾烈だった。歴史的記録によると、3人とも無線通信をモールス信号システムではなく音声システムに転換するのに欠かせない、とても重要な改良を行なっており、費用のかさむ裁判での議論は時間の無駄だった。

「放送」の可能性をいちはやく見抜いたナチスドイツ

マルコーニは無線通信の物語に放送が果たす役割をなかなか理解せず、通信媒体として考えていた。しかし1920年代までに、放送の可能性は否定できないものになっていた。「世界史上初めて、人間は100万人の支持者に直接語りかける手段で訴えることができるようになったのであり、5000万人の男女に同時に訴えかけることを妨げるものは何もない」とマルコーニは書いているが、自分の発明には負の側面もあると考え始めていたのかもしれない。1931年2月12日、マルコーニの隣でローマ教皇がヴァチカン放送を始め、世界中で爆発的な評判を博した。その後のレセプションで、教皇はマルコーニと神の両方に、「無線のような奇跡的装置を人間の役に立つ」ようにしてくれたことを感謝した。

もっと不穏な意図をもった人たちも、ヴァチカンの例に注目した。「ラジオがなければ、私たちが権力を握ることも、それを現在のように使うことも不可能だっただろう」と1933年8月に、ナチスの宣伝部長だったヨーゼフ・ゲッベルスが述べている。2013年の経済学者チームによる詳細な分析は、1930年9月の選挙でのナチスの得票率が、ラジオの普及している地域ではあまり上がらなかったことを示している。放送が一般にやや反ナチの傾向があったからだ。1933年1月、アドルフ・ヒトラーが首相になるとすぐに、ラジオで強烈な親ナチのプロパガンダが始まり、わずか5週間後、最後の適正な選挙ではラジオの影響が逆転した。ナチスの得票率が、ラジオを利用できる人が多い場所で増えたのだ（似たようなパターンが1993年のルワンダ虐殺でも見られた。「ヘイトラジオ局」RTLMを聴取できる人が多い地域ほど、ツチ族に対する暴力が激しかった）。

ナチスはドイツ国内だけでなく、オーストリア人とズデーテン地方のドイツ人にも影響をおよぼすために、ラジオを大々的に利用した。とくに、より多くの人が手に入れられる安価なラジオ受信機として、値段が76ライヒスマルク〔訳注：1924年から48年まで使われたドイツの通貨〕のフォルクスエンファンガ（国民のラジオ）を開発した。「全ドイツ人が総統の話を国民のラジオで聴いている」と1936年の宣伝ポスターが自慢している。

イギリス・ファシスト同盟のオズワルド・モズリーは妻を介して、ドイツの放送をイギリスで流すためにヒトラーの支援を得ようとした。民主主義国家でも、たとえばチャールズ・カフリン神父は3000万人の聴取者のあいだに銀行家とユダヤ人への怒りをあおるために、そしてフランクリン・ルーズベルトは自分の政策を売り込むために、ラジオを使っており、社会の二極化に対するラジオの影響は甚大だった。これは最近ソーシャルメディアで起こっていることを思わせる。1934年にマルコーニは、「私は世界にとって良いことをしたのか、それとも脅威を加えたのか？」と問いかけている。その5年前、ムッソリーニがマルコーニを侯爵に叙していた。

正確な理由はよくわからないが、テレビ放送網はラジオと逆の効果をおよぼし、人びとを二極化させるのではなく、社会的合意に引きもどしており、それが息苦しいことさえある。

この転換を端的に示す瞬間があったとしたら、それは1954年4月、アメリカ国民がテレビで初めてジョー・マッカーシー上院議員〔訳注：反共産主義といわゆる赤狩りで知られ、一時期強い支持を受けていた〕を見たときだ。国民は目にしたものが気に入らず、マッカーシーのバブルはすぐにはじけた。「アメリカ国民は6週にわたってあなたを見てきた。あなたには誰もだまされない」と、直後にスチュアート・サイミントン上院議員が述べている。私が思うに、この求心効果はソーシャルメディアの登場で逆転し、以前のラジオと同じような二極化の力が働いている。

コンピュータの発明者はいない

蒸気機関の起源が、1700年代初期、無名の貧乏人たちがさしたる見返りもなく取り組み、誰も彼らの冒険を記録していなかった時代のかなたに消え去っているとしたら、コンピュータを発明したのが誰かを決着させるほうが、はるかに容易だろう。それは20世紀半ばのイノベーションであり、主役は全員、自分の仕事を後世に残すために記録される機会に恵まれており、誰もが自分は歴史をつくっているのだと気づいている。

ところが、そううまくはいかない。コンピュータの始まりは、もっとはるか昔の確かめられないイノベーションのそれと同じくらい、はっきりしないし混沌としている。

コンピュータの発明者という栄誉に値する人はいない。その代わり、コンピュータが出現するプロセスに重大な貢献をした人が大勢いる。そのプロセスは少しずつだんだんに進み、しかも相互に影響し合い、ネットワーク化されているので、子どもが大人になる瞬間がないのと同じで、コンピュータが生まれたと言える瞬間や場所はない。

知ってのとおり、コンピュータをただの計算機と区別するとても大切な要素が4つある。デジタル（とくに2進法）方式で、電子式で、プログラム可能で、汎用でなくてはならない——つまり、少なくとも原理的にはどんな論理タスクも実行できなくてはならない。

歴史家のウォルター・アイザックソンは、多くの主張を徹底的に調査したすえ、この基準をすべて満たす最初のマシンは、1945年の終わりごろにペンシルヴェニア大学で運用が始まった、ENIAC（エニアック、Electronic Numerical Integrator and Computer）だと結論づけた。重さは30トン、大きさは小さい家くらいあり、1万7000本以上の真空管が搭載されているENIACは、長年にわたってうまく機能し、その設計を直後のほとんどのコンピュータがまねた。ENIACを考案したのは、著名な物理学者ジョン・モークリー、完璧主義エンジニアのプレスパー・エッカート、そして有能な兵士ハーマン・ゴールドスタインである。

しかしこのマシンを取り上げて、その創出によって世界はコンピュータがなかった過去といきなり断絶したのだとするのは、大きなまちがいだ。まず、ENIACは2進法ではなく10進法だった。そしてモークリーは、ENIACの設計に関する特許を守ろうとした長く苦い法廷闘争に、最終的に負けた。1937年にジョン・ヴィンセント・アタナソフという有能なエンジニアが、道路沿いのバーでひらめいたあとにアイオワでつくった無名の実験的マシンから、モークリーが多くの主要なアイデアを盗んだと、判事は裁定したのだ。しかしアタナソフのマシンは小さく、完全に電子式ではなく、機能せず、プログラム可能でも汎用でもなかったので、訴訟の結果はほとんど意味がない——弁護士にとって以外は。モークリーがアタナソフに会うためにアイオワを訪れたとき、いくつか良いアイデアを思いついたのはたしかだが、イノベーションとはそうやって進展するものだ。

ナチスの暗号を解読したコンピュータとチューリング

ＥＮＩＡＣ側の主張に異議を申し立てるもっと有力な候補は、コロッサスかもしれない。ドイツの暗号を解読するために、イギリスの政府暗号学校があったブレッチリーパークで構築されたコンピュータだ。

コロッサスのほうがＥＮＩＡＣより2年近く先行していた。最初のバージョンは１９４３年12月に完成され、もっと大型の第2号は１９４４年6月に運用可能になり、数週間のうちに、ノルマンディを目指す戦いにおけるヒトラーの命令を、いくつか解読していた。

コロッサスは完全に電子式で、デジタル方式（ＥＮＩＡＣとちがって2進法）で、プログラム可能だった。しかし、汎用ではなく専用のマシンとして設計された。そのうえ、１９７０年代になってもその物語はまだ秘密に包まれていたので、のちのマシンに対する影響は小さい。

ここで再び、コロッサスをきちんと評価するにしても、それを設計した功績は誰のものとすべきなのだろう？　その構築を主導したのはトミー・フラワーズというエンジニアで、複雑な電話回線に真空管を使う先駆者であり、彼の上司は数学者のマックス・ニューマンだったが、ふたりはアラン・チューリングに相談していた。

チューリングはブレッチリーパークの悩める暗号解読の天才で、すでに「ボムズ」と呼ばれる

200の電気機械装置をつくっていた。終戦後の1948年6月、フレデリック・ウィリアムズの「マンチェスター・ベイビー」コンピュータが、トミー・フラワーズとアラン・チューリングの影響を受けて、マンチェスター大学で動き始めた。これには世界初のプログラム内蔵電子コンピューター——初のフォン・ノイマン・アーキテクチャ——の資格があるため、さらに全体像が複雑になっている。その流れをくむマンチェスター・マーク1は、初の商用コンピュータ、フェランティ・マーク1に発展した。

しかしチューリングの話であらためて思うのは、私たちが称賛すべきなのは、汎用コンピュータの実機より、むしろその概念かもしれないということだ。1937年に発表されたチューリングの著名な数学論文「計算可能な数について」は、どんな論理タスクも実行できる万能コンピュータが存在しうることを、初めて論理的に実証した。

現在、私たちはそういうものを「チューリングマシン」と呼ぶ。1937年、チューリングはプリンストン大学で実際に、電気リレースイッチを使って文字を符号化のために2進数にするマシンをつくった。たとえそれが完成されたわけでも、コンピュータだったわけでもないにせよ、発見(ユーリカ)の瞬間と呼ばれるに値するかもしれない。

シャノンとフォン・ノイマン

とはいえ、チューリングのアイデアは抽象的で数学的だった。もっと実務的だったのは、クロード・シャノンの早熟な修士論文である。シャノンは1937年の夏、ベル研究所でも働くMI

Tの学生で、ほぼ1世紀前に数学者のジョージ・ブールによって開発されたブール代数が、電気回路で説明されうることを指摘した。「アンド」は直列回路の2個のスイッチに、「オア」は並列回路の2個のスイッチになりえる、という具合だ。「リレー回路によって複雑な数学的操作を実行することが可能である」と彼は結論づけている。シャノンの論文はのちにサイエンティフィック・アメリカン誌によって「情報時代のマグナカルタ」という肩書きを付された。

そしてコンピュータを支える理論について議論するとき、ジョン・フォン・ノイマンをはずすことはできない。非常に頭の切れる社交的なハンガリー人で、その名前は現代のコンピュータの基本設計に永遠について回る。彼はプリンストン大学でチューリングの指導者だった。

1945年6月、フォン・ノイマンはコンピュータの構造に関する最も有力な手引きとなる、タイトルはかなりあいまいな「EDVACに関する報告書の初稿」を書いた。そのなかで彼は、汎用コンピュータはプログラムをデータとともに記憶装置に保存しておかなくてはならないという考えを、初めて提示した。影響力のある文書はいろいろあり、この論文はきわめて重要だったが、未完成だったうえに、その大部分が列車の中で手書きされていた（EDVAC［エドヴァック、Electronic Discrete Variable Automatic Computer］は、ENIACの後継機で、1949年に完成した）。

フォン・ノイマンのアイデアはどこから

そうか、でもちょっと待った。フォン・ノイマンは「初稿」のアイデアをどこから得たのだろう？　おもに、ハーヴァード大学の教授であり海軍将校でもあったハワード・エイケン率いるチームによって構築された、マーク1コンピュータの研究からだった。

このマシンは電子式ではなかったので、初のコンピュータという称号を要求することはできないが、プログラム可能である点ではＥＮＩＡＣを上回っていた。ＥＮＩＡＣより2年前につくられており、それ自体が重要なイノベーションである穿孔テープでプログラムされた。

１９４４年８月、メリーランド州アバディーンの駅のホームで、フォン・ノイマンはハーマン・ゴールドスタインにばったり出会い、ＥＮＩＡＣについての話を聞かされた。彼はそれを見に行くことにして、すぐに、自分が見ているものはマーク1よりはるかに計算が速いが、再プログラムがはるかに遅くて面倒であることに気づいた。そこから、ＥＮＩＡＣはプログラムをデータとともに内部に保存するよう設計されるべきだという提案につながる。こうして、チーム間を自由に移動できる特権（そして機密情報へのアクセス権限）のおかげで、フォン・ノイマンはきわめて重要なアイデアの交流を仲介することができた。

しかしその後、マーク1を設計したというエイケンの主張に、ＩＢＭが異議を唱えた。同社の技術者がエイケンの委託に対応するために、マーク1を改良・改善する一連の小さいが重要な発明を展開したのであり、それにエイケンは参加していないと主張したのだ。このことから、ＩＢＭはすでに存在していたばかりか、「計算する人」のために計算機を生産する大規模産業を支配していたことに、あらためて気づかされる。ＩＢＭは１９２４年にさまざまな会社の合併によってできたのだが、そのうちの1社は、１８９０年に行なわれたアメリカの国勢調査の集計に協力するために設立されていた。したがって、コンピュータの支流の1本はこの産業から発しているのだが、イノベーションは実業家ではなく教授から始まるのだと考えたがる人たちに、この点は忘れられがちだ。

男性中心のハードウェア物語の裏側で

さらに、フォン・ノイマンの「初稿」論文は、エイケンの補佐役で非常に有能なグレース・ホッパーの思考力と文章力をおおいに利用しており、ひょっとすると盗用さえしているかもしれない。コンパイラだけでなくプログラムサブルーチンのアイデアも、かなりの部分がホッパーの功績だと考えると、彼女はおそらくソフトウェア産業の母と言える。それはコンピュータのハードウェアと同じくらい重要なイノベーションであることはまちがいない。のちに彼女が考案した自然言語プログラミングもまた、画期的な大躍進である。

したがってコンピュータの重要な原点は、ハードウェアの物語よりむしろソフトウェアの物語にあるのかもしれない。それでもホッパーは称賛のかなりの部分を、ＥＮＩＡＣのプログラマーたちと分かち合わなくてはならない。そのプログラマーたちも女性で、彼女らはプログラム作成のパイオニアとなったのだ。

ＥＮＩＡＣはもともと、さまざまな大気条件における砲弾の軌道を記録するための射撃表作成に使われることを期待されていた。ただし、その仕事は１９４５年よりあとには、それほど緊急の必要性はなくなった。そうしたＥＮＩＡＣのパイオニアのひとり、ジーン・ジェニングスは、責任者の男性たちがコンピュータの再構成をつまらない仕事だと思っているおかげで、自分たちはとにかくチャンスをつかんだのだと、鋭く観察していた。「ＥＮＩＡＣの管理者が、プログラミングが電子式コンピュータの機能にとってどれだけ重要か、それがどれだけ複雑だとわかるかを知っていたら、そんな重要な役割を女性に与えることに、もっと躊躇していたかもしれない」

そうだろう。しかしホッパーとジェニングスを男性中心のハードウェア物語から救い出すにあたって、もう少しさかのぼり、彼女らの先達について理解する必要がある。

エイケンとホッパーの関係にそっくりの、男性のハードウェア先駆者と女性のソフトウェア先駆者の関係は、1世紀前、１８４０年代に不意に出現していた。時代のはるか先を行っていたチャールズ・バベッジという名の発明家が、２台の機械式計算機をつくり始めた。1台目は微分方程式を解くために設計された階差機関で、イギリス政府から1万７０００ポンドという巨額の支援を受けていた。２代目の解析機関は、本質的には汎用コンピュータを目指していたが、バベッジはそれを完成させなかった。それでもそのコンセプトから着想を得て、ラヴレース伯爵夫人エイダ・バイロンの驚異的な頭脳が書いた一連のメモは、ソフトウェアとサブルーチンを含めた、現代のコンピュータのコンセプトの多くを予想していた。彼女はコンピュータが数だけでなくどんなテーマでも処理できると気づき、データはデジタル形式で表現できると考え、事実上初のコンピュータプログラムだったものを発表した。この物語で時代のはるか先を行っていた天才がいたとしたら、それは彼女だっただろう。

とはいえ、バベッジとラヴレースが置かれていた状況も説明しなくてはならない。彼らは、すでに織物産業で使われていたジャカード織機が一種のプログラムだと知っていた。一連のカードが、自動的に織物を適切な順序で持ち上げて、布地に特定の模様をつくり出す仕組みだ。これが紳士の哲学者ではなく、熟練した職人という実業家の領域だったからというだけで、物語から省いてはならない。ジャカード織機のしかるべき功績を認め、それを称賛したエイダ・ラヴレースは、いつの間にかいまやおなじみの論争、つまり親テクノロジーと反テクノロジーの議論で、自分の父親と反対の立場にいた。父親は詩人のバイロン卿であり、その織機を地面に叩きつけたラッダイト運動を擁護し、オートメーションは仕事を消滅させると、熱のこもった演説を貴族院で行なったのだ。その娘はイノベーションに全面賛成だった。

ENIACは発明ではなく「進化」の産物だった

要するに、ENIACは発明されたというより、先行するアイデアとマシンの組み合わせと適応によって進化したのだ。そしてそれは、コンピュータの先進的進化の1段階にすぎなかった。

もしコンピュータに、アイデアと装置の異種交配がとりわけ実り多く起こった、驚異の年があるとしたら、それは1937年だったとウォルター・アイザックソンは考えている。その年、チューリングが「計算可能な数について」を発表し、クロード・シャノンがスイッチの回路がブール代数を具体化できることを説明し、ベル研究所のジョージ・スティビッツが電気式計算機を提案し、ハワード・エイケンがマーク1を委託し、ジョン・ヴィンセント・アタナソフが電子式コンピュータの主要な機能を考え出した。さらに、ベルリンのコンラート・ツーゼが穿孔テープからプログラムを読み込める計算機の試作機をつくったのも、1937年である。ほかのどのマシンより早い1941年5月に完成した彼のZ3マシンは、汎用で、プログラム可能で、デジタル方式のコンピュータだったと主張できる。

当然、その時点ですでに彼の国は戦争中だった。コンピュータの開発はつねに戦時の資金供給で加速したと考えられているが、戦争が（イギリスとドイツで1939年に、アメリカで1941年に）勃発していなかったらどうなっていたか、という事実に反する条件文は判断が難しい。戦争がなくても1945年までに、電子式で、デジタルで、プログラム可能で、汎用の装置があったことはまちがいない。それどころか、秘密にする必要がなく、別々のチームがもっとすんなりアイデアを共有し、砲弾の軌道を計算したり、敵の秘密のメッセージを解読したりする以外の目的に装置を使っていたら、もっと速く進化していたかもしれない。ツーゼ、チューリング、フォン・ノイマン、モークリー、ホッパー、エイケンが平時に一堂に会していたら、何がどれだけ速く起こっていたか、誰にもわからない。

コンピュータにおけるイノベーションの本質とは

イノベーターは往々にして良識のない人である。落ち着きがなく、けんか好きで、不満を抱え、野心的だ。移民であることも多く、とくにアメリカ西海岸ではそれが言える。でも、つねにそうとは限らない。物静かで、控えめで、腰が低く、分別のある、引きこもりタイプの場合もありえる。

1950年から2000年までのコンピュータの顕著な進化をとらえるほどのキャリアと洞察力をもつゴードン・ムーアは、そうしたタイプのひとりだ。ムーアはその期間ずっと業界の中心において、それが革命ではなく進化であることを理解し、たいがいの人よりうまく説明した。

カリフォルニア工科大学の大学院と、東部での不幸せな2年を除くと、彼はほとんどサンフランシスコ・ベイエリアを離れず、カリフォルニア州を出ることもめったになかった。カリフォルニア住民にしては珍しく地元出身で、太平洋沿岸の現在シリコンヴァレーと呼ばれているところからそう遠くない、ペスカデロという小さな町で育ち、サンノゼ州立大学に進んだ。そこで同級生のベティと出会って結婚した。

子どものころのムーアは、教師が心配するほど口数が少なかった。生まれてこのかた、争いごとは同僚のアンディ・グローヴや妻のベティのようなパートナーに任せている。「彼は経営者がやらなくてはならないことを、性格的にできなかったのか、または単純にやるのを嫌がった」とグローヴは語っている。

ムーアのおもな楽しみだった釣りは、何よりも忍耐を必要とする娯楽だ。そして一部の起業家とちがって、彼を知る人のほぼ全員が、彼はとにかくいい人だった——そして90代のいまでもそうだ——と口をそろえる。彼の控えめな性格から何となく、じつはコンピュータにおけるイノベーションが昔もいまも、突然飛躍的な進歩をとげる英雄的な発明家の物語ではなく、ワイアード誌の創刊編集長ケヴィン・ケリーが「テクニウム」と呼ぶものの必要性によって突き動かされる、少しずつだが止められない進歩であることが伝わってくる。個人の人柄とあまり関係のない革命において個人崇拝をつくり上げたスティーヴ・ジョブズのような、きらびやかな人物とくらべると、なおさらそうである。

「ムーアの法則の終わり」からわかること

１９６５年、ムーアは業界誌エレクトロニクスから、将来に関する記事を書くよう依頼された。彼は６年前に自分たちの会社を設立するため、独裁的で怒りっぽいウィリアム・ショックレーが経営していた会社から離脱した「８人の反逆者」のひとりだった。１９６５年当時は、そうして設立されたフェアチャイルド・セミコンダクタ社にいて、仲間とともにシリコンチップ上にプリントされる小型トランジスタの集積回路を発明していた。ムーアとロバート・ノイスは１９６８年に再び離脱し、インテルを設立することになる。

１９６５年の記事でムーアは、電子機器の小型化は続き、いつの日か「家庭用コンピュータや……自動車の自動運転、個人用の持ち運べる通信装置のような驚嘆すべきもの」を実現するだろうと予想した。しかし、将来を予知したその意見は、この記事が歴史上特別な地位に値する理由ではない。ボイルやフックやオームと同じように、ゴードン・ムーア独自の科学法則を生んだのは、次の段落である。

部品コストを最小にするための複雑さは、毎年およそ2倍のペースで増えている。短期的にこのペースは上がらないにしても、現状を維持すると予想されるのは確かである。長期的に見ると、増加のペースはもう少し不確かだが、少なくとも10年はほぼ一定のままであると考えてよい。

ムーアは実質的に、小型化とコスト低減は着実だが急速に年２倍で進むと予想していた。回路が安価になると新しい用途につながり、それがさらなる投資を生み、そのおかげで同じ出力のチップの価格がさらに下がるという好循環が生まれるからだ。このテクノロジーのユニークな特長は、より小さいトランジスタは消費電力と発生される熱が抑えられるだけでなく、スイッチのオンオフが速くなるので、機能も信頼性も向上する点である。チップが速く安くなればなるほど、より多くの用途が見つかる。ムーアの同僚のロバート・ノイスは、より多くの人がより多くのアプリケーションで使うことによって市場が拡大するように、意図的にマイクロチップを安く売った。

１９７５年までに、チップ上の部品の数はムーアが予測したとおり、６万５０００個を超え、トランジスタがどんどん縮小するとともに増え続けた。ただしその年ムーアは、チップ上のトランジスタ数の推定変化率を２年で２倍に変更した。その時点でムーアはインテルの最高責任者になっており、同社の急成長と、メモリチップでなくマイクロプロセッサ生産への移行を統括していた。マイクロプロセッサとは基本的に、１個のシリコンチップ上に搭載されたプログラム可能なコンピュータである。ムーアの友人で擁護者のカーヴァー・ミードの計算では、小型化が限界に達するのはまだずっと先のことだった。

誰もが驚いたことに、ムーアの法則は10年どころか約50年も当たり続けた。それでも、とうとう失速したかもしれない。物理的な限界が見え始めている。トランジスタは直径原子１００個以下まで縮小しており、チップ1個に10億個が載っている。現在、何兆ものチップが存在するので、つまり地球上には10億の何兆倍ものトランジスタがあるということだ。地球上の砂粒の数と桁がちがわない数である。ほとんどの砂粒はほとんどのマイクロチップと同じように、酸化型ではあるがおもにシリコン（ケイ素）でできている。しかし、砂粒は構造がランダムである——だからありえる——のに対し、シリコンチップはまったくランダムではなく、したがってありえない構造だ。

ムーアが初めて法則に気づいてからの半世紀を振り返って、何が目につくかというと、進歩の安定感である。加速することもなく、急降下も停止もなく、世界のほかの場所で起きていることを反映するでもなく、画期的な発明の結果として躍進することもなかった。戦争も不景気も、にわか景気も発見も、ムーアの法則には影響しなかったようだ。

のちにレイ・カーツワイルが指摘したように、シリコンチップについてのムーアの法則は、前代の真空管と機械式リレーから一気に跳躍したのではなく、一歩ずつ前進していることが明らかになった。所定のコストでコンピュータに実装されるスイッチの数は地道に増えていき、トランジスタや集積回路が発明されたときも突然急伸する兆候は見られなかった。

何より驚きなのは、ムーアの法則の発見がムーアの法則に何も影響しなかったことだ。所定の処理能力にかかるコストが2年後に半分になるとわかれば、それは確実に貴重な情報だったはずで、積極的なイノベーターならひと足先を急いで、すぐその目標を達成できたはずだ。それでも、そういうことは起こらなかった。

なぜだろう？　おもな理由は、一歩一歩段階を踏まなければ、次の段階に到達する方法はわからなかったからだ。

このことはインテルの有名な「チックタック」戦略に要約されていた。チックとは、1年おきの新しいチップの発表、タックは次の発表に備え、それまでに設計を微調整することだ。しかしムーアの法則には、自己実現的な予言の部分もある程度あった。それは業界で起こっていることの説明ではなく、処方になったのだ。

ゴードン・ムーアは1976年のスピーチで、次のように話している。

これは半導体産業が開発してきたコスト削減の仕組みの核です。私たちは所定の複雑さの製品を製造し、その工程を改善して不具合を排除することに取り組みます。少しずつ歩留まりを高いレベルに上げます。次に、こうした改善すべてを活かして、さらに複雑な製品を設計し、それを製造します。私たちの製品の複雑さは、時間とともに指数関数的に増えるのです。

シリコンチップだけではコンピュータ革命を実現できない。そのためには新しいコンピュータ設計、新しいソフトウェア、新しい用途が必要だった。1960年代から70年代にかけて、ムーアが予測したとおり、ハードウェアとソフトウェアには共生関係があった。車と石油の関係と似たようなものだ。一方の業界が他方に、革新的需要と革新的供給を提供し合う。

シリコンバレーと「『クラブ』としてのイノベーション」

それでもテクノロジーがグローバルになるとともに、デジタル産業は、1971年にそう名づけられたシリコンヴァレーにどんどん集中するようになった。その理由は歴史的な偶然である。スタンフォード大学が積極的に防衛研究費をねらったことで、エレクトロニクスのスタートアップが次々に生まれることになり、そのスタートアップがほかのスタートアップを生み、さらにそれがほかのスタートアップを生んだのだ。

しかし、この物語における大学の役割は驚くほど小さい。物理学や電気工学におけるデジタル革命の先駆者を大勢教育し、もちろん、テクノロジーのほとんどの根本には基礎物理学があるが、ハードウェアもソフトウェアも、純粋な科学から応用科学へという単純なルートをたどってはいない。

会社も人も、チャンスをつかみ、有能な人材を見つけ、業界のリーダーに聞き耳を立てようと、サンフランシスコ・ベイエリアの西側に引き寄せられた。生物学者でバッキンガム大学の元副総長テレンス・キーリーが主張するように、イノベーションはクラブのようなものかもしれない。あなたは会費を払い、その施設を利用する。ベイエリアで発達した企業文化は、平等主義と風通しの良さだ。インテルをはじめほとんどの会社で、重役に専用駐車スペースも、広いオフィスも、階級組織上の肩書きもなく、ときに大混乱に陥るまで自由なアイデアの交換を促す。知的財産権はデジタル業界ではほとんど問題にならなかった。たいてい、特許を取得したり守ったりする間もなく、次の進歩が起こるのだ。競争は容赦なくひっきりなしだったが、共同研究や相互交流もそうだった。

シリコンチップのデジタル生産ラインから、イノベーションがどんどん生み出された。197

1年にマイクロプロセッサ、72年に初のビデオゲーム、73年にインターネットを可能にするTCP／IPプロトコル、74年にゼロックスのグラフィカル・ユーザ・インターフェース搭載アルト・コンピュータ、75年にスティーヴ・ジョブズとスティーヴ・ウォズニアックのアップル1、76年にスーパーコンピュータのクレイ1、77年にアタリの家庭用ゲーム機、78年にレーザーディスク、79年に初のコンピュータウイルスの原型となる「ワーム」、1980年にマニア向けコンピュータのシンクレアZX80、81年にIBM＝PC、82年にロータス123ソフトウェア、83年にCD－ROM、84年に「サイバースペース」という言葉、85年にスチュアート・ブランドのWELL（Whole Earth Lectronic Link、全地球電子リンク）、86年にコネクションマシン、87年に携帯電話用GSM標準、88年にスティーヴン・ウルフラムのプログラミング言語マセマティカ、89年に任天堂のゲームボーイと東芝のダイナブック、1990年にワールドワイドウェブ、91年にリーナス・トーヴァルズのリナックス、92年に映画『ターミネーター2』、93年にインテルのペンティアムプロセッサ、94年にジップディスク、95年にウィンドウズ95、96年にパームパイロット、97年にチェスの世界チャンピオン、ガルリ・カスパロフがIBMのディープブルーに敗北、98年にアップルのカラフルなiMac、99年にエヌヴィディアの民生グラフィックスプロセッシングユニット、ジーフォース256、2000年にザ・シムズ。例を挙げればきりがない。

数カ月ごとに根本的なイノベーションを期待するのが、ごくふつうのことになっているが、これは人類史上前代未聞の状況である。ほとんど誰でもイノベーターになれる。なぜなら、ゴードン・ムーアと仲間たちによって解き放たれ、明らかにされた厳然たる論理のおかげで、新しいものは古いものよりほぼ必ず自動的に安くて速くなるからだ。したがって、発明はイノベーションも意味した。

だからといって、すべてのアイデアがうまくいったわけではない。途中、行き止まりはたくさんあった。双方向テレビ。第5世代コンピュータ。並列処理。仮想現実。人工知能。これらの表現は政府やメディアで何度ももてはやされ、そのたびに巨額の資金を引き寄せたが、時期尚早もしくは誇張であるとわかった。

コンピュータのテクノロジーと文化は、ハードウェアとソフトウェアと民生製品における大規模かつ広範囲の試行錯誤によって進歩していた。歴史を振り返ると、最も錯誤の少なかった挑戦者が天才と呼ばれているが、ほとんどの場合、その人たちは幸運にも適切な時期に適切なことをしたのである。ゲイツ、ジョブズ、ブリン、ペイジ、ベゾス、ザッカーバーグはみな、テクニウムの進歩を生じさせたのと同じくらい、そこから生み出されたのだ。きわめて平等主義のこの業界では、シェアリングエコノミーの発明によって驚くほど大勢の億万長者が生まれている。

「世界のコンピュータ需要は5台くらいだろう」

コンピュータと通信のコスト低下があまりに速くて、人は何度もくり返し困った立場に追い込まれ、将来の評論家に、採掘すべき恥ずかしい引用文の豊かな鉱脈を残した。業界が揺るがされそうなとき、それがいちばん見えていなかったのは、業界に最も近い人たちだったことが多い。

1943年、IBM社長のトーマス・ワトソンが、「世界のコンピュータ市場の規模は5台くらいだろう」と言った。1961年、連邦通信委員会の委員だったチュニス・クレイヴンは「通信宇宙衛星がアメリカ国内で、電話、電報、テレビ、またはラジオのサービスを向上させるのに使われる可能性は事実上ゼロだ」と言った。1981年、携帯電話を発明したと誰よりも主張できるマーティー・クーパーが、モトローラの研究部長だったとき、「携帯電話は地域の有線システムに取って代わることは絶対にない。私たちが死んだあとに実現するものとして計画しても、価格が十分に下がらない」と言った。経済ジャーナリストのティム・ハーフォードが指摘しているように、1982年に制作された未来を描いた映画『ブレード・ランナー』のなかで、ロボットはまるで生きているかのようで、主人公が恋に落ちるほどだが、彼がデートに誘うために使うのは携帯電話ではなく公衆電話だ。

グーグルとフェイスブックのパラドックス

私は毎日検索エンジンを使う。それがない生活はもはや想像できない。いったいどうやって必要な情報を見つけ出すことができていたのだろう？　ニュース、事実、人、製品、娯楽、列車の時刻、天気、アイデア、実際的なアドバイスを探しだすのに使っている。それは蒸気機関と同じくらい確実に世界を変えた。家にある現実の本棚で現実の本を探すときのような、検索エンジンが使えない場合でも、ふと気づくと使いたいと思っている。

検索エンジンはソフトウェアツールのなかで最も高度でも最も難しくもないかもしれないが、最も利益が上がることは確実だ。検索はおそらく年に1兆ドル近くを動かし、ネットショッピングの成長を可能にしただけでなく、多くのマスメディアの収益を食いつぶした。あえて言わせてもらうが、検索エンジン――とソーシャルメディア――は、インターネットが実生活で人びとに届けるものの大部分を占める。

私はソーシャルメディアも毎日使う。友人や家族と連絡をとり、人びとがニュースや互いについて言っていることを知るためだ。良いことばかりではないが、ソーシャルメディアなしの生活を思い出すのは難しい。いったいどうやって、人に会ったり、連絡をとったり、何が起きているかを知ったりすることができていたのだろう？　２０１０年代、ソーシャルメディアはインターネットの用途として爆発的に成長し、最も大きく、２番目に儲かるものになって、政治と社会の流れを変えつつある。

ところが、ここにパラドックスがある。検索エンジンとソーシャルメディアには必然性がある。もしラリー・ペイジがセルゲイ・ブリンと会っていなくても、もしマーク・ザッカーバーグがハーヴァード大学に合格していなくても、私たちは検索エンジンとソーシャルメディアを手に入れていた。両方とも、彼らがグーグルとフェイスブックを始めたとき、すでに存在した。しかし、検索エンジンやソーシャルメディアが存在する前には、それがこんなに成長することはもちろん生まれることさえ、詳細は誰も予想しなかっただろう。振り返ってみれば必然だが、予想ではまったく不可解なものもありえる。イノベーションのこの非対称性は驚きだ。

検索エンジンとソーシャルメディアの開発は、一般的なイノベーションの進路をたどっている。少しずつ、ゆるやかで、偶然の発見があり、そして止められない。ひらめきの瞬間も、突然の飛躍もほとんどない。

検索エンジンの「前史」

ヴァネヴァー・ブッシュやJ・C・R・リックライダーのような、戦後に国防契約を結んだMITの学者集団を振り返ることにしよう。彼らは来るべきコンピュータネットワークについて書き、新しい形式のインデックス化とネットワーク化のアイデアをほのめかしているのだ。1945年にブッシュはこう述べている。「人間の経験の総和は驚異的なペースで増大しつつあるが、結果としてできる迷路を進み、そのとき重要な項目までたどり着く手段は、帆船時代に使われていたものと変わらない」

1964年、週末にはコンピュータが詳しい質問に答える未来を想像して書いた「未来の図書館」に関する重要な評論で、リックライダーは次のように述べている。「週末には1万件の文書を読み出し、すべてスキャンして該当情報が多いセクションを探し、情報の多いセクションはすべて高階述語計算でステートメントに分解し、そのステートメントを質疑応答サブシステムのデータベースに入力する」

しかし率直に言って、このような前段階では、多くの情報源を瞬時に検索することが予見されていなかったとわかるだけだ。コンピュータソフトの分野における一連の開発、すなわちタイムシェアリング、パケット交換、ワールドワイドウェブなどがインターネットを可能にし、それが検索エンジンを必然にした。そして1990年、当然その称号をねらうライバルはいるが、初の検索エンジンと認められるものが登場する。

その名はアーチー、モントリオールにあるマギル大学の学生アラン・エムタージと同僚ふたりの発案だった。これはワールドワイドウェブが一般的になる前のことで、アーチーはFTPプロトコルを使っていた。1993年までにアーチーは商用化され、急成長する。ただしその検索スピードは気まぐれだった。「土曜の夜には数秒で反応するが、平日午後には単純な問い合わせに答えるのに5分から数時間かかる可能性がある」。エムタージはその特許を取得することなく、1セントも儲けなかった。

1994年までに、ウェブクローラとライコスがテキストをクロールする新しいボット〔訳注：ウェブ上のテキストを定期的に取得してデータベース化するプログラム〕で先導役となり、データベースのインデックス化とダンプのためにリンクとキーワードを集めていた。ほどなくアルタヴィスタ、エキサイト、ヤフーも続く。検索エンジンは雑多なものが入り乱れる段階に入りつつあり、ユーザにとってさまざまな選択肢が生まれていた。それでも、次に何が起こるかわかる人はいなかった。前線に最も近い人たちは、人びとは具体的な目標を念頭に置いてインターネットを訪れるのではなく、そこにふらりと入ってきて、いろいろなものを偶然見いだすのだと予想していた。「探検と発見から現在のような目的をもった検索への転換は想像を超えていた」とヤフーの初代責任者スリニジャ・スリニヴァサンは語っている。

そしてラリーがセルゲイと出会った。スタンフォード大学ではそのころすでに、テクノロジー企業のスピンアウトが盛んだったが、ラリー・ペイジは大学院に入る前のオリエンテーションに参加したとき、セルゲイ・ブリンという若い学生に案内してもらった。「私たちはふたりとも互いを感じ悪いと思った」と、のちにブリンは言っている。どちらも科学技術分野の学者の2世だった。ペイジの両親はミシガンのコンピュータサイエンス研究者、ブリンの親はモスクワの数学者とエンジニアで、その後メリーランドに移った。ふたりとも子どものころからコンピュータの話に夢中で、コンピュータマニアだった。

ペイジは、人気でのランキングを視野に入れてウェブページ間のリンクを研究し始め、伝えられるところによると、夜に夢から覚めたあと、飛躍的に広がるウェブ上のあらゆるリンクを分類するアイデアを思いついたという。彼はリンクからリンクへと巡回するウェブクローラをつくり出し、ほどなく、スタンフォードのインターネット回線容量の半分を食うデータベースを築いた。しかし目的はウェブを検索するのではなく、ウェブに注釈をつけることだった。「驚くだろうが、僕は検索エンジンを構築することなど考えていなかった。そんな考えは頭の片隅にさえなかった」とペイジは言っている。また例の非対称性だ。

そのころには、ブリンが数学的知識と快活な性格をペイジのプロジェクトにもち込んでいた。そのプロジェクトの名前はバックラブ、次にペイジランク、そして最終的にグーグル（Google）になったが、これは動詞にもなる10の100乗を表わすグーゴル（Googol）の綴りミスだった。彼らはそれを検索に使い始めたとき、市場に出ているどんなエンジンよりインテリジェントであることを実感した。なぜなら、世間が重要だと考えてリンクさせるサイトを、たまたまキーワードを含むだけのサイトより上位にランキングするのだ。4大検索エンジンのうち3つは、ネット上で自身を見つけることができないことに、ペイジは気づいた。

ウォルター・アイザックソンは次のように述べている。

……ふたりのアプローチも実は人間の知性と機械との融合であることがわかる。グーグルのアルゴリズムは、人がリンクを張るときに下した無数の判断をもとにしている。人間の知恵をうまく引き出す方法を自動化したにすぎない。言ってみれば、高度な形をとった人間とコンピュータの共生だ。(『イノベーターズ』井口耕二訳、講談社)

彼らはプログラムを少しずつ細かく調整して、最終的に満足のいく結果を出した。ペイジもブリンも、他人が儲ける手段になるものを発明するだけでなく、ちゃんとしたビジネスを始めたいと考えたが、スタンフォードが発表を求めたので、1998年、いまではよく知られている論文「大規模ハイパーテキストによるウェブ検索エンジンの解剖学」を執筆する。その書き出しは「本稿で私たちが紹介するグーグルは……」となっている。

ベンチャーキャピタリストからの熱烈な支援を受け、彼らはガレージで準備をして、事業を立ち上げ始めた。あとになってようやく、ベンチャーキャピタリストのアンディ・ベクトルシャイムの説得で、彼らはこの主要な収益源を宣伝することにした。

検索エンジンと同じように、ソーシャルメディアも世界を驚かせた。私が1990年代に論評した記憶がある2冊の本には、インターネットのせいで人びとは非社交的になるという暗い予想が記されていた。人びとは自分の寝室に引きこもってゲームをするようになり、黙示録さながらの規模で社会退化の悪循環が始まる、と。

ところが実際には10年とたたないうちに、インターネットは大規模で盛んな社会参加に使われていた。いまでは教師も親も、ネットいじめや仲間からの同調圧力のリスクはもちろん、たえまないネット上の人づきあいに気が散って、子どもの勉強が邪魔されることを心配している。

フェイスブックは２００４年２月、ハーヴァード大学のネットワークサイトとして始まった。マーク・ザッカーバーグは前年の11月、同級生のキャメロンとタイラーのウィンクルヴォス兄弟に、ハーヴァード・コネクションというソーシャルネットワーキングサイトをプログラムするために雇われていたが、その後、「ザ・フェイスブック」という独自のバージョンを開発し、エドゥアルド・サヴェリンと、のちにショーン・パーカーおよびピーター・ティールの資金援助を受けて、そのアイデアを商用化した。彼を訴えたウィンクルヴォス兄弟にも一理あったが、デジタルイノベーションの辺境地帯に先着したのは、フェイスブックである。

ソーシャルメディアの台頭と「フィルターバブル」

ソーシャルメディアは別の意味でも世間を驚かせた。世界が平らかで、誰もが分かち合おうとしていて、互いの意見を了解している、理想的な民主主義啓発の時代を先導するどころか、私たちをエコールームとフィルターバブルの迷路に押し込んだ。そこで私たちは自分の偏見を強め、他人の意見に憤慨することに時間を費やす。ソーシャルメディアは私たちを二極化させ、怒らせ、憂鬱にし、中毒にし、不機嫌にする。

ソーシャルメディアの内容を永遠にスクロールし続けることができる「無限スクロール」の発明者のひとりエイザ・ラスキンは、自分のしたことを後悔している。それは「あなたを助けるのではなく引き留めておく」ために設計されたテクノロジーの最初の機能のひとつだという。彼はいまテクノロジー業界を、もっと有益で中毒性の低い方向に転換させようとしている。情報テクノロジーが未熟なとき、強い有害な影響をおよぼすおそれがあることは、まずまちがいないように思えるが、そうした影響は弱まるのがふつうだ。印刷や安価な新聞とラジオの場合はそうだった。

イーライ・パリサーは2011年に刊行された『フィルターバブル』（井口耕二訳、早川書房）のなかで、このエコー効果が根づいた重要な節目をふたつ突き止めている。

ひとつは2009年12月4日、グーグルがユーザの習慣と好みからの「信号」にもとづいて、検索結果をパーソナライズすると発表したときだ。つまり同じ言葉で検索したとき、人によって得られる結果がちがうのだ。パリサーは友人ふたりの例を引用している。どちらも左寄りの東海岸の女性で、メキシコ湾での原油流出に関するニュースが盛り上がっている最中に、BP（イギリス石油会社）という言葉で検索した。するとひとりは環境にまつわるニュースを、もうひとりは投資アドバイスを入手したのである。

ふたつめの出来事は4カ月後、フェイスブックが「どこでもフェイスブック」を始めたことだ。ニュース、広告、情報、何でもパーソナライズできるように、ユーザはウェブ上で見つかるもの何にでも「いいね！」することができる。

パーソナライズ革命は、アマゾン台頭のカギでもあった。たんなるオンライン書店だった最初のころから、アマゾンは検索結果をカスタマイズするための協調フィルタリングという新しい技法を使っていた——当初はけっしてうまい使い方ではなかったが。

パーソナライズするために個人のデータや好みを取り込むことは、当時は無害に思われ、バラク・オバマは2012年の大統領選挙でソーシャルメディアによるターゲット設定を行なったことを称賛されたが、それから数年で空気が変わった。

フィルターバブルとケーブルテレビが世界中の政治的二極化の原因であることに疑いはない。左寄りの人が左に動き、右寄りの人が右に動き、ロシアなどでは悪意ある政府の力がその流れを後押しする。ある社会科学者グループが最近の研究で、少なくとも週に3回ツイッターを開く大勢の民主党員と共和党員の被験者に報酬を払い、反対の政治的イデオロギーのメッセージを伝えるウェブボットを1カ月フォローしてもらった。すると、共和党員は左寄りのツイッターボットをフォローしたあとにはさらに保守的になり、民主党員は保守的なツイッターボットをフォローしたあとにはさらに少し進歩主義に傾いたことがわかった。

パリサーが予測したように、「パーソナライゼーションのフィルターは目に見えない自動プロパガンダ装置のようなものだ。これを放任すると、われわれは自らの考えで自分を洗脳し、なじみのあるものばかりを欲しがるようになる。暗い未知の領域にひそむ危険のことなどわすれてしまう」（井口訳）。イノベーションはしばしば世界を意外な方向に導く。

同じことは前にもあった。印刷の発明は西洋社会に政治的・社会的大変動を引き起こし、それが社会を二極化し、多くの人びとを死なせた。その原因はおもに、キリストの体は聖餐（せいさん）式に文字どおりあるのか、それとも比喩的にあるのか、そしてローマ教皇は不可謬（ふかびゅう）であるかどうかについての争いだった。

印刷はさらに、かつてないほど広く深い知識と理性の啓蒙活動でも、先導役を務めた。１４５０年ごろ、ヨハン・グーテンベルクによって引き合わされた印刷機と紙と組み換え可能な活字の組み合わせは、大きな社会変化を引き起こした情報イノベーションであり、そのほとんどは予測されなかったし、すべてが良いものだったわけでもない。スティーヴンソン・ジョンソンが言っているように、グーテンベルクの印刷機は「典型的な組み合わせイノベーションであって、飛躍的進歩というより寄せ集め細工(ブリコラージュ)であり」、その要素はそれぞれすでに、ブドウ圧搾機のオペレータなど、ほかの人たちによって発明されていた。

しかし、たとえあなたがグーテンベルクを発明者と呼ぶとしても、真のイノベーターはマルティン・ルターである。印刷の用途を、おもにエリート聖職者に限られた目立たない仕事から、一般人向けの大衆市場ビジネスに変えたのだ。彼はラテン語ではなくドイツ語の簡潔で読みやすいパンフレットを作成した。１５１９年までに45作３００版近く発行しており、ヨーロッパでもとりわけ多作の著者だった。アマゾンのジェフ・ベゾスやフェイスブックのマーク・ザッカーバーグのように、新技術の非常に大きな可能性に気づいていたのだ。

人工知能をめぐる試行錯誤の道のり

人工知能（ＡＩ）は現在、情報の世界でいちばん流行の分野である。しかもコンピュータにおける最も古い考えのひとつでもあり、長年にわたり繰り返し実現が失敗してきた歴史がある。１９５６年――つまり60年以上前――にダートマス大学で、ジョン・マッカーシーとマーヴィン・

ミンスキーが、「人工知能」に関する会議を主催し、この表現を世に送り出したが、その世間はだまされやすいと判明する。マッカーシーは、「もし慎重に選ばれた科学者のグループがひと夏ともに取り組んだら」、考えるコンピュータに大きく近づき、コンピュータ内部に人間の知性を再現するための突破口が、約20年後に開けると考えていた。実際にそうはならず、資金提供者はしびれを切らし、利口なコンピュータの分野の研究は「AIの冬」に突入した。

同じようなことが1980年代にも起こった。ウォルター・アイザックソンが言うように、「10年がたち、20年がたっても、人工知能は手の届くところまで来ている、せいぜいがあと20年だと同じ主張が新たな専門家によってくり返されている。まるで蜃気楼（しんきろう）のように、いつまでたっても、あと20年なのだ」（井口訳）。

コンピュータがより巧妙な技を学習すると、私たちはその課題は理解していなくても達成できると気づき、すぐにインテリジェントではないと再分類しがちであることも、多少問題である。スマートフォンは日常的にあなたの要望を予測していて、それは人工知能によるものだが、私たちはそうは思わない。なぜなら、それが考えなしのアルゴリズムにすぎないと知っているからだ。IBMのコンピュータ、ディープブルーが1997年のチェスの試合でガルリ・カスパロフをぎりぎり倒したのは、コンピュータの賢さにとって画期的出来事だったが、その功績は力ずくの勝利として片づけられた。ディープブルーは1秒に3億3000万の手を評価したが、考えたのか、想像したのか、それとも感じたのか？

20年後の2016年、アジア全土にテレビ放送されたトーナメント戦で、ディープマインドという新興企業が自社の「アルファ碁」というプログラムで、囲碁の世界チャンピオンを負かして世界を唖然とさせた。この出来事は人工知能物語の転機となり、とくに中国で、新たな興奮の波を引き起こした。これは新たな「AIの冬」になるのか、それとも今回はちがうのか?

囲碁はディープブルーを助けたような力ずくのテクニックが通用しない複雑なゲームであり、アルファ碁のきわめて重要な要素は学習する能力である。囲碁のルールを教えられたのではなく、神経ネットワークを使って試合の実例から直観したのだ(プログラムの最新バージョンは人間のゲームをいっさい参考にしない)。そのため、アルファ碁をプログラムした人間にも、ソフトウエアがなぜその手を選ぶのかわからない。第2局の37手目は、専門家に「独創的」で「ユニーク」と表現された。定石をすべて破り、愚かな判断に思われたからだ。チャンピオンのリー・セドルは対応に非常に長い時間をかけ、彼の反撃もとても鋭かったが、151、157、および159手目のアルファ碁による同じくらいすばらしい動きのあと、最終的に試合に負けた。

こうして人工知能の重点は、利口な人たちが自分の知識をコンピュータに教えようとする「エキスパートシステム」法から、プログラムがみずから問題の解決法を見つける学習法に切り替わった。これを可能にしたのは、現代のコンピュータ界の3大機能、すなわち新しいソフトウェア、新しいハードウェア、そして新しいデータだ。新しいソフトウェアは、少なくとも部分的には、イギリス生まれでトロントを拠点とする科学者、ジェフリー・ヒントンが考案したものである。

ヒントンの家系図には、著名な数学者、昆虫学者、経済学者の名があちこちに見られ、彼自身も心理学者としての教育を受けたあと、1990年代初め、ニューラルネットワーク(神経回路網)の「誤差逆伝播」という概念を展開した。これは基本的に、そうしたネットワークが「教師なし学習」によって世界の内部表現をつくり出せるようにする、フィードバック手法である。そのようなプログラムは、この10年で大量のデータが指数関数的に増えるまでは可能性が限られていたが、いまでは細かいやり方を教えられなくても、データを深く吸い上げて一般化と見識を導き出すのが、驚くほど得意になっている。そのためコンピュータはいまや、たとえば前立腺腫瘍の検査画像例をたくさん取り込むことによって、標的放射線治療のために、腫瘍を特定して正確に描出するやり方を学習できる。高給取りの放射線科医が手作業で長い時間をかけて行なう仕事だ。

とはいえ、この変化にとって新しいハードウェアもきわめて重要であり、それは意外なところから出現した。コンピュータゲーム業界だ。

コンピュータの中心機能は中央演算処理装置（CPU）だ。これには実際に計算を行なう「コア」が1個か数個と、たくさんのキャッシュメモリが入っている。ほとんどの課題にとってこれで十分だが、リアルな3次元に見える画像をつくり出すには、異なる種類のチップが必要だとゲーム業界は気づいた。1度に何百というソフトウェアスレッドを処理できる、何百というコアを搭載しているものだ。この「グラフィックス・プロセッシング・ユニット」、略してGPUは、CPUの代わりにはならないが、それを補足し、誤差逆伝播によって深層学習を可能にするには、とても大切だとわかった。

グラフィックスカードメーカーのエヌヴィディアが1999年にジーフォース256を発売したとき、GPUという用語をつくり出したが、まだねらいは完全にゲームだった。同社は1993年、子どものころにオレゴンに移住した台湾出身のジェンスン・ファンと、同僚ふたりが設立した会社だ。彼らは並行チップを発明したわけではないが、改良していた。ようやく初の汎用GPUが市場に導入されたのは、２００７年のことだった。２０１８年にエヌヴィディアは、ただ人間を観察するだけで課題を学習できるロボットを発表している。

人工知能の未来

そういうわけで、近年の人工知能の躍進は、新しいデータと新しいアイデアだけでなく、新しいツールの産物でもある。機械学習を一般の人たちが日常生活で信頼できるようになるまでには、いろいろと産みの苦しみがあるだろう。

シアトルにあるワシントン大学の研究者チームは、ただ20枚の実例写真を与えることによって、オオカミの画像とシベリアンハスキーの画像を区別するように、ニューラルネットワークを訓練した。しかし彼らは意図的に、雪を背景にしたオオカミの写真と、草を背景にしたイヌの写真だけを選んでいた。案の定、アルゴリズムは動物よりも背景にはるかに多くの注意を払っていることがわかった。人が賢い決断をするためにこのニューラルネットワークを信頼するかと訊かれたとき、この事実を説明されたあとでは、信頼すると答える傾向ははるかに弱かった。

したがって、説明可能性（推論に関してアルゴリズムに問いただす機会）は、人工知能を信頼できるものにするための重要な材料になるだろう。アマゾンが採用に役立てることを目的としたニューラルネットワークが、女性を差別し始めたことに気づいたという事例もある。しかし人間の脳もまた、推論があいまいなこともあるブラックボックスであり、したがって、私たちは機械に対して人間より高い水準を要求しているのかもしれない。

いまのところ、人工知能は人に取って代わるよりむしろ人を補強するのであって、数世紀にわたってオートメーションが行なってきたのと同じだ、というのがいちばん無難な意見である。チェスの試合の場合も、現在最も成功しているチームは「ケンタウルス」、つまりアルゴリズムと人の結合体なのだ。

車の運転についても同じことが言えるのはまちがいない。私はすでに、車が車線をはずれたときや、駐車スペースからバックで出るのに車が近づいているとき、自分の車が警告してくれると信頼している。将来、そのような「インテリジェントな」技がもっとたくさん好きなように使えるようになるにしても、私が車に乗り込み、目的地を教え、ハンドルを握りながら眠りにつける日は、私が思うにかなり先のことだ。

第7章 先史時代のイノベーション

「火から飛行まで、神への冒涜(ぼうとく)として迎えられたことのない偉大な発明はない」
——J・B・S・ホールデン

人類最古のイノベーションは「農業」である

紀元前2世紀より前、イノベーションはめったになかった。人は新しいテクノロジーを1度も経験することなく、生涯を終えることもありえた。荷車、鋤(すき)、斧(おの)、ロウソク、宗教、トウモロコシ、どれも人が生まれてから死ぬまで見た目が変わらない。イノベーションは起こったが、散発的でゆっくりだ。

さらに過去にさかのぼると、変化のテンポはもっとゆっくりになる。タイムマシンのダイアルをいまから1万年前に合わせると、降りたところに広がる世界では、変化が1世代どころか10世代でも気づかないほどゆっくりだ。とはいえ、あらゆるイノベーションのなかでもとりわけ重大なイノベーションのまっただなかに着地することになる。それは農業の導入だ。

農業によって人類は、捕食者と採集者のまばらな集団から、土地の景観も生態系も変える高密度集団へと変わった。ナイル川、インダス川、ユーフラテス川、ガンジス川、長江などの流域は、おもに人為的な生態系になり、そこでは特殊化した草の世話や植えつけをする仕事を人間が行なうようになった。一方、アジアのステップと丘陵では、人間に守られ世話されるウシやヒツジやウマが主役になった。遊牧民は定住し、人口密度は飛躍的に上昇し、それを抑えられるのは、新しい病気か飢饉が突然発生するときだけ。ほどなく、王や神、戦争のような、それまでなかった新しい文化イノベーションが情勢を牛耳るようになる。農業は蒸気機関やコンピュータと同じくらい影響力の大きなイノベーションだったのだ。

そして産業革命と同じで農業革命もエネルギーがすべてだった。つまり、より凝縮された形のエネルギーをより多く生み出し、ほかの種を犠牲にしてより多くの人体をつくり出すことによって、エネルギーをエントロピーの逆転へと向けるのだ。イノベーションの働きについての本なら、この古代イノベーションに取り組まないわけにはいかない。

農業「革命」にも先史時代のノーマン・ボーローグがいたというのが有望な意見だが、悲しいかな、私はこの話を語るのに伝記に頼ることはできない。しかしほかの方法で、農業の発明にいくつかおなじみのパターンを認めることができる。

なぜ農業は世界中で「同時に」始まったのか

まず、同時発明の現象だ。電球が1870年代の同じころに世界中のあちこちで別々に出現したように、農業にも同じことが起こっている。たしかに、農業の場合の「同じころ」は1000年か2000年のあいだのことだが、要は、人類が50万年以上も狩猟採集を行なっていたのにくらべれば、2、3000年は一瞬にすぎないということである。当時、人間は少なくとも7カ所――近東、中国、アフリカ、南米、北米、中米、そしてニューギニア――で、それぞれまったく無関係に農業を始めた。互いから農業のアイデアをもらったという証拠はなく、作物と栽培法の細かい部分は異なる。メソポタミアのコムギ農家はアンデスのジャガイモ農家やニューギニアのヤム農家はもちろん、中国のキビ農家にさえ影響を与えていない。

この同時発生から推測されるのは、ヒトの脳が農業のアイデアを思いつく能力に向かって進化していたということ――これはありそうにない――か、あるいは、当時の状況に農業を可能にする何か新しいものがあったということだ。

実際、特別なことがあった。それは「気候」である。

1万2000年前より昔、世界は厳しい氷河時代にあった。ということは、南方の山岳地帯だけでなく、ヨーロッパも北アメリカも、厚い氷床に覆われてはるかに寒かったということだ。しかし世界はもっとはるかに乾燥していたということでもある。なぜなら、冷たい海からは水分が蒸発しにくいので、降雨は頻度も量も少なかったからだ。

アフリカでは旱魃が長引いて砂漠の状態が何十年も続き、ヴィクトリア湖は1万6000年前にすっかり干上がり、カラハリ砂漠は拡大して乾燥が進んだ。アマゾンの雨林は縮小し、あいだに草地の広がるまだらな森になってしまった。巨大な塵雲が世界を覆い、南極の氷床に染みをつけた。多くの水分が氷冠に閉じ込められていたため、海水面はいまよりはるかに低かった。海はひどく冷たくて層をなしていたので、二酸化炭素は海水に溶け込み、最終氷期極大期には大気中にわずか190ppm、つまり0・02パーセントしかなかった。そのせいで植物は育つとしてもすくすくというわけにはいかず、乾燥地帯では、植物が二酸化炭素を吸収するために気孔を開くと水分が奪われるので、なおさら育ちにくかった。190ppmでは、コムギやコメのような植物はたとえ水と養分を十分に与えられても、通常のおよそ3分の1の穀物しか産出しないことが実験でわかっている。

南極の氷床コア記録に見られる塵と、非常に低い二酸化炭素濃度には強い相関があり、つまり、多くの山岳地帯と乾燥地帯から植物は遠ざかり、砂っぽい不安定な土壌が残ったということだ。雨はめったに降らない。南極の氷床コアから判断すると、2万年前ごろ、砂塵嵐はほんとうにひどくて、1回に数週間も世界のほぼ全域の空を暗くしていたはずである。その当時の南極には、1万年後の暖かい間氷期と比べて、100倍の砂塵が蓄積していた。どう考えても、どこの大陸であれ、頭が大きくて消化管が小さく、エネルギーを大量消費する類人猿が、植物を食べて生きていこうとするには向かない時代だった。特殊化した草食動物——ウマ、バイソン、レイヨウ、シカ——の小さな群れに、できるだけたくさんのカロリーを集めさせ、それが凝縮された肉の塊を食べるほうが得策だ。場所によっては、人間が得意な掘り出す作業で手に入る塊茎や、摘み取れる木の実があったかもしれないが、それを栽培化するのは別の理由で容易ではなかった。気候が極端に変わりやすかったのだ。

こうしたことは近年、とくに南極とグリーンランドから上質な氷床コアが入手できるようになってはじめてわかった。さまざまな記録から、極地でも熱帯でも、最終氷期極大期は現在より気温の変動がはるかに大きかったことがわかる。地球温度の10年ごとの変化は、現在の4倍も大きかった。たとえば地中海の花粉記録は、氷河時代中の変動が最近の数千年とくらべて激しかったことを示している。これでは農業は不可能だ。旱魃や長期にわたる寒さのせいで、農耕民たちはしなびた作物を残して、移住を余儀なくされただろう。やる気が出るのは放浪する狩猟採集のほうだった。

２００１年、文化の進化に関する研究の先駆者、ピート・リチャーソンとロバート・ボイドが、農業は「更新世［氷河時代］には不可能だったが、完新世［現在の間氷期］には必須だった」と、初めて論じる画期的な論文を発表した。気候が温暖に、湿潤に、そして安定した状況になって、二酸化炭素濃度が高くなるとほぼ同時に、人びとは植物の多い食事に移行し始め、人間の食べ物を集中的に生産するように生態系を変えていった。「完新世における自給自足強化の軌跡はほぼすべて漸進的であり、最終的に、耕作限界の環境でないかぎり、農業が主要な戦略になった」と論文は述べている。その意味で、農業は必然であり不可避だったからこそ、多くの異なる場所で発生したのだ。

農業はゆるやかに「進化」する

考古学的記録では、農業は、集落が栽培穀物の見つかる集落に入れ替わるときに、突然出現しているように見えるかもしれないが、ガリラヤ湖に保存されている考古学的遺跡をよく調べると、もっとはるかに段階的なパターンが見えてくる。

狩猟採集民は何千年も魚とガゼルを食べて生きていたが、少しずつだんだんに、季節によっては秋に周囲の土地で刈り取った草の実に依存するようになっていった。当初、かける手間は庭仕事のようなものだっただろう。ときには実を取っておいて、もっと増やすために春に湿った土にまき、それを守るために雑草を抜き、鳥や草食動物を追い払ったにちがいない。川に浮かぶ肥沃だが裸地だった沈泥の島で、これを行なったかもしれない。コムギの祖先であるヒトツブコムギとフタツブコムギがたまたま交配し、その穂からとりわけ重い実を採った人も、それを意図していなかっただろう。結果として生まれた交配種のコムギの実は、人間が手をかけなければ散らばって生き残ることができないほど重い、6倍体の遺伝学的奇形である。そしてその実が、自然淘汰によって少しずつ反応を示したのだろう。つまり、より重くて脱穀の楽な実は収穫しやすく、まくために保管される実のなかに現われる頻度が高くなる。こうして好循環が生まれた。ある意味で、植物が主導権を握ったのだ。

農業は「平和」で「豊か」な場所で始まる

のちのイノベーション爆発と似ている点はほかにもある。豊かな時期に豊かな場所で起こったのだ。イノベーションが、平和で比較的栄えている時代に、裕福で伸び盛りで結びつきの強い場所――現在のカリフォルニア、スティーヴンソンの時代のニューカッスル、フィボナッチの時代のルネッサンス期イタリア――で盛んになるのと同様、農業は温暖で水の豊富なユーフラテス川や長江やミシシッピ川の流域、あるいはニューギニアやアンデスの陽光降り注ぐ豊かな土壌で始まった。

農業への移行はコンピュータの発明と同様、絶望の前兆ではなかった。たしかに農業を営む生活は、最貧困層にとって重労働と栄養失調を意味することが多かったが、それは最貧困層が死んでいなかったからだ。狩猟採集社会では、社会の底辺にいる人たち、あるいは病気やけがのせいで適さない人たちは、ただ死んでいた。農業のおかげで、人びとはたとえ貧しくても、子孫を育てられるくらい長く生きた。ここに現代のイノベーションとの共通点がある。ヴィクトリア朝時代の重工業で働いていたら苦労していた人びとが、コンピュータのおかげで良い仕事に就くことができている。

農業は「人間の遺伝子」を変えた

農業を始めることによって、人間はコムギやウシの遺伝子を変えただけではない。自分たち自身の遺伝子も変えた。さらなるイノベーションが、遺伝子と文化の共進化をじつに明確に示している。そのイノベーションとは、８０００年前ごろに初めて発明された酪農業だ。

そのころまでに人びとはウシを家畜化し、乳を搾るようになっていた。そこで問題が起こる。牛乳は赤ん坊にはすぐれた食べ物でも、成人はあらゆる哺乳類の成体と同様、牛乳の主要な糖である乳糖を消化することができなかったのだ。乳糖分解酵素の遺伝子は、離乳して必要がなくなったら、スイッチがオフになるようプログラムされている。牛乳はタンパク質と脂肪が豊富で、成人にとっても栄養価の高い飲み物だが、乳糖を分解することができないため、生の牛乳は腸内ガスの発生を促す不快な食べ物だとわかった――酪農のない文化の子孫はたいてい、いまもそう思っている。乳糖があらかじめ細菌によって消化されるチーズをつくるほうが得策だ。

しかしあるとき、乳糖分解酵素の遺伝子が離乳してもスイッチオフにならない、突然変異を起こした人が生まれた。その人はほかの人より、牛乳を飲むことの恩恵をはるかにたくさん受け、強く健康に成長し、多くの子どもをつくった。その遺伝子は集団で優位に立つようになる。

この「乳糖耐性」突然変異は、ユーラシア大陸とアフリカ大陸のいくつか異なる地域で目立つようになったが、つねに酪農業が発明された場所に近かった。しかし、酪農業が遺伝子変化の淘汰につながったのであり、その逆でないことは明らかだ。人間の遺伝子イノベーションは、文化イノベーションがもたらした不可避の結果だったのだ。

「イヌの家畜化」というイノベーション

農業が発明されるはるか前、ヒトは自分たちの運命を変えるきわめて重要なイノベーションを起こした。イヌである。イヌは家畜化され、世界中で人間の生態上の仲間になった最初の動物だ。相互利益のために人間のそばで狩りをしていて、のちにさまざまな専門の役割のために淘汰された。このイノベーションは、誰が、どうやって、どこで起こしたのだろう？

イヌの家畜化はユーラシアで始まった。なぜそれがわかるかというと、イヌはユーラシアオオカミと最も近い類縁関係にあり、人間がアメリカ大陸に移る前に家畜化されていたからだ。イヌは人びとの移住の波——たぶん第1波ではない——とともにオーストラリアに到達し、野性に返ってディンゴになった。

イヌの家畜化の時期は、遺伝学のおかげでもう少し狭い範囲に絞られ、予想よりもっと前であることがわかった。ニューヨーク州立大学ストーニーブルック校の遺伝学者クリシュナ・ヴィーラマが、4700〜7000年前にさかのぼる3頭のイヌの骨化石から採取したDNAを分析し、5649頭の現代のイヌおよびオオカミのDNA配列と比較した。2017年に発表された彼のチームの結論によると、イヌはオオカミから約4万年前に分岐し、そのあと約2万年前にイヌ科は（東と西に）二分したという。この時期以降、中国の村のイヌはヨーロッパの品種と遺伝子的にちがっている。このことから、家畜化は1回だけで、それは2万年前から4万年前のあいだであるとわかる。さらに、起こった場所は西ヨーロッパか、東南アジアか、その中間のどこかだと思われる。

3万5000年前にシベリア北部で死んだオオカミのDNAは、それまでにすでにオオカミとイヌが分かれていたことをうかがわせていた。したがって、最終氷期極大期のかなり前だが、現在よりははるかに寒冷な期間に、ユーラシア大陸で暮らしていた人間が野生のオオカミと仲良くなり、役に立つ道具に変えたのだ。

それとも、あべこべだったのでは？　逆にヒトもイヌの役に立っていると思うことがある。私がうちのイヌに食べ物やベッドを買ってやるために本を執筆しているあいだ、当のイヌは居眠りをしているのだ。家畜化のきっかけは、オオカミが残り物をあさろうと、人間の野営地の周辺をおそるおそるうろついたことだった可能性が高い。ほかより大胆なオオカミが槍（やり）で突かれるリスクを冒し、より多くの食べ物を手に入れ、しだいに、人間がいるところで大胆にふるまうことがオオカミ集団で当たり前のことになり、最終的に、人間は半ばなついたオオカミがそばをうろついていることのメリットを理解したのだろう。攻撃を早めに警告してくれる体制ができたからかもしれないし、負傷した獲物を見つけ出してくれたからかもしれない。

どういう経緯でそうなったのか、1960年代からシベリアで行なわれた長期にわたる興味深い実験によって明らかになり、イヌと人間の両方に見られる従順さの進化について、意外なことがわかっている。実験にはキツネが使われたが、その論点はもっと広く当てはまる。

1937年、著名な遺伝学者ニコライ・ベリャーエフが、西側の遺伝科学に不健全な興味を示したとして逮捕され、裁判なしで死刑に処された。弟のドミトリは当時まだ20歳だったが、自分も遺伝学者になった。ただし、彼はとても慎重に、支配的だったスターリン主義の環境決定論のドグマに口先だけ賛同していた。毛皮のある動物を研究する研究所で働き始め、1958年にはソビエト科学アカデミーシベリア局の細胞学遺伝学研究所に入るためにノヴォシビルスクに移り、そこでギンギツネを研究することにした。

ギンギツネはアカギツネの亜種で、カナダ原産だが、毛皮のためにシベリアで飼育されていた。しかし飼育というのは不適切な言葉かもしれない。なにしろ野生動物をケージに入れていただけだったのだ。ヒトによる捕獲に適応して従順になる兆候は、ほとんど見られなかった。当時ニキータ・フルシチョフが推進していたルイセンコ学説によると、捕獲そのものが従順さを引き起こすはずだったが、明らかにそうはなっていない。

ベリャーエフは代わりに選択育種を試すことにした。そのために採用された方策はいたってシンプル。世代ごとにいちばん怖がらないキツネから子を産ませたのだ。人間がケージに近づいたとき、うなることが最も少ないキツネだ。次に彼は、同じことを子ギツネにも行なった。つまり最も人なつこく、臆病でなく、攻撃性が低い子を選んだ。年に1000頭の子ギツネが育てられ、そのうち200頭が次世代の親として選ばれる。これが半世紀続けられた。

すぐに研究者チームは変化に気づいた。第4世代には、尻尾を振りながら人間に自発的に近づく子ギツネがいたのだ——野生のキツネにはない行動だ。さらに数世代のうちに、人間の友だちをなめるために駆け寄ってくる、熱狂的に従順なキツネが現われた。しかしとくに驚きだったのは、キツネの外見も変わったことだ。巻いている尻尾、たれた耳、やや華奢な頭、額に白いぶち——家畜化されたウシやウマやその他のペットによく見られるものと同じだ。さらにそのキツネたちは、ひと腹でたくさんの子を産み、若いうちに季節に関係なく繁殖するようになった。ベリャーエフがミンクとラットで実験を繰り返したところ、似たような結果が出た。

じつは、従順さを求めて選択するうちに、ベリャーエフはほかの形質をともなう遺伝子変異も選択していた。家畜化症候群である。具体的には、発育中の動物の「神経堤」細胞の移動を、意図せず遅らせていたのだ。この細胞は胚（はい）のあちこちに散らばっていて、皮膚や脳などの器官内に特定の組織を生み出す。黒色色素を生成する細胞の大部分は神経堤から生じる。家畜化された動物の顔に白斑ができるのは、その細胞が頭部に欠乏しているからだ。ベリャーエフのキツネでは、毛皮を黒っぽくする色素芽細胞の移動が遅れ、結果として毛皮に白斑ができた。神経堤細胞の遅れは、たれた耳と小さい顎（あご）の原因でもある。

じつは私たち人間も「家畜化」されている

ハーヴァード大学の人類学者リチャード・ランガムは、神経堤細胞がストレス、恐怖、攻撃を制御する脳の部位にとっても、きわめて重要だという仮説を立てている。その影響を受けた動物個体は、衝動的に反応的攻撃をする傾向が弱くなる。そしてこれはペットだけでなくヒトにもある独特の特長なのだと、ランガムは指摘する。たとえばチンパンジーとちがって、私たちは互いを殺し合うことなく混んだバスに乗ることができるが、これはチンパンジーには不可能なことだ。それ以上ではないにしても同じくらいにうまく、私たちは計画的攻撃をすることはできるが、反応的攻撃はちがう。同じことがイヌにも言える。オオカミやチンパンジーが危険なペットなのはなぜかというと、長年なついていたとしても、もし人間が触り方をまちがえると、突然、相手を殺しかねない激しさで反応するおそれがあるのだ。ランガムは、イヌにするように捕獲されたオオカミをなでようとして、腕をなくしそうになった人の例を紹介している。

ヒトがそんなふうになることはめったにない。私たちは生まれたときから驚くほど他人に寛容だ。都会で、農村で、または密な狩猟採集民の集落で、うまく生き残るために知らない人に反応的攻撃をしないよう、ベリャーエフ博士のチームに選択されて家畜化された種のように思える。私たちは先史時代のいつか、神経堤細胞が迅速に移動して短気な反応をする人たちを、排除したにちがいない。何世代にもわたって処刑したのか、村八分にしたのか、戦争に送り出したのか、この3つの組み合わせなのか、やり方がどうであれ、私たちは最近までそれを続けていたし、刑罰制度は現在もそうしている。

私たちは祖先の猿人とくらべて、多くの家畜化症候群を呈（てい）している。顔つきは優しく、顎が小さく、そのせいで歯並びが重なり、性差は小さく、性行為は周期がなく頻繁で、頭の前部に白髪のぶちが見られることさえある。脳も小さくなった。古代の骨格は、ヒトの脳がこの2万年で2割ほど縮んだことを示しているが、これはしばしば生物学者を悩ませる事実だ。イヌを含めてほかの種でも、家畜化のあいだに脳が縮む。

ランガムはこう書いている。「現代人と昔の祖先の差異には明確なパターンがある。それはイヌとオオカミの差異に似ている」。この結果が出るのに、どの遺伝子が変化したかを示す証拠さえある。たとえば、BRAF遺伝子は、ネコ、ウマ、そしてヒトにおける最近の強い進化的淘汰を示しており、これは神経堤細胞の移動と関連している。

イヌ自体が重大な発明であることはたしかだが、家畜化の遺伝的現象をイノベーションと呼ぶのはむりがあるかもしれない。しかし、あまり計画的ではなかったうえに、その影響も当時はあまり注目されなかった産業革命と、ほんとうにそれほどちがうのだろうか？　いまもイノベーションは、私たちが考えがちなほど監督も計画もされない。ほとんどのイノベーションは、設計の変化を選択的にとどめることで成り立っている。

「人類革命」？

農業とイヌの発明がありえないほど昔で、イノベーションの進行が遅いように思われるなら、もっとずっと遠い話なのは、10万年以上前の旧石器時代後半における高度な道具の発明だ。これは「人類革命」と呼ばれている。とはいえ、それもまたイノベーションの展開であって、はるかにゆっくりではあるが、コンテナ船や携帯電話を実現したのと同じような力によって推進された。

人類革命の前に、すでに猿人には道具があった。２００万年前、私たちのヒト科の祖先はその大きな脳に見合うテクノロジーを身につけていた。燧石(すいせき)を打ち砕いて、縁(ふち)のとがった「斧」をつくり、それを使って獣肉をばらしたり、素材を加工したりしたのだ。

しかし非常に長いあいだ、彼らにイノベーションはなかった。少なくとも私たちがそうとわかる意味では。手工品(アーティファクト)は何十万年にわたって同じままで、それをつくる手法も同じだった。何千キロも離れた異なる大陸でも同じに見え、おそらく異なる種の猿人でも同じだったかもしれない。ホモエレクトゥスの道具をほかの種の道具と区別するのは難しい。これは科学者が説明に苦労する不可解な現象のままだ。イノベーションのパターンはおろか、文化的多様性の気配さえなくても、テクノロジーは存在した。

ひょっとすると、鳥の巣との類似性が役立つかもしれない。それは、学習できる脳を備えた脊椎動物によってつくられる手工品であり、テクノロジーでさえある。しかし鳥の巣の構造と、それをつくっている材料は、種それぞれに特有であり、何千キロ離れていても、何十年たっても、ほとんど変わらない。ツバメは泥の杯をつくり、ミソサザイはコケの玉をつくり、ハトは小枝の台をつくる。巣づくりは生得の本能であり、だからほとんど変わらない。道具づくりはホモエレクトゥスの生得の本能だったのかもしれない。

テルアヴィヴ大学のメイア・フィンケルとラン・バルカルは、この保守性は石器に限定されていて、ヒト科のほかのテクノロジーや習性には当てはまらないのではないかと考えている。とくにアシュール型のハンドアックス（握り斧）は、文化的順応のなかでほかの道具よりも固定化したようだ。これは涙の形をした縁の鋭い石器で、それを使ってホモエレクトゥスは大型哺乳動物の死骸を切り分けた。それがウマやサイの骨のそばに捨てられているのが見つかることもある。フィンケルとバルカルは次のように書いている。「私たちの主張はこうだ。アシュール文化への順応におけるハンドアックスの役割はきわめて重要だったため、大多数が模倣するようになる心理的バイアスによって、人間社会で固定化するようになったのであり、そうした模倣はのちに社会的規範や伝統になった」

しかしその後しだいに、イノベーションが目覚め始めた。16万年前までに、アフリカでは新しい道具一式が登場し始めている。石器の熱処理のような複雑なやり方が現われた。4万5000

年前までには、中東で新手の道具の急増が顕著になっており、加速そのものが次の数千年にわたってさらに加速し、その結果、ブーメランと弓矢が生まれた。

産業革命と同じように、人類革命も幻影であることが判明している。ヨーロッパはおよそ4万5000年前に新しい石器技術の躍進を経験したが、その理由は「追い上げ成長」を経験していたからにすぎないことがわかっている。第2次世界大戦後に韓国が急速に工業化したのと似ている。ヨーロッパの場合、追いつこうとしていたのはアフリカであり、そこではもっとずっと少しずつではあったが、もっとずっと前に、新しいテクノロジーが出現していた。

このことを2000年に最初に指摘したのは、人類学者のサリー・マクブレアティーとアリソン・ブルックスのふたりで、ヨーロッパにおける人類革命はヒトの脳の働きの変化を暗示するという説を、厳しく批判するなかでのことだった。「この考え方は、強いヨーロッパ中心主義的な先入観と、アフリカで見つかっている人類学的記録の深さと広さをきちんと評価していないことから生まれている」。人類革命を構成する要素の多くは、アフリカで何万年も前に出現していた。たとえば小型の石器や石刃、骨器、そしておそらく交易による道具の長距離移動もそうである。

なぜアフリカで「道具イノベーション」が始まったのか

オーケー。だが、なぜアフリカで、なぜその時期だったのか？　石器時代にこのようにイノベーションがゆっくり群発した起源を探し求めると、南アフリカ、とくにある洞窟群にたどり着く。ピナクルポイントは南アフリカ南東の海岸にあり、氷河時代にも最悪の砂漠環境にはならなかった場所にある。この海岸は、カラハリ砂漠が拡大して極度に乾燥したときにも、緑がかなり濃いままだった。当時、海水面はもっとずっと低く、洞窟は海より高かったが、海岸に十分近かったので、原人たちは住まいとして使い、魚介類の食事や道具の遺物を残している。

そのため、人類学者のカーティス・マリアンは数年前、とくにそこの洞窟に注目した。そして、16万年以上前、つまり現在の間氷期の前の間氷期にも、人間が住んでいた証拠を見つけた。さらに、推測より何万年も早く、人間の複雑な行動が始まっていた証拠も発見した。つまり、さまざまな専用の石器を取りそろえ、着色材料を使用し、道具を強くするために火を使用する、といった具合だ。ほかの地域では、もっとずっと遅くに初めて出現する類(たぐ)いのものである。人びとが魚介類を食べていた証拠もたくさん見つかった。

その一例が「細石器」の使用だ。これは大きな石塊から小さいかけらを削り取り、成形し、火を使って硬くすることによって、殺傷能力のある投擲(とうてき)武器の先端にしたものだ。マリアンはこれをピナクルポイントで、7万1000年前の洞窟堆積物から発見した。それが矢をつくるために使われたことを除外することはできない。もしそうなら、弓の発明はこれまで考えられていたより何万年も早かったということだ。あるいは槍投げ器も、もっと早くに発明されていたのかもしれない。「南アフリカに住んでいた初期現生人類には、こうした複雑な手段のテクノロジーを考案し、高い忠実度で伝えるための認知力があった」とマリアンは結論づけている。細石器のおかげで人間は、けがのリスクを負わずに遠くにいる動物を殺すことも、手で投げる槍が届く範囲内に敵が入ってくる前に、その敵を排除することもできた。テクノロジーがヨーロッパに到達したとき、その敵にはネアンデルタール人も入っていたかもしれない。

しかし、なぜ南アフリカ人はそんなに創造力に富んでいたのだろう？

マリアンの考えによると、ピナクルポイントでは次のようなことが起こっていた。アフリカのほかの地域では、食べ物はつねに突然現われるか、あるいはまばらに散らばっているかのどちらかだ。果物や実のなる木や、雨のあとに移動する動物の群れは、いきなり豊かな恵みをもたらすかもしれないが、長続きはしない。それに対して、塊茎や小さいレイヨウのように、すぐ近くにあるものはまばらにしか分布していない。そのため、狩猟採集民の生活は移動しやすい孤独な放浪生活でなくてはならない。集団は小さく、集団どうしの距離は離れている。そのような状況では、集団的頭脳は小さい――専門化や分業の余地はあまりない。そのような居住環境にいる狩猟採集民は、道具も文化も習慣も、ごくシンプルなままである。

しかしアフリカ大陸には、資源が豊富で、当てにできて、持続する場所が少しだけある。魚の捕まえ方、ワニやカバの殺し方、または鳥の撃ち落とし方を知っている人には、一部の湖がそうかもしれない。海岸もいいが、すべての海岸ではない。熱帯の浜と岩だらけの岸はあまり生産的ではない。潮の干満が小さく、流れが弱い地中海沿岸もしかり。しかし、栄養豊富な寒流がたくさんの魚、アシカ、甲殻類を運んでくる南アフリカの海岸では、珍しくいつでも豊かなビュッフェを楽しめただろう。

マリアンの考えでは、そのおかげで人間社会は密集し、定住性になり、そして縄張り意識をもったことで、イノベーションに乗り出したのだ。海岸での狩猟採集という生態的地位（ニッチ）を得たことで、人びとは海岸の特定区域を守るために、かなり大きな集団で定住することができた。保存食が充実し、ぜいたくな物質的文化が栄え、子孫が集結している「村」で生活していると、ライバルにとって急襲の標的となり、それが槍投げ器や弓の発明を促したのだ。昆虫のアリの場合も、分業をともなう高度な社会的行動は、固定的な巣の誕生と同時に起こっている。実際、時代錯誤の表現をすると、最初に弓をつくった者には、友人がたくさん魚を捕まえて「防衛予算」の一部として「研究費」を払っていたので、実験する時間があったのかもしれない。

人口密度が高いほどイノベーションが起きやすい

ここで再び、イノベーションと豊かさの相関に注意してほしい。イノベーションは現在富裕なシリコンヴァレーで盛んであり、ルネサンス時代の裕福なイタリア都市国家や、古代のギリシアと中国の都市国家で盛んだったように、そして農業が肥沃な川の流域で発明されたように、石器時代のイノベーションも、魚介類が豊富な場所のそばで始まった。

マーク・トーマスとユニヴァーシティ・カレッジ・ロンドンの同僚が２００９年に書いた論文は、上部旧石器時代のイノベーションはすべて人口統計学の問題だと論じている。高い人口密度は人びとが専門化できる環境をつくり出すので、必然的に人間のテクノロジーの変化に拍車をかける。

この考えを支持する最も衝撃的な証拠は、オーストラリアのタスマニアに見られるのだが、関係しているのはイノベーションではなく「脱イノベーション」である。1万年前、氷河時代が終わって海水面が上昇したせいで、島がオーストラリア大陸から切り離され、タスマニアの人びとは孤立した。彼らは欧米の探検家が到着するまで、事実上、外界との接触はないままだった。この長きにわたる孤立のあいだ、島の人口はおよそ4000人と少なく、技術イノベーションの兆しがほとんど見られなかったばかりか、じつは当初あったテクノロジーのいくつかを放棄している。結局、タスマニア島民には骨器も、防寒服も、柄付き道具も、網も、逆棘（さかとげ）付きの槍も、漁用の銛も、槍投げ器も、ブーメランもなかった。

２００４年に発表された重要な論文のなかで、人類学者のジョセフ・ヘンリックはこのことを説明するのに、孤立したときに「集団の有効な大きさ」が突然減少したことに言及している。タスマニア島民は、大規模な集団のごく一部から、小規模な集団の全体に変わったのだ。それはつまり、大勢の人びとのアイデアや発見を当てにできなくなったということである。スキルを学習する必要があるので、テクノロジーは小規模集団内の限定された専門化によってサポートできるまでに縮小した。

アイデアとアイデアが出会い、さらなるアイデアを生む

ここで注目すべきは（『繁栄』で論じたように）、15万年前より少し前に、ヒトは専門化と交換を介して、集団的・社会的頭脳に頼るようになっていたという考えだ。もしヒトを交換から切り離せば、彼らがイノベーションを行なう可能性は低くなる。

この考えを裏づける証拠は別の方面から出ている。太平洋に浮かぶ島の住民は、住む島がより大きく、さらに決定的なこととして、その島がほかの島と良好な交易関係を結んでいる場合に、より複雑な漁の技術を身につけているのだ。ヨーロッパに到着した現生人類の狩猟採集民は、交

換によって遠く離れた場所から物を手に入れることができたのに対し、ネアンデルタール人は地場の材料だけを使っていて、知らない人との交換はしていなかったようだ。もし遠いところの物資を手に入れられたのなら、アイデアも手に入れられた。そして現在も小規模な孤立した集団は、使うテクノロジーが単純で、イノベーションのペースが遅い。アンダマン諸島の島民は狩猟採集民の例であり、北朝鮮は工業国の例である。

もっと時代を下った歴史も同じ教訓を語っている。インド、中国、フェニキア、ギリシア、アラビア、イタリア、オランダ、そしてイギリスで、イノベーションはほかの都市と自由に交易した都市で盛んだった。アイデアが出会ってつがい、新しいアイデアを生み出せる場所だ。イノベーションは脳のなかではなく、脳と脳のあいだで起こる集団的現象である。そこにこそ現代世界が学ぶべき教訓がある。

私たちの脳は「加熱調理」によって大きくなった

蒸気機関やソーシャルメディアのようなイノベーションは文化を変える。火は1歩先を行って、人間の生体構造を変えたイノベーションだ。いつどこで火が発明されたのか、まだ誰にも確実なことはわからない。考古学的証拠に見られる手がかりによると、50万年前だったかもしれないし、200万年前だったかもしれず、起こったのは1度かもしれないし、何度もあったかもしれない。

しかし解剖学的証拠はかなり強力だ。ヒトは生(なま)ものを常食とすることはできず、その体は加熱した食べ物に適応していて、おそらくそうなってから２００万年近く経過している。それが暗示するのは火の制御だ。

現代には生もの（ローフード）を食べて生きていこうとする人もいて、その結果、いくら木の実と果物で腹を満たしても、体重は減ってばかりで、不妊と慢性的なエネルギー不足に悩まされる。ローフードの流行に乗っている――ほとんどの食べ物を生で食べる――人たち５００人あまりを対象としたドイツの研究は、「徹底したローフード食は適切なエネルギー供給を保証できない」という結論を出している。しかもこれは野生の食べ物ではなく、栽培化されて消化されやすい果物と野菜を食べている人たちのことだ。当然、そのような食事で元気に成長するチンパンジーがやるように、食べ物を探して精力的に森を動き回るわけではない。人間の消化管は、生の野菜、生の肉、生の木の実、生の果物から十分なエネルギーを引き出すように適応していない。

考えてみると、これはひどく妙な話だ。なにしろイヌのような家畜化された動物を含めて、ほかの種には当てはまらない。

世界と接触のある人間社会はいずれも、生態系がどんなに単純で特定の種に依存していても、食べ物を加熱調理する。アラスカのイヌイット族からアンダマン諸島のセンチネル族、そして南米のフエゴ島民まで、狩猟採集民社会はみな、料理用の火を中心に回っている。日中に生ものの軽食をとることもあるが、夕食を料理するためにたき火にもどる。リチャード・ランガムは、ドゥーガル・ロバートソン一家の例を語っている。一家は救命ボートで海を漂いながら、必要なだけのカメと魚を食べて、31日間を生き抜いた。彼らは生きていたがげっそりやせ、火の通った食事を夢想していた。さらに人間はほかの霊長類よりはるかに、腐った肉からの寄生虫や、野生植物に含まれる苦い有毒の化合物に弱い。私たちはまちがいなく加熱調理に適応しているのだ。

加熱調理は食べ物をあらかじめ消化する。デンプンをゼラチン化し、可消化エネルギーをほぼ2倍にする。タンパク質を変性させ、卵やステーキを食べることによって得られるエネルギーを約4割増しにする。外部に追加の胃をもつようなものだ。したがって、なぜ私たちの歯は小さく、胃も小さく、消化管はほかの霊長類に比べて体重あたりで半分ちょっとしかないのか、その理由は加熱調理で説明がつく。この小さな消化管を働かせるコストは少ない――ほかの霊長類とくらべて、人間が消化管を生かしておくのに燃やすエネルギーは1割少ない。そう考えると、料理用の火は私たちにエネルギーを供給するだけでなく、エネルギーを節約させてもいる。

レスリー・アイエロが述べているように、これはヒトの脳の拡大におけるきわめて重要なステップだった。首の上のエネルギーに飢えた器官を大きくするにあたって、初期のヒト科は肝臓と筋肉を犠牲にすることはできなかったが、胃と消化管を節約することはできて、実際にそうした。したがって、火を通す料理が大きい脳の実現性を解き放ったのだ。

大きい脳と小さい消化管への変化は、アフリカほか世界各地でホモハビリス（器用な人）がホモエレクトゥス（直立する人）に取って代わられた、200万年前の少しあとに起こったようだ。ただしホモエレクトゥスはホモハビリスに長期にわたって少しずつ取って代わったのであり、こうした呼び名は化石記録がわずかなのに、端的すぎて誤解を招きかねない。

最近まで、変化は食肉への移行によって説明されていた。しかしリチャード・ランガムは著書『火の賜物』（NTT出版）で、それは筋が通らないと主張している。なぜなら人間の消化管は、たとえばイヌとくらべて、生肉を消化するには不向きで、肉を食べるより（寒冷気候では）脂肪か（温暖気候では）炭水化物に大きく依存しているからだ。だから変化を説明するのは加熱調理だ、と彼は主張する。ホモエレクトゥスの出現で歯が小さくなり、骨盤が狭くなり、胸郭が広がらなくなった――すべてが小さい消化管を暗に示している。そのうえ脳の容積が大幅に増えた。

この考えに納得しない人もいる。とくに、脳のサイズは突然大きく変化したわけではなく、時間をかけてだんだんに大きくなったにすぎないことを、証拠が示している。20世紀のムーアの法則が、テクノロジーに変化はあっても、一定の価格で実現する計算力は少しずつ上がっていくことを示したように、化石記録によると、一連のヒト科の種は不連続であるにもかかわらず、脳のサイズは少しずつ着実に大きくなっているように見える。

ホモエレクトゥスはどういう経緯で加熱調理を発明したのだろう？　もちろん火は珍しくなかった。それどころか、特定の季節には、稲光で発火する野火は頻発していたにちがいない。チンパンジーはこの自然現象を受け流す。ホモエレクトゥスは、そのような火の周囲をうろついて、炎を逃れて走り出す小さい動物を捕まえることが習慣になったのか、それとも、火に包まれた生きもの――たとえばトカゲや齧歯動物、鳥の卵や木の実――の黒焦げはおいしくて、満足のいく食事になることを知り、それを探すようになったのか？　タカをはじめ、この類いの火事探しをする捕食者もいる。

ひょっとするとホモエレクトゥスは、動物の群れを引き寄せるために草を新しく生えさせようと、燃えさしを別の場所に運ぶことによって、意図的に野火を広げることが習慣になったのかもしれない。あるいは、夜に暖を取るために燃えている小枝を拝借し、そのとき初めて火で調理を始めたのかもしれない。火がオプションであって、たまに使われるか、ひとつの集団だけに使われている期間は、きっと長かっただろう。その集団にさまざまな調理法を試す研究開発チームがあったとは思えないが、ひとたび制御された火の使用が一般的になると、結局、人間の住む場所すべてで行なわれるようになった。

ホモエレクトゥスは、木に封じ込められていて燃焼によって解き放たれる、それまで哺乳類に利用できなかった形態のエネルギーの使い方を発見した。そうして人類は、それまでシロアリと菌類と細菌の領域だったエネルギー源を横取りしていたのだ。これは実質的に、何万年もあとの化石燃料の利用に匹敵する影響をもつエネルギー変革だった。

究極のイノベーションとは「生命」である

地球上の生命の始まりこそが最初のイノベーションである。原子とバイトが、エネルギーを利用して目的を達成できる、ありえない構造に初めて再配列されたのだ。エネルギーを利用した目的達成とは、車や会議にも当てはまる表現だ。

それが起こったのが、知的なものはおろか生きものがまったくいなかった40億年前だったことも、どこでどうして起こったのかについて、あまりよくわかっていないことも、そのイノベーションとしての地位を損ねることはない。要はエネルギーとありえなさであることはわかっており、どちらも現在のイノベーションにとって不可欠である。そして誰も生命の起源を「計画」しなかったという事実も、大事な教訓である。

あらゆる生きものが独特の方法でエネルギーをとらえて利用する。細胞が脂質膜の向こうにプロトン（水素イオン）をくみ出すことでエネルギー勾配をつくり、それが実際に仕事をするタンパク質の合成に燃料を供給するのだ。蒸気機関やコンピュータがやるように、細胞はエネルギーを仕事に変える。人間は生きているあいだ一瞬もたゆむことなく、体細胞の内側で生きているたくさんのミトコンドリアのなかで、膜の向こうに膨大な数のプロトンをくみ出す。このプロトン勾配の不具合こそ、まさに死の定義である。プロトンポンプを妨げるから、シアン化物は毒なのだ。死んだばかりの体は、どう見ても生きている体とそっくりだが、目に見えないスケールで、プロトンを膜の正しい側に保つ能力が突然停止している。

ユニヴァーシティ・カレッジ・ロンドンの生化学者ニック・レーンは、これがどれだけ異常であるかに気づいた最初の人物である。局所的にエントロピーに逆らうために、勝手にエネルギーを生み出して蓄えているように思える。それは生命がどこでどういうふうに初めて出現したかの手がかりかもしれないと、レーンは推測した。一種の化石痕跡である。

２０００年、大西洋中央海嶺の海洋底で、それまでなかったアルカリ性の熱水噴出孔が見つかった。ほかで発見されている酸性のブラックスモーカー噴出孔とは明らかに異なる。巨大な炭酸塩の煙突やタワーにちなんで「ロストシティ」と名づけられたその噴出域には、ニッケルと鉄硫黄でできた半導体の薄い壁の向こうにある細孔へと、プロトンが放散する構造があるのがわかった。この偶然のエネルギー勾配が有機分子の合成を可能にし、あるいは引き起こし、その分子が蓄積して相互作用を起こす。40億年前、ちょうどそのような細孔の内部で生命は始まったと、レーンは考えている。自然のプロトン勾配は偶然に生じ、複雑な分子の発生を推進した。そのエネルギーの源泉は、岩と液体に含まれる化学物質間の反応にあったのだ。

生命の始まりが1回だけだった——または、2回以上あったとしたら、ライバルの生命体は死に絶えた——ことは、同じ遺伝子コードがすべての生命体に見つかることで証明されている。このように、生命の始まりには偶然の組み換えによるイノベーションがあって、その結果はエネルギーの利用によるエントロピー低減だった。この表現は文明とテクノロジーのあらましでもあるので、人間のイノベーションは40億年前に始まったプロセスの続きにすぎないと、はっきり実感できる。ここに精神の不連続はかかわっていない。物質は、最初は完全に有機体の内部で、その後しだいに有機体なしに、どんどん複雑になってきた。ジェームズ・ラヴロックが近著『ノヴァセン』（NHK出版）で述べているように、この軌跡は継続しそうで、有機成分はまったく不要になると考える人もいる。ロボットが引き継いで、私たちは自分の心をコンピュータに転送するからだというのである。

第8章 イノベーションの本質

「自由は科学と徳の源であり、国家が自由であるほど、その両方にすばらしいものが生まれる」
――トマス・ジェファーソン

イノベーションはゆるやかな連続プロセスだ

本書で語ってきた物語が明かすイノベーションの歴史は、驚くほど一貫したパターンを示している。成功するイノベーションは、昨日のものでも2世紀前のものでも、ハイテクでもローテクでも、大がかりな装置でも小さな道具でも、リアルでもバーチャルでも、その影響が破壊的でもただ役に立つだけでも、たいていがおおよそ同じ道をたどる。

まず、イノベーションはほぼつねにゆるやかなものであって突然のものではない。「ピンときた瞬間」はまれで、たぶん存在せず、喧伝されている場合は、いろんな人が何度もあとから振り返り、長い時間をかけて用意したのであって、もちろん途中で何度も方向をまちがえている。アルキメデスが風呂を飛び出して「わかった！（ユーリカ）」と叫んだわけでないことは、ほぼ確実である。おそらく人びとを楽しませるために、あとで物語をつくったのだろう。

コンピュータの物語は幾通り（いく）にも語ることができる。ジャカード織機から始めたり、真空管から始めたり、理論から始めたり、実践から始めたり。しかし深く調べれば調べるほど、見つかるのは突然躍進する瞬間ではなく、小さな1歩1歩の積み重ねになりそうだ。この日より前にコンピュータは存在せず、以後には存在している、と言える日はない。ある猿人はサルで、その娘はヒトだと言えないのと同じだ。

だからこそ、火や石器や生命自体の起源のような無意識の「自然の」イノベーションを、現代のテクノロジーの発明につながる連続体の一部として語ることができるのだ。どれも基本的に同じ現象、すなわち進化である。自動車の場合、詳しく調べれば調べるほど、初期のバージョンは先行する古いバージョンのテクノロジー、たとえば荷車、蒸気機関、自転車などに似ている。人工のテクノロジーはほぼ例外なくゼロから発明されるのではなく、以前の人工のテクノロジーから進化するのだと、あらためて思い知らされる。これは進化系の重要な特徴、すなわち「隣接可能性」の段階への移行である。

私は誇張しているのかもしれない。なんだかんだ言って、１９０３年12月17日、ライト兄弟の「フライヤー」が空中に浮かんだ」瞬間があった。これはたしかに突然の大躍進の瞬間だったのでは？　いいや、大躍進にはほど遠い。物語を知れば、これ以上ないほどゆるやかだとわかる。その日の飛行は数秒しか続かなかった。ぴょんと跳んだのとさして変わらない。強い向かい風なしでは不可能だったし、その前の試みは失敗していた。その瞬間の前に、数年にわたる長くつらい研究、実験、学習があって、そのあいだに動力飛行に必要な要素すべてが、ゆっくり少しずつ集まった。

1893年に、オーストラリアの飛行実験の先駆者ローレンス・ハーグリーヴスが、彼の熱心な仲間は「自分たちの努力の結果を秘密にすることで、富が約束される」という考えを一掃しなくてはならない、と書いている。ライト兄弟のたぐいまれな才能はまさに、自分たちが漸進的でくり返しの多いプロセスにいるのだとわかっていて、最初の試みで飛行できる可能性があると期待しなかったことにある。そしてキティホークでのあの瞬間の前に、何年にもわたる長くつらい道のりがあり、調整と再調整をくり返してようやく、ライト兄弟は、数時間飛行機を空中にとどまらせる方法、向かい風なしでも離陸させる方法、そして方向転換と着地の方法を知ったのだ。飛行機の歴史を詳しく検討すればするほど、それがゆるやかに思えてくる。それどころか、離陸の瞬間そのものもゆるやかだ。車輪にかかる重みが少しずつ減っていくのだから。

このことは、本書でこれまで見てきた発明とイノベーションすべてに当てはまり、取り上げていないもののほとんどに当てはまる。二重らせんについても同じだ。1953年2月28日、ジェームズ・ワトソンが突然、2組の塩基対は同じ形をしていると気づき、フランシス・クリックが、これで鎖が逆方向に伸びていることの説明になると理解し、ふたりとも、線形のデジタルコードが生命の中心にあるにちがいないと考えた。これは明らかな「ピンときた瞬間」と思われるものをともなう発見だ。しかし、ガレス・ウィリアムズがこの偉業の経緯に関する著書『二重らせんの解明（The Unravelling of the Double Helix）』に、こう書いている。「これは長いあいだにダラダラと少しずつ明確になった発見のエピソードのひとつにすぎない」

多くの命を救った「経口補水療法」

経口補水療法は、この数十年で何よりも多くの命を救った医療イノベーションだが、これもまた好例である。1970年代のバングラデシュで、子どもが下痢(げり)による脱水症で死ぬのを止めるのに、大勢の医師が砂糖と塩の溶液を使うようになった。表面的には突然のイノベーションに見える。しかし歴史をよく調べると、そのアイデアに関して1960年代にフィリピンで行なわれた実験が見つかるし、その実験も1950年代のラットによる実験を下敷きにしていて、1940年代の点滴補水治療が少しずつ改良されていたことがわかる。

1967年に東パキスタン(現在のバングラデシュ)のダッカで、デイヴィッド・ナリン医師率いるコレラ研究所の研究者たちが、塩を含んだ混合物にブドウ糖を加えると、ナトリウム貯留が改善することに気づいたとき、実験的にちょっとした進展があったのはたしかだが、彼らは先行していた研究の手がかりを再発見して、それを本格的に試していただけだと言っていい。同じころにカルカッタで出された同様の結果が、研究結果を裏づけた。

それでもダッカの研究所は、そのアイデアを医師や救援活動者になかなか勧めようとしなかった。経口補水は多少役に立つが、点滴補水の代わりにはならないと結論づける専門家もいて、経口補水をすると消化管が飢えて衰弱するにちがいないというのが、世間一般の通念だった。そして1968年に(点滴が実用的ではなかった)東パキスタンの農村地域で経口補水を試す計画が議論されたとき、最初にフィリピンでブドウ糖の効果を発見していた研究者のロバート・フィリップスが強硬に反対した。

１９７０年代初めに、とくにバングラデシュの独立戦争中に、経口補水療法はコレラなどによる下痢の治療法として、ずばぬけて優秀だという真価を発揮していた。イノベーションの出現である。

それでも「偉人説」を信じたがる私たち

イノベーションがゆるやかな進化的プロセスであるなら、なぜこれほど頻繁に「革命」とか「大胆な躍進」とか「突然のひらめき」などと説明されるのだろう？　答えはふたつ、人間の本性と知的財産制度だ。本書で繰り返し示してきたように、突破口を開いた誰にとっても、その重要性を誇張し、ライバルや先達を忘れ、突破口を実用的な提案にした後継者を無視するのは、あまりに容易で、あまりに魅力的だ。

真の「発明者」の頭を飾る月桂冠には、たまらなく心引かれる。しかし突然世界を変えるものとしてイノベーションを描きたがるのは、発明者だけではない。ジャーナリストや伝記作家もそうだ。それどころか、発明とイノベーションはゆるやかなものだと主張する気がある人はほとんどいない。発明者を打ち負かすのに失敗して、ひどく失望しているライバルでさえ、例外ではない。

私が『進化は万能である』（早川書房）で論じたように、これはもちろん一種の歴史の「偉人」説である。つまり、歴史は特定の指揮官や聖職者や盗人などが、そのように起こすからこそ起こる、というのだ。これは歴史一般にほとんど当てはまらないが、とくにイノベーションの歴史には当てはまらない。ほとんどの人は自分の人生を客観的事実よりコントロールしていると考えたがる。断固たる独立した人間の行為主体性という考えは、気分がいいし慰（なぐさ）めにもなる。

そして国家主義（ナショナリズム）が問題を悪化させる。新しいアイデアをもち込むことが新しいアイデアの発明と混同されることはよくある。フィボナッチはゼロを発明していないし、アル・フワーリズミも、彼がそれを借用したほかのアラブ人たちも発明していない。発明したのはインド人だ。レディ・メアリー・ウォートリー・モンタギューは予防接種を発明していないし、彼女がそれを教わったオスマン帝国の医師たちも、おそらく発明していない。

しかし、英雄的な発明家の問題をこじれさせるのは、特許の存在だ。私は本書で繰り返し何度も、イノベーターたちが自分のイノベーションに関する特許を確保し守るための争いで、人生を台無しにしたことを示してきた。サミュエル・モールス、グリエルモ・マルコーニ、その他大勢が、自分の優先権に対する異議申し立てを退けようと、何年も法廷にかかりっきりになった。

範囲の広すぎる特許が認められることで、さらなるイノベーションが阻止されることもあった。たとえば、ニューコメンの蒸気機関が抵触した揚水に火を使用することに関するセイヴァリの特許や、数十年も改良の足手まといになったワットの高圧蒸気に関する特許だ。このあとの章で、知的財産権はいまや現代のイノベーションにとって助けではなく障害だという話にもどろうと思う。

イノベーションの本当の価値とは何なのか

1964年にレーザの物理に関する基礎研究でノーベル賞を獲得したチャールズ・タウンズは、好んである古い漫画を引用した。ビーバーとウサギがフーヴァーダムを見上げている。「いいや、ぼく自身がこれを建設したわけじゃない」とビーバーが言う。「でも、ぼくのアイデアがもとになっているんだ」

発見者や発明者は、すぐれたアイデアを出しても名声や利益にほとんどあずかれないという扱いは不当だと感じることが多いが、そのアイデアや発明を、実際に人びとの役に立つ実用的で手ごろな価格のイノベーションに変えるのに、どれだけ多くの努力が必要かを忘れているか、あるいは見落としているのだろう。

経済ジャーナリストのティム・ハーフォードは、「最も影響力の大きい新技術はたいてい地味で安い。たんに手ごろな価格であることのほうが、有機ロボットの魅惑的な複雑さより重要であることが多い」と主張している。彼はこれを、人びとが当たり前と思っている単純だが必要不可決のテクノロジーにちなんで、「トイレットペーパー原理」と呼ぶ。

フリッツ・ハーバーによる圧力と触媒を使って空気中から窒素を固定する方法の発見は、すばらしい発明だった。しかし、最終的に社会が支払える価格でアンモニアを大量生産できるようにしたのは、カール・ボッシュが長年にわたって、問題を一つひとつ克服し、ほかの業界から新しいアイデアを借用しながら、懸命に行なった実験である。

マンハッタン計画やニューコメンの蒸気機関についても同じことが言えるが、このルールが当てはまるのは大がかりな工業イノベーションだけではない。イノベーションの歴史で繰り返されていることだが、最大の変化を起こすのは、コストを抑えて製品を簡素化する方法を見つける人たちなのだ。予測していた人はほとんどいないが、1990年代に携帯電話が意外にも成功した理由は、物理学やテクノロジーの特定の躍進ではなく、突然の価格下落だった。

1942年にヨーゼフ・シュンペーターはこう言っている。

十分な数のロウソクを買い、それに気を配る使用人に払えるくらいのお金をもっている人にとって、電灯の恩恵はそれほど大きくない。安価な布、安価な木綿やレーヨンの生地、安価なブーツ、安価な自動車などは、典型的な資本主義的生産の功績であり、一般に金持ちにとってそれほど意味のある改善ではない。エリザベス女王は絹の靴下をもっていた。資本主義の功績は、女王に絹の靴下をたくさん提供することではなく、着実に労力の量を減らすのと引き換えに、それを女工たちの手の届くものにすることにあるのだ。

イノベーションはセレンディピティであることが多い

「セレンディピティ」とは、1754年にホレス・ウォルポールが、行方不明だった絵画を見つけ出した経緯を説明するために生み出した言葉である。彼はそれをペルシアの童話「セレンディップの3人の王子」から引いた。ウォルポールが手紙に書いているように、その童話のなかで賢い王子たちは「もともと探していなかったものを、偶然に深い洞察力によって発見するのがつねだった」という。それはよく知られたイノベーションの特性である——偶然の発見だ。

　ヤフーの創立者もグーグルの創立者も、検索エンジンを求めて起業したわけではない。インスタグラムの創立者はゲームアプリをつくろうとしていた。ツイッターの創立者は人びとがポッドキャストを見つける方法を考案しようとしていた。

　１９３８年にデュポンでロイ・プランケットがテフロンを発明したのはまったくの偶然だった。彼は冷却液を改良しようと、大量のテトラフルオロエチレンガスを塩素処理するつもりで、シリンダーにドライアイスの温度で保管した。ところがシリンダーを開けたとき、中身が全部は出てこなかった。化学物質の一部が重合し、固体の白い粉末、ポリテトラフルオロエチレン（ＰＴＦＥ）に変わっていたのだ。冷却剤としては役に立たなかったが、プランケットはそれがどんなものか研究することにした。そしてそれは熱に強く、化学的に不活性だが、妙に摩擦が少ない、つまり汚れがこびりつかないことがわかった。ＰＴＦＥは１９４０年代のマンハッタン計画でフッ素ガスの容器として使われ、１９５０年代には焦げつかないフライパンのコーティングに使われ、１９６０年代にはゴアテックスの衣類として使われ、月に向かうアポロにも搭載された。

　20年後、ステファニー・クウォレクがやはりセレンディピティによって、やはりデュポンで、ケブラーを開発した。１９４６年に入社していた高分子化学専門の彼女は、つむいで繊維にすることができる新しい形の芳香族ポリアミドを偶然見つけたのだ。乗り気でなかった同僚を説得して、そのべとべとの繊維を織物にしてもらったところ、鋼鉄より強く、ファイバーグラスより軽くて、熱に強いことが判明する。防弾服への応用は少したって明らかになった。「予期しない出来事と、それを理解して利用する能力から生まれる発明もある」とクウォレクは語っている。

ミネアポリスの3Mに勤めていたスペンサー・シルヴァーは、強力で長持ちする接着剤を求めていたところ、代わりに弱くて一時的な粘着物質を見つけた。これは1968年のことだ。その使い道を誰も考えつかなかったが、5年後、アート・フライという同僚が教会の聖歌隊で歌っていて、聖歌集からしおりが落ちるのにいらついたとき、そのことを思い出した。彼はシルヴァーのもとに行き、小さな紙片にその接着剤を塗ってくれと頼んだ。手近にあったのは明るい黄色の紙だけだった。ポストイット付箋(ふせん)の誕生だ。

意図しない貢献を果たしたDNA型鑑定

次にDNA型鑑定の発明を取り上げよう。有罪判決において非常に有益であることが判明したテクノロジーだが、無実の罪を晴らすのにはさらに役立つ。実父確定や移民論争に広く応用されているので、1990年代には、DNAは予想外に医学の分野よりそれ以外の分野にはるかに大きな影響を与えたと言える。

人とその親族関係を鑑定するのにDNAを使う方法を発見したのは、イギリスのレスター大学の研究者アレック・ジェフリーズである。彼は1977年、遺伝子の突然変異を直接見つける方法を探し出したいと考え、DNAの変動性に取り組み始める。そして1978年、病気の診断を目的として、人のDNAの変異を初めて見つけた。彼はまだ、医学的な応用の観点から考えていたのだ。しかし1984年9月10日の朝、自分は何かちがうことを見つけていたと気づく。ラボの技師とその父母を含めて、異なる人から採取したサンプルはつねに異なり、したがって唯一無二であることが判明していたのだ。

数カ月後にはそのテクニックが、出入国管理局の決定に異議を唱えたり、実父を確定したりするのに使われていた。そして1986年、レスターシャー警察が学習障害をもつ若者、リチャード・バックランドを逮捕した。15歳の少女が殴られ、レイプされ、ナーボローの村に近い雑木林で絞め殺されていたのだ。バックランドは地元に住んでいて、犯罪の詳細を知っているようで、すぐに取り調べで自白した。事件解決のように思われた。

警察としては、3年ほど前にすぐ近くで起きていた、やはり15歳の別の少女がレイプされて殺された非常によく似た事件も、バックランドの犯行かどうか知りたかった。バックランドは否定している。そこで警察は地元の大学にいたジェフリーズに、彼の新しいDNA型鑑定が助けになるかと尋ねた。両方の遺体から精液が見つかっていたのだ。ジェフリーズは検査を行ない、明確な答えを返した。どちらの犯罪も同じ犯人によるものだ――が、それはバックランドではない。警察は当然のことながら、そんな新しい手法にもとづく結果を受け入れるのを嫌がったが、最終的には、ジェフリーズの証拠に照らしてバックランドを有罪とすることはできないと認め、彼は釈放された。したがって、バックランドはDNAによって容疑を晴らした最初の人物になったのだ。

警察はその後、地域に住む特定の年齢の男性全員に、血液検査を受けるように依頼した。8カ月後、5511人分のサンプルが集まった。しかし犯罪現場の証拠と一致するものはない。行き止まりだ。ところが1987年8月、ひとりの男性がパブでビールを飲みながら、検査を受けるときに職場の同僚になりすましたことを打ち明けた。それを立ち聞きした人が警察に通報する。パン屋でケーキのデコレーションをしていた27歳のコリン・ピッチフォークが、以前に警察といざこざがあったと言いわけして、友人に自分の代わりに検査を受けるよう頼んでいたのだ。警察はピッチフォークを逮捕し、彼はすぐに自白して、そのDNAは両方の犯罪現場のものと一致した。

かくして、法医学に初めて使われたDNAは無実の男性の容疑を晴らし、犯人に有罪判決を下し、そしておそらく数人の少女の命を救った。ジェフリーズが偶然に導いた道筋のおかげで、DNAはそれまで医学にもたらしていた変化よりはるかに大きな変化を、1990年代に犯罪捜査にもたらしたのである。

イノベーションとは「アイデアの生殖(セックス)」である

あらゆるテクノロジーはほかのテクノロジーの組み合わせであり、あらゆるアイデアはほかのアイデアの組み合わせである。エリック・ブリニョルフソンとアンドリュー・マカフィーが言うように、「グーグルの自動運転車、カーナビアプリのWaze、ウェブ、フェイスブック、インスタグラムは、既存のテクノロジーの単純な組み合わせである」。

しかし要点はもっと一般に当てはまる。ブライアン・アーサーは2009年の著書『テクノロジーとイノベーション』(みすず書房)で、この点を初めて主張した。「新しいテクノロジーは既存のテクノロジーの組み合わせで生まれ、(したがって)既存のテクノロジーはさらなるテクノロジーを生み出す」

私は読者のみなさんに、テクノロジーとアイデアの組み合わせでない（「自然の」の対語としての）技術的な物を、ポケットかバッグのなかに見つけてみろと言いたい。こうして執筆しているあいだに自分のデスクを見ると、マグカップ、鉛筆、紙類、電話機などが目に入る。マグカップがたぶん最も単純な物だが、それでもロゴがプリントされた光沢仕上げの陶器であり、粘土を焼く、釉薬（ゆうやく）をかける、プリントする、取っ手をつける、容器のなかに茶かコーヒーを入れておく、といったアイデアが組み合わされている。

組み換えは、自然淘汰が生物学的イノベーションを起こすときに活用する、変異の主原因である。そして、組み換えをもたらすのはたいがい「生殖」だ。雄（おす）が遺伝子の半分を胚に提供し、雌（めす）も同じことをする。それが組み換えの形式だが、次に起こることはさらに重大である。その胚は、精子と卵細胞をつくる段になると、遺伝子の乗り換えと呼ばれるプロセスで、父親のゲノムの一部を母親のそれの一部と交換する。遺伝子のトランプをシャッフルして、次世代に伝える新しい組み合わせをつくり出すのだ。生殖によって進化は累積的なものになり、生きものは良いアイデアを共有できる。

これが人間によるイノベーションと似ていることは、明白すぎるほど明白だ。私が10年前に述べたとおり、アイデアが生殖（セックス）するとき、イノベーションが起こる。人びとが出会って、物やサービスや考えを交換する場所で起こる。

これで、イノベーションが孤立している場所や過疎の場所ではなく、交易と交換が盛んな場所で起こる理由の説明がつく。つまり北朝鮮ではなくカリフォルニアであり、フエゴ群島ではなくルネサンス期のイタリアだ。さらに、中国が明王朝のもとで貿易に背を向けたとき、イノベーションの優位性を失った理由の説明もつく。１６００年代のアムステルダムや３０００年前のフェニキアで、交易の増大とイノベーションの爆発が同時に起こっている説明もつく。

太平洋の漁の道具は交易による接触が多い島ほど多様であるという事実や、タスマニア島民は海面の上昇で孤立したときにイノベーションの機会を逃したという事実は、交易と新しいものの開発の関係が密接かつ必須であることを示している。そもそもイノベーションが始まった理由も、これで説明される。10万年以上前に南アフリカで豊かな海洋生態系を開発していた高密度集団で始まったテクノロジーの爆発は、人びとがホモエレクトゥスはもちろんネアンデルタール人さえもやっていなかったような、交換と専門化を――理由はどうあれ――始めていたという事実によって引き起こされた。これはじつに単純な考えであり、人類学者がなかなか理解しようとしなかった考えだ。

進化論者は組み換えが突然変異と同じではないことに気づき始めており、そのことは人間のイノベーションにとって意義深い教訓である。ＤＮＡ配列は、転写の誤りや紫外線のようなものによる突然変異で変化する。こうした小さなミス、あるいは点変異は、進化の燃料である。しかしスイスの生物学者アンドレアス・ワグナーが主張したように、そんな小さなステップでは、生物が新たな強みの「頂上」を見つけるために、弱みの「谷」を渡る助けにならない。頂上に向かう途中でときに下る必要がある「坂」を上るのは不得意なのだ。つまり、点変異はすべて生命体を改良するはずであり、さもなければ淘汰されて消える。ワグナーによると、生命体がそうした谷を跳び越えるには、乗り換えによって、あるいはいわゆる可動遺伝因子によって、ＤＮＡの塊全体が突然移行することが必要だという。極端なケースが異種交配である。この数十年でイギリスだけでも、異種交配によって新しい植物の種が7種以上生まれている。北アメリカのハエスイカズラは、ブルーベリーとハエセッコウボクの交雑育種から生まれた新しい種である。

ワグナーは、「組み換えのほうがランダムな変異よりも生命を維持する可能性がはるかに――1000倍も――高い」という結論を支持する、数多くの研究を引用している。なぜなら、ゆるやかな変化では結果が悪くなる一方の場合に、働いている遺伝子全体、あるいは遺伝子の一部が、新たな仕事を与えられる可能性があるからだ。細菌は「遺伝子伝播のおかげで、広大な遺伝的背景の隅々まで、みずからを何百キロどころか何千キロも猛烈な勢いで放つ」ことができる。

同じように、ひとつのテクノロジーのイノベーションは、パーツをゼロからデザインするのではなく、ほかのテクノロジーから機能するパーツをまるごと借りる。自動車の発明者は、車輪やスプリングや鋼鉄を発明する必要はなかった。もしその必要があったら、これまでに機能する装置をつくり出していた可能性は低い。現代のコンピュータの発明者は、真空管のアイデアをENIACから、保存できるプログラムのアイデアをマーク1から得ていた。

イノベーションには試行錯誤が不可欠

たいていの発明家は、物事を「とにかく試すこと」を続ける必要があると知る。だから誤りへの寛容がきわめて重要だ。たとえば鉄道やインターネットなどの新しいテクノロジーができたばかりの数年は、財をなすより破産した起業家のほうがはるかに多いことは注目に値する。

第1章で紹介したハンフリー・デイヴィーはかつてこう言った。「最も重要な私の発見は、失敗から教わった」。トーマス・エジソンはひらめきではなく粘り強さによって電球を完成させた。彼とチームはフィラメント用の材料を6000種類も試したのだ。そしてこう言っている。「私は失敗したのではなく、うまくいかない方法を1万通り見つけたのだ」。ヘンリー・ブースはジョージ・スティーヴンソンが試行錯誤でロケット号を改良するのを手伝った。クリストファー・レイランドはチャールズ・パーソンズが試行錯誤でタービンの設計を完成させるのを手伝った。キース・タントリンガーはマルコム・マクリーンが試行錯誤によってコンテナを船にぴったりはめるのを手伝った。マルコーニは無線の実験で試行錯誤した。ライト兄弟は翼の断面の湾曲は深くてはだめで、浅くなくてはならないことを、墜落することで理解した。水圧破砕の先駆者たちは偶然に正しいやり方を見つけ、そのあといつ終わるともしれない実験によって、だんだんにそれを改良した。

「遊び」の要素も役立つのかもしれない。遊ぶことが好きなイノベーターのほうが、予想外のものを見つける可能性が高い。アレクサンダー・フレミングいわく、「私は微生物で遊ぶのが好きだ」。二重螺旋の共同発見者であるジェームズ・ワトソンは、模型を使った自分の研究を「遊び」だと表現した。グラフェンを発明したアンドリュー・ガイムは「遊び心がつねに私の研究のトレードマークだ」と言っている。

試行錯誤にもとづくイノベーションの卑近な例を紹介しよう。スタートアップのグロウス・トライブは小林尊(たける)の例を挙げている。2001年にニューヨークのコニーアイランドでホットドッグ早食いの新記録を打ち立てた人物だ。10分で50本を平らげた。細身で小柄な小林は、ホットドッグ早食いのチャンピオンには見えないが、その秘訣は、体系的な実験によって、ソーセージをパンと分けたほうが速く食べられるし、そのあとパンを水に浸すとすばやく食べられることを解明したのだ。それはルール違反ではなかった。

ホットドッグほど身近ではないが同じくらいわかりやすい例がある。ディック・フォスベリーはオレゴン州立大学の若いアスリートで、「フォスベリー・フロップ」を発明し、1968年のオリンピックで高跳びの金メダルを獲得した。もっと有力視されていたライバルたちは驚き、観客は大喜びした。彼は仰向けで頭を先にしてバーを飛び越え、首から着地したのだ。彼はのちに、このテクニックをきちんと身につけるために、何カ月も試行錯誤したと語っている。「科学や分析、思考、設計にもとづいたものではなかった。そうしたものはいっさいなかった。……どうすれば変えられるかについて考えもしなかったのに進歩し続けたので、きっとコーチは気が変になりそうだったたと思う」

このような事例を使って、アイオワ大学のエドワード・ワッサーマンは、ほとんどの人間のイノベーションは、インテリジェントデザインによってつくられたのではなく、自然淘汰におそろしく似たプロセスによって進化するのだと主張する。そしてバイオリンのデザインが時間をかけて少しずつ変わった経緯を示している。それは突然の改善の結果ではなく、標準から少し逸脱したものが、うまくいった場合には受け継がれ、うまくいかなければ受け継がれなかった結果である。この漸進的なやり方で、中央の穴は円形で始まり、そのあと半円形になり、次に細長くなって、最終的にf字形になった。ワッサーマンによると、このイノベーション観は生物学で自然淘汰が直面したのと同じ心理的抵抗に遭遇するという。

この見方によると、私たちがやることやつくるもの——たとえばバイオリン——は、効果の法則にしたがう変異と選択のプロセスから生まれる。世論とは対照的に、このプロセスには神秘性もロマンスもない。自然淘汰の法則と同じくらい根本的で普遍的だ。生命体の進化における自然淘汰の法則と同じように、人間の発明の進化における効果の法則の役割に対しても、根強い抵抗がある。

もし誤りがイノベーションのカギを握る要素であるなら、アメリカの最大の強みは、事業の失敗に対する比較的温かい態度から生まれる。アメリカのほとんどの州の倒産法は、イノベーターがシリコンヴァレーのスローガンどおりに「早くたくさん失敗する」ことを許してきた。一部の州では「家産差し押さえ免除」によって、連邦倒産法のもとで起業家が事業に失敗した場合でも、原則として家を保有できる。家産差し押さえ免除のある州のほうがない州より、イノベーションが多く見られる。

イノベーションは「協力」と「共有」を必要とする

「孤独な発明家」「一匹狼の天才」という誤った通念をぬぐうのは難しい。きわめて単純な物やプロセスでも、独りの人間だけでは理解できないことなどからもわかるように、イノベーションはつねに「協力」と「共有」を必要とする。

経済学者のレナード・リードは「私は鉛筆」という有名なエッセイで、単純な鉛筆も大勢のさまざまな人によってつくられることを指摘している。木を切り倒す人、黒鉛を採掘する人、鉛筆工場で働く人、マーケティングや経営をする人、さらには木こりや経営者が飲むコーヒーの栽培をする人もいる。この膨大な数の協力する人びとのチームのなかに、どうすれば鉛筆をつくることができるか、すべてを知っている人はいない。知識は頭のなかではなく、頭と頭のあいだに蓄えられているのだ。

イノベーションにも同じことが言える。それはつねに協力で起こる現象である（カササギフエガラスでさえ、大きな群れをつくっている場合のほうが、迅速に問題を解決する）。1人が技術的な突破口を開き、別の人がその製造方法を考え出し、3人目が普及するくらい安くする方法を練り上げる。全員がイノベーションプロセスの一部であり、イノベーション全体を達成する方法は誰も知らない。たまに、科学的な才能に恵まれ、なおかつ商売にも長けている発明家はいる——マルコーニが思い浮かぶ——が、そういう人も最初は他人を手本にするし、のちにも他人に頼っている。

より多くの事例を検討し、それぞれをより詳しく調べるほど、イノベーションがどれだけチームスポーツであるかが明確になる。農業における有名な「緑の革命」は、ノーマン・ボーローグの驚異的な努力と決意と意欲によって可能になったが、その物語を彼だけの業績として語るのは茶番だ。彼は短稈種（たんかんしゅ）コムギのアイデアをバートン・ベイルズから得て、彼はそれをオーヴィル・ヴォーゲルから、彼はセシル・サーモンから、彼は稲塚権次郎から得た。ボーローグはアジアでそのアイデアを売り込むという大変な仕事を、マンズール・バジュワやM・S・スマイナサンと分け合った。

テレンス・キーリーとマーティン・リケッツは、産業革命に関する最近の論文で、大勢の当事者がアイデアを自由に共有する集団的研究開発によって進歩したことが知られている、革新的産業の長いリストを示している。オランダ東インド会社の貨物船フリュート号、オランダの風車、リヨンの絹産業、イングランドの輪作、ランカシャーの綿糸紡績、アメリカの蒸気船用機関、ウィーンの家具、マサチューセッツの製紙業、ミシンメーカーどうしの特許プール、等々。この進歩のパターンは通例であって例外ではなく、イギリスが産業革命の主役になれたのは、さまざまな団体、クラブ、そして職工の協会が隆盛を極めたおかげだ。

「同時発明」はめずらしくない

たいていの発明は、競合する中立人どうしの優先権論争につながる。人びとは同時に同じアイデアを思いつくようだ。

ケヴィン・ケリーはこの現象について著書『テクニウム——テクノロジーはどこへ向かうのか』(みすず書房)で探り、発明または発見した人は温度計が6人、電信が5人、小数が4人、皮下注射が3人、自然淘汰が2人いるとしている。1992年、コロンビア大学のウィリアム・オグバーンとドロシー・トマスは、2人以上でほぼ同時に発明が行なわれた148の事例を列挙しており、そこには写真、望遠鏡、タイプライターも入っている。1886年にパーク・ベンジャミンが、「奇異なのは、きわめて重要な電気はおそらく発明されたわけではないのに、それを生んだ栄誉は自分のものだと主張する者が複数いることだ」と書いている。さらに時代をさかのぼると、ブーメランも吹管もピラミッドもすべて——農業と同じように——異なる大陸で別々に発明されていることが目を引く。

私は本書に、この現象の印象的な例をいろいろと記してきた。たしかに、結託や意識的競争が明らかな場合もある。しかしそれでも、ここに現実のパターンがある。同時発明は通例であって例外ではないのだ。テクノロジーのためのアイデアがたくさん熟して、いまにも木から落ちそうに思える。

最も驚きの例は電球である。その発明を21人がそれぞれ無関係に行なったのだ。ほかの人の仕事を少し嗅ぎ回った人がいたり、互いに協力したりした例もいくつかあったかもしれないが、概して、互いの仕事を知っていたという証拠さえなかなか見つからない。

同様に、1990年代にはたくさんの異なる検索エンジンが市場に参入した。1990年代に検索エンジンが発明されないことはありえず、1870年代に電球が発明されないこともありえなかった。それは必然だった。基本的なテクノロジーは、誰が活動していたにせよ、必ず世に出る状態に到達していた。

グーグル創業者が車に轢(ひ)かれても検索エンジンは登場していた

このことが教える教訓は、2つのパラドックスをもたらす。第1に、妙なことに個人は重要ではない。もし馬車が若いころのスワンやエジソンを轢(ひ)いていても、車がペイジやブリンを轢いていても、世界は電球や検索エンジンなしでは終わらない。ひょっとすると、もっと時間がかかり、見かけが少し変わり、名称はちがっていたかもしれない。しかしそれでもイノベーションは起こる。

少し手厳しく聞こえるかもしれないが、これは古今東西あらゆる科学者と発明家に紛れもなく言えることだ。ニューコメンがいなくても、1730年までに蒸気機関はまちがいなく発明されていた。ダーウィンがいなくても、ウォレスが1850年代に自然淘汰を理解していた。アインシュタインがいなくても、ヘンドリック・ローレンスが数年以内に相対性原理を導いていただろう。シラードがいなくても、20世紀のいつか、連鎖反応と原子爆弾は発明されていただろう。ワトソンとクリックがいなくても、モーリス・ウィルキンスとレイモンド・ゴスリングが数カ月以内にDNAの構造を把握していただろう——ウィリアム・アストベリーとエルウィン・バイトンは1年前にすでに主要な証拠を見つけていたが、それに気づいていなかった。

何がパラドックスかというと、まさにだからこそ、そのような業績はすばらしいのだということである。業績をあげるレースがあって、それに勝った人がいる。長期的には個人はあまり重要でないが、だからなおさら短期的には並はずれている。何十億というライバルに抜きん出て、その何十億人の誰でもやる可能性のある何かを発見する、あるいはつくり出す。

したがって、イノベーションは必然で個人は重要でないという私の指摘は、侮辱どころかじつは賛辞である。何十億人のなかで、新しい装置、新しいメカニズム、新しいアイデアの可能性を最初に理解する人間であるのは、どれだけすばらしいことか。それはおそらく、「モナリザ」や「ヘイ・ジュード」のように、ほかの誰にもできないことを達成するより、よほど奇跡的である。

イノベーションは予測できるのか

発明の必然性が抱える第2のパラドックスは、それでイノベーションは予測可能に思えるが、そうではないことだ。振り返ってみると、検索エンジンはインターネットの最大かつ最も有益な成果であることは、火を見るより明らかである。しかし、そうなることがわかっていた人はいるだろうか？　いいや。

テクノロジーは、振り返って考えればばかばかしいほど予測可能だが、予想しようにもまったく予測不可能だ。そのため、テクノロジーの変化に関する予測は、ほとんどいつもとてもばかげて見える。ひどい過大評価か、または同じくらいひどい過小評価のどちらかだとわかる。

デジタル・エクイップメント社の創立者で会長のケン・オルセンは、大成功を収めた「ミニコンピュータ」のパイオニアだった。この名称は、いまにして思えばおかしなことに大きな机サイズの一連の機械を指したが、1970年代にそれに取って代わられたコンピュータは、広い部屋ほどのサイズだったからだ。そのため、オルセン氏はコンピュータがもっと小さく、もっと安くなって、やがて家庭内に用途を見つけるかもしれないと予測しただろうと、あなたは思うかもしれない。ところが、パーソナルコンピュータ発売のわずか数年前にあたる1977年、ボストンでの世界未来社会会議のスピーチで、彼はこう言ったと伝えられている。「コンピュータを家庭に欲しがる人などいるわけがない」

同様に2007年、マイクロソフトの最高責任者だったスティーヴ・バルマーは、「iPho

neが大きなマーケットシェアを獲得する見込みはない。むりだ」と言った。スウェーデンの作家ヤルマール・セーデルベリが言うように、人は何かを理解したくないと思ったら、専門家になる必要がある。

ノーベル賞を受賞した経済学者のポール・クルーグマンは、1998年、インターネットの成長とドットコムブームの過剰宣伝に対して「なぜたいていのエコノミストの予測はまちがうのか」という記事を書いた。そしてさらにその主張を、自身がまったくまちがった予測をすることによって、劇的に実証した。

> インターネットの成長は、「メトカーフの法則」――ネットワークの見込み接続数は、関係者数の2乗に比例する――の欠陥が明らかになるにつれ、大幅に減速する。たいていの人には互いに言い合うべきことなどないのだ！ 2005年くらいまでに、経済に対するインターネットの影響は、ファックスと同じくらいだったと判明するだろう。

蓋を開けてみれば、人びとには互いに言い合うことがたくさんあった。人びとが望むことの予測は、たいていのイノベーターが得意とすることだが、学者はあまり得意でない。

しかし、テクノロジーの進歩を過小に予測している人だけでなく、過大に予測している人の言葉もよく引き合いに出される。1950年代、SF作家のアイザック・アシモフは2000年までに月に植民地ができると予測し、同じくSF作家のロバート・ハインラインは日常的な惑星間旅行を予想した。世界旅行のための超音速宇宙船や、家庭用の人型ロボット、万人向けのジャイロコプターを予想した人もいる。

イノベーションの「アマラ・ハイプサイクル」

私が思うに、イノベーションの予測に関する言説で最も鋭いのは、スタンフォード大学のコンピュータサイエンティストで、長いあいだ未来研究所の所長を務めた、ロイ・アマラにちなんで名づけられた「法則」だ。アマラの法則によると、人は新しいテクノロジーの影響を短期的には過大評価し、長期的には過小評価する傾向があるという。

ロイ・アマラが最初にそう考えたのが正確にいつなのか、はっきりしない。元同僚たちからは、1960年代半ばにはこの主張を始めていたと聞かされたが、もちろん、たいていのイノベーションと同じで、これにも先行するライバルがいた。人びとが同じようなことを1900年代初期にすでに言っていることがわかる。SF作家アーサー・C・クラークの功績だとされることが多いが、アマラがいちばんの称賛に値することはまちがいない。

事例はごまんとある。1990年代、インターネットについてひどく盛り上がる期間があったが、そのあと2000年のドットコム不況のころには、失望のうちに終わるように思えた。約束されていたオンラインショッピング、オンラインニュース、オンラインなにがしすべての成長はどこに行った？　10年後にはそこにあった。そして小売業界、ニュースメディア、音楽と映画産業、すべてのビジネスモデルを混乱させ、破壊した。しかもその様子は、誰の予測よりもはるかに過激だった。

同様に、2000年に最初のヒトゲノム配列が決定されたとき、無謀にもがんの根絶とオーダーメイド医療が期待された。10年後、当然の反動が起きた。ゲノム情報は医学にほとんど影響しないようだった。「ゲノム医療に何が起きた?」と問う記事も現われ始めた。それから10年がたち、状況は最初の過剰な期待とほぼ同じくらい有望に見え始めている。

MIT教授から起業家に転じたロドニー・ブルックスは、アマラ・ハイプサイクルの典型例としてGPSを引き合いに出している。兵士が戦場で補給を受けるために自分の位置を知ることができるように、1978年を皮切りに24基の衛星が打ち上げられた。1980年代、その計画は約束を果たすことができず、何度か中止されそうになる。失敗したかに思えた。しかし最終的に、軍はそれが優秀で信頼できると判断した。するとすぐさま民間の世界に波及し、いまやGPSはいたるところにあり、ハイカーにも、地図を読む人にも、農耕用作業車、船、配達トラック、飛行機、ほとんど誰にとっても欠かせなくなっている。

人びとに理解されるには「15年」かかる

アマラ・ハイプサイクルでいろいろと説明がつくが、初期の失望とのちの過小評価のあいだに、人びとが正しく理解する瞬間があるにちがいないと思える。最近ではそれが「15年後」だと私は考えている。人びとは最初の10年、イノベーションに過剰な期待をして、20年後には過小評価するようになるが、15年後を見るとだいたい正しく理解している。どうしてこういうパターンになるのかというと、発明が実用的で信頼できる手ごろな価格のイノベーションになるまで、何年にもわたって、その約束は果たされないままだからである。

アマラ・ハイプサイクルは、現在、人工知能の話にも見られるのではないだろうか。有望とされながらも、長いあいだ失望されてきたテクノロジーだ。グラフィックスチップ、新しいアルゴリズム、そして大量のデータのおかげで、ようやくＡＩは消滅の危機を脱したかもしれない。これまで学習する機械にまつわる爆発的な盛り上がりを終わりにしてきた「ＡＩの冬」は、今回は来ないかもしれない。

一方、ブロックチェーンはハイプサイクルの初期段階にあると考えざるをえない。短期的に効果が過大評価されているのだ。ブロックチェーンは中間業者を省き、信用性を高め、取引コストを下げる、スマートコントラクトの実現を期待させる。しかし、サービス経済の複雑なエコシステムのなかでは、ひと晩で実現できるわけがない。10年近くのあいだにブロックチェーンが達成したことや、失敗したブロックチェーン会社の数を考えると、一気に失望がわき起こるのはほぼ当然だ。フェイスブックのデジタル通貨「リブラ」は本物のブロックチェーンではなかったが、来たるべき状況の前触れだったことはまちがいない。なぜ消費者は、世界人口の3分の1が利用できて、インフレ誘発と政治家の税金欲にさらされない通貨に移行しないのだろう?

これがもっと当てはまるのは自動運転車だ。わずか数年以内に、トラックやタクシーやリムジンの運転手の仕事はなくなり、そのせいで失業者が増えるので、いまその問題に対処するために行動する必要があると考える人たちと、私はよく話をする。でも、その考えは時期尚早に感じられる。実際、自律走行車は可能だが、それはかなり限定された状況下のことで、現実的には人びとが考えるほどすぐに事態は変わらない。

たしかに、さまざまな運転支援機能は確実に実現する、というかすでに実現しているので、車は障害を検知して避けたり、高速道路を適度な速さで走ったり、縦列駐車をしたり、運転手に渋滞を警告したりすることはできる。しかし現実の世界はやっかいで、道路は混雑し、ルールやしきたりがあり、悪天候やへんぴな田舎道もあるので、性能を高めつつある運転支援から、自分の車がはるばる目的地まで行くと安心して、ハンドルを握りながら眠ることができるまでには、大きな飛躍が必要だ。

道路を走る乗り物の制御をすべてコンピュータに明け渡すのは、たとえば空中の乗り物の場合よりも、はるかに難しい問題だ。さらに、自動化された乗り物に合わせて道路回りのインフラ全体を設計し直す必要があり、もちろん保険市場の見直しも必要だ。こうしたことには時間がかかる。

私は自動運転車が生まれないと言っているのではなく、それに必要な時間と、途中で感じる失望が過小評価されがちだと言っているのだ。いまから10年後には、運転手のいない車に関する2010年代の誤った予測についてメディアで語られ、地球上にはプロの運転手がいまより減るのではなく増えている、そう断言する覚悟はできている。それから10年以上あとの2040年代には、状況は実際にどんどん変化しているだろう。この予測をしたことに喜びか恥ずかしさか、どちらかを感じられるくらい長生きしたいものだ。

イノベーションは「帝国」では生まれにくい

過去を振り返ってとくに目につくことのひとつが、「帝国」はイノベーションが苦手であることだ。裕福で教養のあるエリートがいても、帝政は発明をゆるやかに減少させ、それが最終的に帝国破滅の原因になる。エジプト、ペルシア、ローマ、ビザンチン、元、アステカ、インカ、ハプスブルク、明（みん）、オスマン、ロシア、そしてイギリスといった帝国はすべて、このことを裏づけている。

時が流れ、中央の力が保守化するにつれて、テクノロジーは停滞し、エリートは新しいものに抵抗し、資金は事業ではなく贅沢品、戦争、あるいは贈収賄に流れるようになる。帝国はアイデアが広まるのに適した事実上巨大な「単一市場」なのに、このありさまだ。

イタリアの最も創意にあふれた実りある時代はルネサンス期であり、商人が動かす小さな都市国家だったことが、イノベーションを促進した。ジェノヴァ、フィレンツェ、ヴェニス、ルッカ、シエナ、ミラノがそうだった。分割統治のほうが統一統治より良いことが判明している。古代ギリシアも同じ教訓を教えている。

１４００年代のヨーロッパは、もともと中国で開発されたテクノロジーである印刷をいち早く取り入れた。それが西ヨーロッパの経済、政治、宗教をすっかり変えた。当時ヨーロッパが政治的に分裂していたという事実は、確実に印刷が普及するうえで大きな役割を果たした。ヨハネス・グーテンベルク自身、仕事に就ける政治体制を見つけるために故郷のマインツを離れ、ストラスブールに移らなくてはならなかった。マルティン・ルターが印刷の起業家として大成功を収め、生き残ったのは、ひとえに、ヴァルトブルクで選帝侯の賢公フリードリヒ3世の保護を受けたからだ。ウィリアム・ティンダルは北海沿岸諸国に隠れながら、危険なほど反体制的で、芸術的に美しい、英訳版聖書を出版した。こうしたプロジェクトはどれも、中央集権の帝国では不可能だっただろう。

一方、オスマン帝国とムガール帝国は、3世紀以上も印刷を禁止することができた。ヨーロッパの縁にある偉大な文化都市であり、イスラム教徒だけでなくキリスト教徒もいる広大な帝国を治めていたイスタンブールも、新しいテクノロジーに抵抗した。その理由は、まさに帝国の首都だったからだ。

１４８５年、皇帝バヤジット2世の命令で印刷が禁じられる。１５１５年、皇帝セリム1世は印刷を行なったイスラム教徒を死刑に処すと宣言する。これは不道徳な同盟の結果だった。事業の独占を守ろうとする筆耕が、宗教の独占を守ろうとする聖職者と共謀し、帝国の当局に印刷を食い止めるようロビー活動をして成功したのだ。やがて外国人はオスマン帝国内で外国語の本の印刷を許されたが、それもようやく１７２６年のことだ。イスラム教に改宗したハンガリー人のイブラヒム・ムテフェリカが、宗教に関係のない本をアラビア語で印刷することを許可するよう、帝国当局を説得することができたからである。皇帝に支配されていた土地が、別々の政治的領土と別々の宗教に分割されていたら、印刷はもっと早く生まれ、もっと速く広まっていたと考えざるをえない。

中国でも、イノベーション爆発の時期は分権的政府の時期、すなわち「戦国」時代と一致する。

明をはじめとする強力な帝国は、イノベーションや、もっと一般的に交易や事業も実質的にやめさせた。18世紀の哲学者で歴史家のデイヴィッド・ヒュームは、すでにこの事実に気づいていた。中国は統一されたせいで新しいものを生み出すことに行き詰まったが、ヨーロッパは分裂していたおかげで勢いづいたのだ。

アメリカは例外に思えるかもしれないが、実際にはこの通例を実証している。アメリカの連邦制度はつねに実験を許してきた。一枚岩の帝国とはほど遠く、各州は19世紀から20世紀にかけて、さまざまな規則、税金、政策、そして慣習の実験室であり、起業家は自分たちのプロジェクトにいちばん適した州に自由に移動していた。最近は連邦政府が強くなり、それと時を同じくして、多くのアメリカ人が、なぜこの国は昔ほどイノベーションの動きが速やかでないのかと疑問に思っている。

イノベーションは「都市」で起きる

こうした分裂は、都市国家の成立につながるとき、いちばんうまく機能する。イノベーションを生み出すことにかけては、つねにそうした小国家、つまり単一の都市が支配する国がいちばんだ。少なくとも1000年にわたって、イノベーションは圧倒的に都市で起きており、とくに自治都市がそうだった。

サンタフェ研究所の物理学者ジョフリー・ウェストが、都市についてすばらしい発見をしている。都市は「べき乗則」とよばれる予測可能な数式にしたがって、だんだんに大きくなると気づいたのだ。つまり都市の人口から、ガソリンスタンドの数、電線の長さ、そして道路の距離だけでなく、レストランと大学の数や賃金レベルまで、驚くほどの精度でわかるということだ。

そしてじつに興味深いのだが、都市は大きくなるにつれ、必要な——人口1人あたりの——ガソリンスタンドの数や電線の長さ、道路の距離は減るが、大きくなるにつれて——人口1人あたりの——教育機関、特許、そして賃金は増える。つまり、インフラはほぼ線形のペースで増えるが、都市の社会経済的産物は超線形のペースで増える。このパターンは、ウェストと同僚が調べた世界中のあらゆる場所で当てはまっている。

この事実は会社には当てはまらない。会社は大きくなるにつれ、ある点を超えると効率が下がり、管理しにくくなり、イノベーションの力が落ち、無駄が多くなり、変わったものに寛容でなくなる。ウェストに言わせれば、だからこそ会社はしょっちゅう消滅するが、都市は消滅しない。デトロイトやカルタゴでさえ消えてはいない。シュバリスはまるごと消えた最後の都市だ——紀元前445年に。

「より少ない資源」で「より大きなパフォーマンス」を上げる

都市は大きくなればなるほど、ありえないものを生み出すためのエネルギー利用という点で、生産性が高く効率的になる。動物の体と同じだ。クジラはトガリネズミより体重の割に燃やすエネルギーが少なく、したがって長く生き、大きな脳をもち、複雑な行動をする。ロンドンはブリストルより人口の割に燃やすエネルギーが少なく、大きな集団的頭脳をもち、複雑に行動する。

経済全体に同じことが言える。したがって、資源が限られている世界で無限の成長は不可能、あるいは少なくとも持続不可能だと言う人はまちがっている。理由は単純。少ないもので多くをすることによって、成長は起こりうるからだ。

多くの「成長」はじつは縮小である。ほとんど気づかれていないが、今日、経済成長の主エンジンの源は、より多くの資源を使うことではなく、より少ないものでより多くを行なうイノベーションを利用することだという流れが急増している。より狭い土地とより少ない水からより多くの食料を産出し、より少ない燃料でより長い距離を移動し、より少ない電気でより多くの通信を行ない、より少ない鋼鉄でより多くの建物をつくり、より少ないシリコンでより多くのトランジスタを製造し、より少ない紙でより多くの情報を交換し、より少ないお金でより多くの靴下を買えて、働く時間は減ってパーティは増える。

「脱物質化」を始めたアメリカ経済

数年前、ロックフェラー大学のジェス・オーズベルが、アメリカ経済は「脱物質化」を始めたという、思いがけない事実を発見した。生産物1単位あたりに使われるものが減っているだけでなく、使われるもの全体が減っているのだ。人口は増え、生産される物とサービスは大幅に増えたにもかかわらず、２０１５年のアメリカの鋼鉄消費量はピーク時より15パーセント減少、アルミニウムは32パーセント減少、銅は40パーセント減少した。農家が使用する肥料は25パーセント、水は22パーセント減っているが、肥料の標的法と灌漑が向上したおかげで、食料生産量は増えている。エネルギーシステムでキロワット時間あたりに生成される（二酸化炭素、二酸化硫黄、酸化窒素の）排出物は減っている。２００８年からの10年で、アメリカの経済は15パーセント成長したが、エネルギー消費量は２パーセント減少した。

アメリカ経済が生み出す製品が減っているからではない。むしろ増えている。たしかにリサイクルは行なわれているが、それが増えているからでもない。イノベーションによって生み出された倹約と効率のおかげだ。飲み物のアルミニウム缶を例に取ろう。ヴァーツラフ・シュミル教授によると、１９５９年に初めて導入されたとき、標準的なアルミニウム缶の重さは85グラムだったが、現在は13グラムだ。

これには直感で理解できない意味合いがある。より多くの資源を使わなければ成長は不可能だと言う人たちは、単純にまちがっている。一定量の物を生産するために使われる資源の量を減らすことによって、生活水準をさらに上げることは可能なのだ。したがって、成長は無限に「持続可能」である。

19世紀の経済学者ウィリアム・スタンレー・ジェヴォンズは「エネルギーの節約はエネルギー消費の増加にしかつながらない」というパラドックスを発見し、それには彼の名前がつけられている。供給が安くなると、人はより多くのエネルギーを使うのだ。電気料金が安ければ、電灯をつけっぱなしにする。しかしアンドリュー・マカフィーの著書『モア・フロム・レス』（日本経済新聞出版）によると、多くの部門で経済はいまジェヴォンズのパラドックスを徹底的に検討し、省エネを積み重ねるようになっている。そのため同じ量の光をつくるのに、ＬＥＤの電気使用量は白熱電球より25パーセント少ないので、より多くのエネルギーを使おうとしたら、10倍も長い時間つけっぱなしにしなくてはならないが、それは起こりそうもない。

マカフィーの主張によると、石油、ガソリン、石炭、銅、金、鉛、水銀、モリブデン、天然ガス、銀、スズ、タングステン、亜鉛、その他多くの再生不可能な資源が、21世紀に入って早々に不足する可能性について、1970年代の多くの悲観的予測が、これほどみごとに誤りだと判明した理由のひとつが、脱物質化だという。「資源の乏しい宇宙船地球号が私たちを乗せて宇宙を突っ走っているイメージは説得力があるが、ひどく誤解を招きやすい。私たちの惑星は旅をする資源をたっぷり供給してくれている。とくに、私たちが脱物質化に向けてやり方をスリム化し、交換し、最適化し、濃縮しているからだ」

第9章

イノベーションの経済学

「アイデアはウサギに似ている。つがいを手に入れ、扱い方を覚えたら、あっという間に1ダースになる」

――ジョン・スタインベック

アダム・スミスの矛盾

経済理論の中心には、「イノベーション」という言葉が入るべき、おかしな穴がある。経済ジャーナリストのデイヴィッド・ウォルシュは『ポール・ローマーと経済成長の謎』(日経BP)のなかで、アダム・スミスは自分にも説明できない矛盾を生み出し、それが今日まで何らかの形で存続していることを指摘した。有名な「見えざる手」は、市場には徐々に均衡が生じるので、生産者も消費者もそれ以上得な取引をすることはできなくなる、という話だ。これは暗に収穫逓(てい)

減を示している。世界が製品の適正な価格に落ち着くので、それ以上利益は増えない。

一方、スミスの別の考えである「分業」には逆の意味がある――収穫逓増だ。スミス自身の例を挙げれば、待ち針の工場では労働者が作業を分配し、自分の作業について専門化とイノベーションを進めるので、集団としての生産性が上がり、それにつれて待ち針を製造するコストはどんどん下がる。生産者も消費者も、より少ないものからより多くを手に入れる。このように、最初のたとえは否定的な意見を意味するが、2番目は前向きだ。両方が正しいことはありえない。

スミスの足跡を追った経済学者たちはたいてい、収穫逓増と待ち針工場のことを忘れ、代わりに見えざる手にばかり注目してきた。デイヴィッド・リカード、レオン・ワルラス、ウィリアム・スタンレー・ジェヴォンズ、ジョン・スチュアート・ミル、アルフレッド・マーシャル、そしてジョン・メイナード・ケインズは全員、あからさまかどうかの程度の差はあれ、収穫逓減を信じていた。彼らは着実なイノベーションと加速する繁栄の時代を生きていたにもかかわらず、パーティはやがて終わると考えた。たとえばミルは、技術的進歩を無視してはいないが、説明しようともせず、いずれ消えると思っていた。マーシャルはこのパラドックスの解明に挑戦した。そして「スピルオーバー（波及）」効果、あるいは「正の外部性」という概念を考え出したが、これは計算を合わせる巧みな仕掛けにすぎない。

1928年、アリン・ヤングという経済学者がスミスの矛盾の問題を取り上げ、新しい道具、新しい機械、新しい材料、そして新しいデザインの発明には、分業も必要だったと述べている。言い換えれば、イノベーションは進んだ専門化の産物であって、別物ではないというのだ。しかし彼はその考えを掘り下げなかった。

１９４２年、ヨーゼフ・シュンペーターが、イノベーションは重要な現象であり、収穫逓増は無限かもしれないと主張する。「確かめうる将来、私たちは食料と原料の両方があり余る豊かさのなかで生きることになり、総生産量はどうすればいいかわからないほど制限なく拡大するというのは、きわめて確実な予測だ」。これは当時でも明らかに時代に合わない考え方であり、途中、ある程度まで事実に見えた時期もあったが、現在も時代に合っていない。たとえばケインズは、世界大恐慌は収穫逓減の到来と、減った仕事をもっと公平に分割する必要性の象徴だと考えた。やっかいなのはシュンペーターが数学を使いたがらなかったことであり、経済学はしだいに方程式崇拝のとりこになっていったため、シュンペーターはほとんど無視された。

１９５７年、ロバート・ソローが再びイノベーションを、経済理論のなかで見失われていた問題として取り上げた。ソローによると、それまでの経済成長のうち、耕される土地が増え、製造業で働く労働者が増え、投資に生かされる資本が増えたことで説明できるのは15パーセントにすぎない。残り、つまりこうした生産要因で説明できない85パーセントは、当然、イノベーションの結果であるにちがいない。

とはいえ、ソローのモデルでもイノベーションは、天からの贈り物のようにただ到来する。モデルの「外」なのだ。それがほかの場所ではなくその場所に、ほかの時期ではなくその時期に、出現する理由についての理論はなかった。

この贈り物の源泉を、のちにリチャード・ネルソンとケネス・アローは、政府の研究資金だと認識した。彼らの主張によると、民間部門は科学を生み出す人に利益をもたらさないので、イノベーションは流れに任せていると民間からは生まれてこないものだという。実業家は誰かほかの人のアイデアやイノベーションをまねするのは簡単だと思うのがつねで、知識の財産権を守ることができる囲い——特許、著作権、秘密保持——は不十分である。だから国がイノベーションにつながる知識を提供しなくてはならないというのだ。テレンス・キーリー教授が述べているように、これは現実世界で起こることを無視する象牙の塔の見方だった。

しかしながら、ネルソンとアローの論文の問題点は空理空論だということであり、1人2人の面倒な輩（やから）が経済学者の砦（とりで）から外をのぞいて、現実世界には民間から資金提供を受けた研究が——実際にはかなりたくさん——あるようだと気づいた。

1990年、ポール・ローマーという若い経済学者が、収穫逓増問題と知識の増加に興味をもった。ローマーが考え出した答えは、やがて彼のノーベル賞受賞につながる。彼はイノベーションを経済成長の源泉として、モデルの「内生的」因子にしようとした。別の言い方をすると、イノベーションを製品に仕立てた。つまり、経済活動の資源であるだけでなく生産物でもあるとしたのだ。

彼の決定的な主張は以下のとおり。新しい知識の特徴は非競合的であること、つまり人びとはそれを使い果たすことなく分かち合える。しかし部分的に排除的であり、つまり最初に見つけた人は、少なくともしばらくは、それを利用してお金を稼ぐことができる。人は新しい知識を（ハーバーとボッシュが鉄触媒でやったように）秘密にしておいたり、（モールスが電信でやったように）その特許を取得したりすることもできるし、（ほとんどのソフトウェア先駆者がやったように）ライバルをいつか出し抜くために「暗黙」知を利用することもでき、長いあいだそうしておいて、部分的独占で一気に利益を得られることもある。これは以前にはされていなかった重要な区別だ。知識は公共財であり、一時的には私的財でもある。知識はつくり出すのにお金がかかるが、採算が合うこともありうる。

イノベーションを主導するのは国家か

やや創造論〔訳注：全知全能の神が宇宙や生命をつくったとし、進化論を否定する考え方〕的なイノベーション観、具体的には、それは政府によるインテリジェントデザインの産物であり、したがって政府はイノベーション指導の産業政策を導入すべきであると主張するのが、最近とくにイギリスではやっている。この見方は経済学者マリアナ・マッツカートによる２０１４年の本『企業家としての国家』（薬事日報社）で擁護されており、同書によると、イノベーションのおもな源泉は「使命を果たす方向性」をもった政府による研究開発の支援だという。

私が思うに、この主張は説得力がなく、それに対する詳しい批判、とくにアルベルト・ミンガルディとテレンス・キーリーによるそれは説得力がある。

理由はこうだ。本書が実証してきたように、イノベーションは新しい現象ではない。19世紀以前に出現した人間の生活水準の劇的改善にも貢献した。しかし、この「大富裕化」の背後にあるテクノロジーとアイデアが、政府に負うところはほとんど、またはまったくない。19世紀、イギリスをはじめヨーロッパ諸国が新しい鉄道、鋼鉄、電気、織物、その他多くのテクノロジーを開発したとき、政府は遅ればせながらの規制や標準をつくる機関、または顧客としてのほかは、ほとんど役割を果たさなかった。

マッツカートはとくに鉄道を公的イノベーションの例として引き合いに出すが、１８４０年代のイギリスおよび世界の鉄道ブームは、良くも悪くも完全に民間部門の現象である。バブルとその崩壊のあいだに、富が築かれ、そして失われた。当時、イギリスの国家予算のほぼすべてが、防衛と、戦争で負った債務の返済に費やされており、使命を果たすものはおろか、そもそもイノベーションに費やされた予算はほとんどなかった。それでも鉄道は人びとの生活を変えた。小説家のウィリアム・メイクピース・サッカレーが次のように書いている。

あちらこちらの鉄道に
そして世界の進歩に感謝せよ
あらゆる鉄道株に感謝せよ
イタリアで、アイルランドで、フランスで
もう貧乏人は絶望しなくていい
どんな宿無しにもチャンスがある

経済史学者のジョエル・モキイアは、「長期的な経済成長の促進を意図的にねらう政策目標を、産業革命前およびその最中のイギリスで実証するのは難しい」と述べている。19世紀に国家の指導なしにイノベーションは起こりえなかったと論じるのは変な話で、それは20世紀にようやく起こったことだ。

アメリカにも同じことが言える。20世紀初めの数十年に世界で最も進歩した革新的な国になったが、１９４０年より前には、いかなる種類の研究開発にもたいした公的助成金はなかった。ごくわずかな例がその通則を裏づけるのに役立つ。たとえば、政府はサミュエル・ラングレーの動力飛行機製作のみごとな失敗に巨額の助成金をつぎ込んだが、ライト兄弟のすばらしい成功については、彼らが自分たちの正しさを証明したあとでさえ、完全に無視した。

似たような事例で、数年後の１９２４年、イギリスの新たな労働党政府は、大洋を横断できる飛行船の設計と建造をする必要があると判断した。当時、大洋横断は、乗客を運ぶ従来の重航空機にはできないと考えられていた偉業だったのだ。専門家は政府に、民間企業への委託を強く勧めたが、社会主義の政府は抵抗し、最終的に２種類のアプローチで制御実験を行なうことにした。民間が資金提供してヴィッカース社が建造する「Ｒ１００」と、公的資金によって政府が建造する「Ｒ１０１」だ。いかにも使命を果たすためのイノベーションである。

結果ははっきりしていた。Ｒ１００のほうが軽く、速く、完成も早かった。１９３０年夏、事故を起こすことなく、イギリス－カナダ間を往復飛行している。Ｒ１０１は完成が遅く、値段が高く、過剰設計で、動力不足で、ガス漏れに悩まされ、揚力を上げるために土壇場で急いで設計し直された。１９３０年10月、航空大臣を乗せてのインドへの処女飛行で、フランス北部までたどり着いたところで墜落し、乗船していた54人中、大臣を含めて48人が亡くなった。いまもウェストミンスターホールの飾り板が、48人の遺体が公開安置されている場所を伝えている。

Ｒ１００計画のエンジニアでのちに小説家になったネヴィル・シュートは、自伝『計算尺

(The Slide Rule)』で、この国営プロジェクトの失敗について酷評している。「R101の大惨事のとき私は31歳、高級官僚や政治家と仕事で初めて緊密にやり取りしたのは飛行船の分野でのことだったが、私は彼らが惨事を起こすのを目のあたりにしていた」

20世紀後半、国はたしかに大規模にイノベーションに出資するようになったが、ほぼすべての欧米諸国で、つぎ込まれる額が国民所得の10パーセントから40パーセントに上がったことを考えれば意外ではない。ミンガルディはこう言っている。「それほど顕著に増えていれば、いずれ公共支出がイノベーションを生む事業の近くに行き着かないことはありえない」

したがって、国が何らかのイノベーションを引き起こしたかどうかの問題ではない。問題は、ほかの当事者よりうまくできるかどうか、指導的にそれをするかどうか、である。私は本書で、さまざまなテクノロジー――コンピュータ、抗生物質、レーダー、核分裂さえ――が、平時に生まれて第2次世界大戦中に国に後押しされたが、戦争が勃発していなくても同じくらい早く、ひょっとするともっと早く開発されていたかもしれないことを示してきた。ただし核分裂は例外かもしれない。

インターネットの発展は政府の功績なのか

さらに、マッツカートが示している政府が資金提供したイノベーションの例は、指導的な事例ではなく、ほとんどが「スピルオーバー効果」の事例だ。政府が国防高等研究計画局(DARPA)のコンピュータのネットワーク化に資金提供したとき、意図的に世界規模のインターネットをつくり出すことを目指したとは、誰も主張していない。それどころか、インターネットがようやく軌道に乗ったのは、国防総省の手中を逃れて、大学と企業に活用されるようになってからのことだ。

さらに、パケット交換をはじめ、インターネットの主要テクノロジーの一部は公的機関に端を発しているとはいえ、ほかは民間部門で生まれた。TCP／IPプロトコルはシスコ社、グラスファイバーはコーニング社がもたらしたものだ。

マッツカートの指摘によると、現代のスマートフォンに不可欠のタッチスクリーンを支えるテクノロジーは、公立大学の博士号プロジェクト、具体的にはデラウェア大学のウェイン・ウェスターマンのプロジェクトで発明されたという。しかしそれはこのアイデアを役立つイノベーションに発展させるプロセスのごく一部であり、残りは民間部門で行なわれており、しかも指導的な投資の真逆、すなわち大学と学生によって選ばれたテーマを研究するための全米科学財団助成金だ。テクノロジーが最初に発明されたあとの発展を軽視しないよう気をつけなくてはならない。フーヴァーダムはビーバーの功績だとするのでないかぎり、そうした発展がイノベーションの大部分を占めるのだ。

マッツカートは、ロナルド・レーガンが始めた中小企業技術革新制度についても、民間部門における政府資金によるイノベーションの例として言及している。しかしミンガルディが指摘するように、これはイノベーション指導とは真逆である。このプログラムはただ、研究開発予算を1億ドル以上もつあらゆる政府機関に、予算の2・8パーセントを中小企業によるイノベーション促進に費やすよう求めているだけだ。

企業国家の例として、日本政府が引き合いに出されることがある。１９５０年から90年まで、イノベーション指導を背景に大きな経済的成功を収めたというのだ。しかしこれもまた虚像である。テレンス・キーリーによると、１９９１年まで日本政府による「研究開発への資金提供は20パーセント未満、意外なことに、国の科学教育への資金提供は50パーセント未満だった――政府による資金提供が研究開発で50パーセント、国の科学教育では85パーセントである平均的なＯＥＣＤ諸国との差が目立つ」。日本の奇跡は零細企業からなる広大なエコシステムに支えられた、民間企業の働きだったのだ。

一方のソ連は、企業国家の非常にはっきりした事例だった。さまざまな研究に中央から資金が供給され、事実上民間企業は許されず、その結果、輸送、食料、健康、あらゆる消費財部門において悲惨なほどイノベーションが起こらなかったが、軍事兵器は大幅に進歩した。

２００３年、ＯＥＣＤが企業国家論にとって不都合な論文を発表した。タイトルは「ＯＥＣＤ各国における経済成長の源泉」。１９７１年から98年にかけての成長に貢献した要因を体系的に再検討して、民間資金による研究開発の量は経済成長率に影響しているのに対し、公共資金による研究開発の量は影響していないことを明らかにした。これは衝撃的な発見であり、おそらく最善の説明は「クラウディングアウト（押し出し）」現象だろう。研究への政府支出は研究者のエネルギーを政府の優先事項に向けさせるが、それは業界や消費者の優先事項と一致しない可能性がある（ソ連の場合はとくにそうだ）。アメリカン大学のウォルター・パークの言葉を借りると、「公的研究支出にクラウディングアウト効果があって民間の生産成長に悪影響がおよぶ場合のように、公的研究の直接的影響はややマイナスである」。マッツカートは、「大手製薬会社が研究開発に費やす資金額を減らしているのと同時期に、国家はそれを増やしている」と書いており、このクラウディングアウト現象を認めている。

もちろん、民間からのインプットがあまりなくても、政府がきわめて重要なイノベーションをねらい、つくり出し、完成させることはできる。消費者にとって価値あるものはほとんどないし、実際には民間の請負業者をたくさん使っているが、たとえば核兵器がその例であり、月ロケット打ち上げもそうだろう。

ただ、それほど頻繁に起こることではなく、はるかに多くの発明と発見がセレンディピティとアイデアの交換によって生まれ、個人、会社、市場、そしてときには公務員として活動する人びとによって、推進され、牽引され、形づくられ、変換され、そして命を与えられる。政府がこのプロセスにおいて、指導的意図をもった主役であるように、というかそもそも主役であるように見せかけようとするのは、基本的に進化的な現象に対する基本的に創造論的なアプローチである。結局、核分裂の連鎖反応でさえ、1933年9月12日、ロンドンのサウサンプトン街で信号待ちをしていたひとりの失業中の難民、ジラルド・レオが、ふと思いついたとされる重要な洞察のうえに成り立っている。

そして政府が積極的にテクノロジーの邪魔をすることも多い。第11章でもっと深く掘り下げるが、携帯電話の例を見てほしい。アメリカ政府の規制は携帯電話の開発を何十年も妨げ、ヨーロッパ大陸は2Gネットワーク向け産業政策の採用を明らかにして、自分たちの規格にとらわれたせいで、すぐにアメリカに追い抜かれることになった。

政府ほどイノベーションが欠けているものはない

政府がイノベーションの源泉だという主張には、別の問題もある。その議論はほとんどつねに、政府が発明し、そのあと民間部門にスピンアウトしたと考えられているものに向けられる。しかしもしそうなら、初めて採用するのは政府内部の各機関ではないのか？　ところが政府の慣行や施設ほどイノベーションが欠如しているところはない。

ギャリー・ランシマンはかつてこう言った。もしダニエル・デフォーが『グレートブリテン島周遊記（Tour thro' the whole island of Great Britain）』を書いた1727年から3世紀後に生き返ったら、自動車や飛行機、高層ビル、ジーンズ、トイレ、スマートフォン、そして働く女性に対する驚愕を乗り越えたあと、なじみがあると思う唯一のものは、議会と官僚制だろう。あとは目が回るほど変わっている。議会は社会学的シーラカンス、つまり政治的古生代からほとんど変わっていない生きた化石だ。

これがすべて悪いわけではない――私たちはもっともな理由があって、伝統的な立法の方法を乱しにくくしている――が、政府から外部へイノベーションを生む社会については、ほとんど何も語っていない。

繰り返しになるが、こうしたことを、政府はイノベーションを刺激することができないとか、政府のやることはすべてほかの当事者のほうがうまくできるという意味に取るべきではない。広告会社の重役ローリー・サザーランドは、イギリス国家が高速ブロードバンドの拡張によって有益に推進したテクノロジーとして、ビデオ会議の例を引き合いに出している。時差がなくて、英語を話す、交通渋滞のひどい国は、そのテクノロジーから多大な恩恵を受けるからであり、さらに、その手のものは大勢の人びとが使うようになってはじめて真に役立つようになるのだが、そのネットワーク効果を、政府が団体価格を交渉して解き放つことができたからだ。ただ乗り問題ならぬ、ただ乗り機会である。そのような機会は、まちがいなく存在する。しかし、政府が独自に意図的に最新のイノベーションを引き起こしたという考えは虚構である。

イノベーションは科学の娘であるのと同じくらい科学の母である

科学がテクノロジーにつながり、それがイノベーションにつながるという考えは、政治家、ジャーナリスト、そして世間一般に広く受け入れられている。この「線形」モデルはほとんどすべての政策当局を支配しており、イノベーションの究極の促進剤として科学への公金支出を正当化するのに使われている。

そうなることもありえるが、発明から科学が生まれる例も、同じくらい頻繁に見られる。うまく機能するテクニックやプロセスが開発され、それに対する理解があとからついてくるのだ。蒸気機関が熱力学の理解につながったのであって、その逆ではない。動力飛行はほぼあらゆる航空力学に先行していた。動植物の育種は遺伝学に先行していた。ハト好きがダーウィンの自然淘汰に対する理解の基礎を築いた。金属加工が化学の誕生を助けた。ワクチン接種の先駆者は、どうして、なぜ、それがうまくいくのか、まったくわかっていなかった。抗生物質の作用機序が理解されたのは、実用化のずっとあとだった。

1776年、アダム・スミスは実践の優位性をよくわかっていた。彼はイノベーションを、「普通の労働者」による修繕や「機器の製作者の工夫」から発生するものと考えていた。そうした要素のほうが学問や研究よりもはるかに重要である。「機器の改良の一部は学者と呼ばれる人たちによって行なわれた」とはいえ、学問が産業から得てきたもののほうが、逆よりもはるかに多かったからだ。「近代に学問のいくつか異なる分野でなされた改善は、その大半が大学でなされたものではない」

たしかにこの数十年で状況は変化した。それでも1990年代にエドウィン・マンスフィールドがイノベーションの源泉を特定しようといくつもの会社を調査し、ほぼすべてが社内または業界内に端を発しているとわかった。（新しい製品と同じくらい重要な）新しいプロセスの場合、大学で始まったイノベーションは2パーセントにすぎなかった。たとえば、産業組織に関する考え方に、大学はほとんど貢献していない。

そして科学が新しい産業を実際に生み出すとき、たいていは互恵的効果がある。科学はテクノロジーの進展を助け、テクノロジーは逆に科学の進展を助ける。もっと最近の研究によると、特許の約20パーセントが大学の科学研究を引用し、特許の約65パーセントが科学的研究と何らかの関係があり、より基礎的な研究をする科学分野のほうが最終的に多くの薬や特許の認可にいたるという。しかしこれでもまだ、双方向関係とは対照的な線形のつながりを証明していない。

ボトムアップで科学的貢献がなされるケース

そう考えると、1953年のDNA構造の発見は、のちの実用面へ大きな意味をもつ純粋科学の好例である。これは表面的には線形モデルどおりだが、生物分子構造に関するX線結晶構造解析の開発に負うところも大きかった。その研究の一部は、羊毛の特性についてもっと理解しようとしていた織物産業によって始められ、資金提供を受けていた。そのためにウィリアム・アストベリーはリーズ大学で教鞭をとることになったのであり、この大学の化学部門は、カレス・ウィリアムズの言葉を借りれば、「基本的に織物業界に入ろうとする人にとっての花嫁学校」だった。そしてアストベリーの職は織物工名誉組合から財政支援を受けていた。アストベリーはフローレンス・ベルやエルウィン・バイトンとともに、X線を使ってタンパク質やDNAの構造を理解するようになった先駆者である。バイトンは実際、その構造を明かす写真を、レイモンド・ゴスリングとロザリンド・フランクリンより1年前に撮影していた――ただ彼がそれに気づいてさえいればよかったのだが。彼の写真とその意味がアストベリーに見逃されていたこともまた、史上最も悲しいニアミスのひとつだ。

同様に、本書第4章で述べたように、21世紀にCRISPR遺伝子編集の発明につながった業績の一部は、ヨーグルト業界の現実的な問題を解決したいという願いによって促進された。

私が言いたいのは、科学はつねにテクノロジーの上流にあると主張するのは誤りだ、ということである。技術的イノベーションを説明し、改良しようとする試みから、科学的理解が生まれることはよくある。

「線形モデル」という空論

「線形モデル」はじつは架空の議論である。政治家は執着するが、経済学者や科学者でほんとうに信じている人はいない。テクノロジーの歴史家デイヴィッド・エジャートンが主張しているように、それを考案したとされている人たちでさえ、支持していない。

たとえば、戦時中にアメリカ政府の科学顧問を務めたヴァネヴァー・ブッシュが1945年に書いた『科学――終わりなき辺境（Science: The Endless Frontier）』は、線形モデルのバイブルとされている。たしかにブッシュはこう書いている。「民間および公共の事業を推進する、新しい科学知識の流れがあるにちがいなく」、「現在はどの時代よりも、基礎研究がテクノロジー進歩の先導役であることはたしかだ」。しかし、彼はたしかに基礎科学そのものへの国家による支援を求める主張をしているが、その根拠は、そのような研究が政府でも産業界でも、応用研究ほど成長していなかったことにあった。ブッシュは、学問的科学がイノベーションの主たる源泉であるとも、新しい知識の主たる源泉であるとも主張していない。

当時のアメリカはほとんどのヨーロッパ諸国と異なり、連邦政府から基礎科学への支援がほとんどなかった。イギリスもまたフランスやドイツとくらべて、科学への公的支援が遅かったが、キーリーが述べているように、「大陸は市場に科学が足りないと考えたが、イギリスはそうは考えず、そして産業革命はフランスやドイツではなく、イギリスで起こった」。

イギリスの戦時科学指揮官だったヘンリー・ティザード卿は戦後、次のように書いている。「産業の健全性を回復するためにいちばん重要なのは、この国における研究全般の拡大ではなく、ましてや産業界の日常的問題からかけ離れた政府による研究の拡大ではない。いちばん重要なのは、すでにわかっていることを応用することだ」。だからこそ大勢のイギリス人の先頭を切って、いま国が研究力をイノベーション競争での成功に変換できないことを嘆いたのだ。

1958年、経済学者のジョン・ジュークスの有力な著書『発明の源泉』(岩波書店)は、科学がテクノロジーの源泉であるという考えに反論し、経済成長を刺激できると願って純粋科学に投資しないよう、政府に警告した。エジャートンは2004年に、率直にこう書いている。「私の主張は、『線形モデル』など、最も初期世代のイノベーションに関する学問的研究にさえ存在しなかった、ということだ」

ところが最近、科学が発明の母であり、これは科学に資金提供するための主要な理由であるという見解を採用する傾向が、政治家のあいだに強まりつつあることには、疑いの余地がない。私がこれを残念に思うのは、歴史を読みちがえているからだけでなく、科学の価値を下げているからでもある。

線形モデルを否定することは、科学そのものはもちろん、科学への財政支援に対する攻撃でないことはたしかだ。科学は文句なしに人間が生み出した最大の成果であり、どんな文明社会においても、豊かで熱心な支援に値するが、それ自体価値ある目標としてであって、イノベーションを促す方法としてではない。科学は種子ではなく果実として考えるべきである。

1969年、物理学者のロバート・ウィルソンは、素粒子加速器への財政支援に関するアメリカ上院での証言で、それは国防に貢献するのかと訊かれた。彼はこう答えた。「国の防衛に直接関係はありませんが、防衛する価値のある国にするのに役立ちます」

近年、純学問的な科学者に対し、納税者からの財政支援を正当化するために、研究を応用してできる副産物を示すよう求める傾向がある。率直に言って、スティーヴン・ホーキングにブラックホールの研究が企業活動に結びつくことを示してくれとか、フランシス・クリックに同様の理由でDNAの研究を正当化してくれと言うのは、ウィリアム・シェイクスピアやトム・ストッパードに、彼らの戯曲は経済成長に貢献することを示してくれと言うようなものだ。貢献するかもしれないが、それは重要な点ではない。

有人宇宙探査はイノベーションの試練に耐えていない

イノベーションは良いものとはかぎらない。結果的に有毒あるいは危険な産物をもたらすなら、害になるおそれもある。フリッツ・ハーバーは合成肥料を発明しただけでなく、塹壕内で使う有毒ガスも発明した。

イノベーションは一般人には役に立たないこともありえる。有人宇宙旅行はいまのところ、探査とエンタテインメントとして有益だとわかっている——月面着陸とアポロのミッションにもとづく映画は人類の文化にとってすばらしい——が、大きな経済的利益の源泉にはなっていない。たしかに、特定のテクノロジーの開発方法を理解するという観点では、いくつか副産物があったかもしれないが（ただし、その一例としての焦げつかないフライパンは虚像であり、現実はむしろその逆で、テフロンはアポロにとって欠かせなかったことが判明している）、そのような副産物が、もし同じくらい巨額の予算がつぎ込まれていたなら、ほかのベンチャー事業でいずれ生まれていたと言えないかどうか、確証は難しい。たとえば、ジェット推進研究所は、カメラ付き携帯電話、CATスキャン、LED、アスリート用シューズ、アルミブランケット、住宅断熱、ワイヤレスヘッドセット、フリーズドライ食品はすべて、宇宙旅行がなかったら実現していなかったものの例だと豪語する。なぜなら、その開発過程のどこかで、宇宙計画の関係者が貢献したからだという。これは不合理な推論であり、ひどく疑わしい主張だ。

この場合も、私は宇宙計画をとがめ立てしているのではない。11歳のとき、私の知識と想像力の世界を広げ、わくわくする瞬間を与えてくれたことを、ニール・アームストロングとアメリカの納税者にいまだに深く感謝している。しかし有人宇宙探査は、採算が取れる見込みというイノベーションの試練に耐えてはいない。その意味では芸術に近い。

人類の幸福に貢献するため、したがって助成金なしに普及するためには、イノベーションは2つの試練を克服しなくてはならない。個人にとって役に立たなくてはならないこと、そして何かの仕事を遂行するのに、時間、エネルギー、またはコストを節約しなくてはならないことだ。既存の装置より買うためのコストが高いのにメリットが変わらないものは、どんなに工夫が凝らされていても、成功することはない。宇宙での製造はコストがかかるので、この試練を突破することはないだろう。

イノベーションは「協力」を強める

イノベーションは人びとの生活に何をプラスするのだろう？　人類史の大きなテーマは、進む生産の専門化と進む消費の多様化の組み合わせだ、と私は論じてきた。私たちは時間をかけて、消費するものをますます多様にするために、1人あたりが生産するもの——「仕事」と呼ばれるもの——をますます狭めてきた。自給自足の農民とくらべて、ほとんどの現代人の仕事は変化に乏しいが、生活ははるかに変化に富んでいる。これは、生産するものしか消費しないほかの動物とは対照的だ。

歴史のつねとして、ローマ帝国の没落から世界大恐慌まで経済の悪化は自給自足への後退を特徴としている。それに対して、農業の発明からモバイルインターネットアクセスまで、経済的進歩は相互依存と協力の強化をともなう。その根源は自分が専門とするサービスを売ってほかのすべてを買うこと、つまり互いのために働くことである。イノベーションは「仕事」を狭めることと、ほかのすべてを広げることの両方を可能にしてきた。これを根拠に、生産の専門化や消費の多様化を進める新しいものは定着し、人を自給自足へと引きもどすものは定着しない、と予測するのは妥当だ。

ちょっと待った、でも、インターネットは逆のことをしたのでは？　そう言うあなたの声が聞こえる。旅行代理店に飛行機の予約をさせる代わりに、あなたはいま、それを自分でやる。タイピストに口述を書き取らせる代わりに、いまでは自分のキーボードを使う。でも、そう考えるときのあなたの視点は、中の上クラス、つまり旅行代理店や秘書などに手が届く人たちのものだ。インターネットはウェブサイトというかたちで、旅行代理店をすべての人にもたらした。スペルチェックや書式設定やグラフィックを装備したワープロプログラムというかたちで、「秘書」をもたらしたのだ。

だからこそいまでは1世紀前とちがって、群衆のなかで富豪を見わけるのが難しい、と経済学者のドン・ブードローは指摘する。こんどレストランに入ったら、隣のテーブルの人を見てほしい。その人は億万長者？　それはなさそうだが、どうしてわかる？　ボディガード、外に駐まっているリムジン、ジャケットについているプライベートジェットのロゴ？　それはすごい。すべて贅沢品だ。必需品はどうだろう？　健康な歯をしている？　脚は長い？　胴回りは大きい？　身なりはいい？　こうしたことはすべて、2世紀前なら当てはまった。現在はちがう。富豪でも似たようなスマートフォンを持ち、同じインターネットにアクセスし、同じようなトイレを使い、同じスーパーマーケットを利用する。

現在、欧米諸国の大半の人にとって、存在する不平等のすべてではないにしてもほとんどは、必需品ではなく贅沢品の話だ。少なくとも、昔、貧しい人びとは餓死または凍死し、明かりのような当たり前のものさえ手に入らなかった時代よりは、それが言える。だから金持ちは、ピンからキリまでの差に際限がないワインや不動産のような贅沢品について、あれこれ語る。ほとんど誰でも手に入れられるズボンや本のことは話さない。イノベーションのおかげで仕事の生産性が上がり、それによってみんなの生活水準が上がることで、その状況が実現したのだ。

「イノベーションが仕事を奪う」というおなじみの誤解

イノベーションが仕事を消滅させるという不安には長い歴史があり、1800年代初期のジェネラル・ラッドとキャプテン・スイングまでさかのぼる。1812年、ラッダイトと呼ばれる労働者たちが、織物産業への新しい機械の導入に抵抗して、靴下編み機を打ち壊そうとした。その呼称の由来は、真偽のほどはわからないが1779年に同じようなことをしたとされるネッド・ラッド、またの名をジェネラル・ラッドなる人物であり、労働者は彼にならって行動したのだ。1830年、農業労働の条件に抵抗して暴動を起こした労働者たちは、キャプテン・スイングと呼ばれる伝説上の指導者のもと、干し草の山を燃やし、脱穀機を打ち壊し始めた。これもまた、機械が生計におよぼす影響への抵抗だ。

経済学者のデイヴィッド・リカードは、「人間の労働力を機械類に置き換えることは、労働者階級の利益を大きく損なうことが多いと確信する」ようになったという。ところが地方に悲惨な状況が広がるどころか、機械の出現によって一般に農業労働者の賃金は増え、余剰労働力はすぐに、もっと可処分所得の多い人たちに商品を供給するための町での仕事に吸収された。

それでもテクノロジーが失業を引き起こすという考えは消え去らない。1930年、ジョン・メイナード・ケインズは、「技術的効率の向上は、労働吸収の問題に対処できないほどのスピードで進んできた」と懸念していた。1960年、アメリカで不況が失業増加を引き起こすと、タイム誌は「多くの労働問題専門家は、オートメーションの責任が重いとする傾向があり」、事態は悪化すると報告している。「さらに労働問題専門家が懸念するのは、オートメーションのせいで経済が十分な新しい職を生み出せないおそれがあることだ」

1964年にはリンドン・ジョンソン大統領が、イノベーションは仕事を消滅させるかどうか調査するために、テクノロジーとオートメーションと経済発展に関する全米委員会を設立していた。1966年2月の報告時までに、アメリカの失業率は3・8パーセントまで下がっていた。にもかかわらず委員会は、残っている仕事を公平に分かち合うための抜本的な対応を勧告した。たとえば最低所得保障、そして最終手段として政府による雇用だ。その理由は「人間からの協力がほとんど必要ない機械システムによる生産には無限の可能性がある」からだという。

要するに、イノベーションが仕事を奪うという考えは、いつの時代にも現われる。いまのところ、その考えはまちがっている。この2世紀にわたって、農業の生産性は劇的に上がったが、農業従事者は都市に移動して製造の仕事に就いた。そして製造業の生産性は急上昇し、大勢の人びとが工場から解放されてサービス業の仕事をするようになったが、それでもまだ大量失業の兆候はなかった。ロウソクは電灯に取って代わられたが、芯を切りそろえていた人たちは別の仕事を見つけた。何千万人もの女性が賃金労働者になったのは、洗濯機や掃除機のイノベーションが彼女たちを多くの退屈な家事から解放したことが、少なくとも原因のひとつだが、就業率は下がるのではなく上がった。2011年にオバマ大統領は、銀行の窓口係をATMのせいで消えた仕事の例として挙げた。彼はまちがっていた。現在、ATMが導入される前より多くの窓口係が雇用されており、その仕事はただ現金を数えるだけよりも面白い。私がこれを書いているいま、イギリスで労働年齢人口のうち有給雇用されている人の割合は、過去最高の76・1パーセントに達している。

オートメーション化で消えるリスクがある職は「9%」

現在、大勢の人たちを失業させる脅威と考えられているのは、人工知能のイノベーションである。今回はちがう、と言う人が多い。今回、人びとのライバルになるのは機械の腕力ではなく、その認知スキルであり、労働者に次の行き場はない。そう主張する学者や政治家に、私はこう答えることがある。それはつまり、いまおびやかされているのはあなた――そして弁護士や医者――のようなインテリであって、農業労働者、主婦、工場労働者ではない、ということだ。いくぶん手前勝手な議論が進行しているのである。

とくに影響力の大きかった研究はカール・フレイとマイケル・オズボーンによるもので、2013年に発表された。その結論によると、アメリカのすべての職の47パーセントは、「10年か20年」以内にオートメーション化される「リスクが高い」。しかしOECDがこの問題を再検討し、より適切なデータベースを使って、オートメーションのせいで消えるリスクがある職は、それほどひどくない9パーセントであり、しかもそれにともなってほかの仕事での雇用が増えると結論を出した。

しかしたいていは恐ろしいシナリオのほうが政治家とジャーナリストに人気がある。経済学者のJ・R・シャックルトンが述べているように「テクノロジー恐怖症のパニックのせいですでに政策当局は、既存の職に対する脅威とはほとんど関係ない理由でよく政治活動家が推進している、不透明な政策を検討する気になっている」。最近の調査では、アメリカ人の82パーセントが、次の30年間でロボットとコンピュータが「人間によって行なわれている仕事の大半をおそらく、または絶対にやるようになる」と考えているが、「私が就いている職種の仕事」をやるようになると考えている人は、37パーセントにすぎない。大いなる矛盾だ。

実際には、現在のイノベーションが仕事に影響をおよぼすにしても、それが異常に目まぐるしいとか、見境がないとか、脅威を感じるということはない。結局、アダム・スミスが指摘しているように、生産の目的は消費であり、仕事の目的は欲しいものを手に入れるのに十分なお金を稼ぐことだ。生産性の向上は、必要な商品とサービスを手に入れる能力の向上を意味し、ひいてはそうしたものを供給する人たちの仕事の需要増大を意味する。レストランのシェフ、ペットの獣医、ソフトウェアのエキスパート、パーソナルトレーナー、ホメオパシー医が失業せずにいられるのは、平均的な現代の労働者の高い生産性と、ひいては高い消費力のおかげである。

イノベーションは余暇を増やす

イノベーションはまったく新しい種類の職も生み出す。現在人びとが就いている職の大半は、ヴィクトリア朝時代の人にはまったく不可解に聞こえるだろう。ソフトウェアとは、コールセンターとは、客室乗務員とは、いったい何？

イノベーションは、ほんとうに大切だと思うことができるように、人びとを解放する。あなたは、飢えをしのぐために自分で野菜畑を掘り返し草取りをする代わりに、仕事に出かけて、店で野菜を買うことを選べる。それが可能なのは、あなたの仕事の生産性が高いからだ。ウォルター・アイザックソンはこう断定している。「科学の進歩は実用化されると、職を増やし、賃金を上げ、労働時間を短縮し、豊かな実りを増やし、娯楽や勉強のための余暇を増やし、過去には庶民の負担だった死ぬほど退屈な骨折り仕事をせずに生きるすべを学ぶための自由時間をつくる」

さらに、気づいていない人が多いのだが、オートメーションはじつは余分な余暇を生み出しており、私たちはその余暇を失業者に押しつけるのではなく、かなり公平に分配している。

こんな興味深い事実がある。１９００年、アメリカの平均寿命が47歳、人びとは14歳で働き始め、週に60時間働き、引退の可能性などなかったころ、平均的な男性が生涯のうち仕事に費やす割合は約25パーセント、残りは眠るか、家にいるか、子ども時代だった。現在、その数字は約10パーセントだ。なぜなら平均的な人は80歳くらいまで生き、人生の約半分を教育と引退生活に費やし、仕事に費やすのは1日の３分の1（24時間のうち８時間）、週の７分の５だからだ。半分の３分の1の７分の５はわずか12パーセントに満たない。数週間の休暇、何日かの病休、そしてクリスマスのような通常の休日を引けば、残りは10パーセントだ。しかも昼食時間を仕事として勘定している。

したがって、そう、社会全体が、イノベーションによって実現する高い生産性を利用して、みんなにもっと多くの余暇を与えることにしたのだ。ジョン・メイナード・ケインズが、欧米人はオートメーションの結果として週に15時間だけ働けばよくなると予測したとき、あるいはハーマン・カーンが、週４日勤務で休暇は年13週になると予測したとき、人が思うほど大幅にはずしたわけではなかった。

イギリスのシンクタンク、アダム・スミス研究所のティム・ワーストールが述べているように、「あなたは、あるいはほかの誰かは、自分が欲しいと思い描けるもので、実現には人間の働きが必要なものを、何から何までもっているだろうか？　いいえ？　まだ背中のマッサージや皮をむいたブドウが足りない？　それなら、まだ人間がやる仕事はひとつふたつある」。ロボットが、あなたの思いつくかぎりやってほしいことを――背中のマッサージやブドウの皮むきを含めて――文字どおりすべて、しかもあなたが稼ぐために働きに出る必要がないほど安くできるとしよう。いったい何が問題なのか？　欲しい商品やサービスを何でも無料で手に入れられる。それなら生活費を稼ぐ必要はない。生活費がタダなのだから。

もちろんこんなことは起こらない。なにしろ、あなたがやろうと考えつくけれどもロボットにできないことは、つねに存在し続けるし（あなたはあなたのためにロボットにテニスをしてもらいたいと心から思う？）、エネルギーが必要だという理由だけにせよ、ロボットが完全に無償になることはないからだ。しかしこれは有益な思考実験である。仕事はそれ自体が目的ではない。

大企業はイノベーションが下手

イノベーションはしばしば門外漢からもたらされる。これは組織だけでなく個人にも言える。ヨークシャーの一介の時計職人だったジョン・ハリソンが、船上で使える正確で安定した時計を製作することによって、経度をはっきり知る問題を解決したとき、経度委員会は長いあいだ真剣に取り合おうとしなかった。なぜなら、彼は科学界の重鎮ではなかったし、彼の解決法は先進の天文学を使うものではなかったからだ。トーマス・ニューコメンからスティーヴ・ジョブズまで、何人もの偉大なイノベーターはもともと家庭環境に恵まれず、時代に乗り遅れた田舎で育ち、豊富な人脈も輝かしい学歴もない人物だった。

規模という意味では真逆の巨大組織もまた、より革新的なスタートアップに破滅させられることが多い。IBMはマイクロソフトに、そしてマイクロソフトはグーグルとアップルに、不意を突かれた。コダックはフィルム業界で確固たる地位にあったにもかかわらず、デジタル写真を開発しなかった。代わりに、電子機器業界からの侵入者によって、自分たちのビジネスモデル全体が引き裂かれ、消し去られるのを、恐ろしさのあまり身動きできずに見守っていた。そして2012年に破産申告している。

実際には、この説明がすべて事実というわけではない。コダックはデジタル写真をちゃんと発明したのだが、既得権があまりに大きかったので、それを詳しく検討するのではなく、ただ消えていくことを願っていたのだ。1975年、スティーヴン・サッソンというコダックの若い研究者が、テレビ画面に表示できるようにカセットテープにぼやけた電子画像を記録する、ばかでかいカメラをつくった。彼はその発明に経営陣が関心を抱くよう努力したが、彼らはそれが高価で、実用性に欠け、品質が悪いと反対した。サッソンはニューヨークタイムズ紙にこう語っている。「プリント写真は100年以上前から使われていて、誰も文句を言っていなかったし、とても安価だった。それならなぜ、テレビで写真を見たい人がいるだろう?」

なぜ大企業はイノベーションが下手かというと、官僚的で、現状での既得権が大きく、顧客の関心や実態や可能性に注意を払うのをやめるからだ。したがって、イノベーションが盛んになる

ために は、門外漢、挑戦者、そして破壊者が足場を築くことを促すか、少なくとも許すような経済活動を行なうことが、きわめて重要である。それは競争への寛容さを意味し、歴史的にはほとんどの社会で驚くほどめったに見られない。歴史上つねに君主は、貿易会社に、手工業のギルドに、または国営事業に、独占権を認めることに終始してきた。

オープンソース運動

大企業にイノベーションを起こさせるきっかけのひとつが競争である。ウォルマート、テスコ、アルディのような企業が経営するスーパーは、この数十年、次々とイノベーションを顧客に提供してきた。バーコード、スキャナ、トラックからトラックへの直接積み降ろし、洗わないでいいサラダ、調理済み食品、自社ブランド製品、ポイントカード、等々。こうした企業が国営独占企業だったとしたら、イノベーションはもっと遅かったか、まったく起きなかったことはまちがいない。そして小売業界のイノベーションの多くは、業界の外から取り入れられている。企業は活用できる新しいテクノロジーに敏感なのだ。

大企業のなかには、競争に必要なイノベーションを実現するのに、社内の研究開発には頼れないと数年前に気づいた会社もある。プロクター・アンド・ギャンブル（P&G）がその好例だ。2006年にふたりの重役が次のように説明した。

2000年までに、われわれの「自分たちでつくり出す」モデルでは、高レベルの売上増を維持することができないことは明らかだった。新しいテクノロジーの爆発的発展は、われわれのイノベーション予算にさらにプレッシャーをかけていた。わが社の研究開発の生産性は横ばいで、イノベーション成功率――数字目標を満たす新製品の割合――は約35パーセントで停滞していた。

最高経営責任者のA・G・ラフリーは、全イノベーションの半分を社外から獲得することによって、P&Gの企業文化を変えようとした。この「オープンイノベーション」戦略が望ましい効果を上げ、新製品発売の成功率が回復したのだ。

オープンイノベーションの究極のかたちが、オープンソースのソフトウェアである。それはかつて業界のなかでも、世界には国境も財産権もいらないと考える共同体主義の理想家が集まる、ちょっと変わった自由奔放な領域だった。

1980年代、リチャード・ストールマンのフリーソフトウェア財団は、大企業が所有権を主張するソフトウェアに対する反逆を始め、ユーザーがイノベーションに貢献できるという考えに賭けた。彼はUnixオペレーティングシステムの地位に挑むためにGNU（Gnu's Not Unix［GNUはUnixではない］の略）を開発した。1991年、リーナス・トーヴァルズがGNUの機能を組み込んで、オープンソースのLinuxオペレーティングシステムを考案し、これがしだいにコンピュータ界を席巻し、スーパーコンピュータ市場を全面的に支配し、もっと最近ではグーグルのアンドロイド装置を通じて携帯電話市場に定着した。

2018年、IBMがオープンソースソフトウェア会社、レッドハットに約300億ドル払うと発表。アマゾンウェブサービスによるアマゾンのクラウド支配もまた、完全にオープンソースソフトウェアを基盤にしている。

このように、ソフトウェアの世界はイノベーションをオープンに無償共有する場所、つまりフェンスのない大草原になりつつある。その影響はイノベーションを阻むどころか促進してきたように思える。Ｌｉｎｕｘ財団は現在、何千というオープンソースのプロジェクトを主催し、「前代未聞のスピードとスケールでイノベーションを刺激するために、オープンソース開発の力を利用している」。

消費者自身による究極のオープンソースイノベーション

究極のオープンソースイノベーションは、消費者自身によって行なわれるものだ。マサチューセッツ工科大学のエリック・フォン・ヒッペルは、消費者によるフリーイノベーションは無視されている経済領域であり、イノベーションは生産者イノベーションによって動かされているという前提は誤解を招く、と主張する。彼の計算によると、何千万という消費者が、自分で使うために製品を開発したり修正したりするのに、年間何百億ドルも費やしているという。ほとんどがそれを自由時間に行ない、自由に他人と共有する。

彼は例として、糖尿病患者の血糖値をインターネットでモニターするテクノロジー、ナイトスカウトを挙げている。ナイトスカウトは糖尿病の子どもをもつ親たちが発案したものだ。デクスコムという会社が、皮膚パッチから血糖値を記録し、それをポケベルに表示するセンサを開発した。

2013年、ニューヨーク州リヴォニアのスーパーに勤めるソフトウェア技術者、ジョン・コスティックが、幼い息子が学校にいるあいだの血糖値を心配し、息子のデータをウェブ上で見られるように装置にハッキングし、そのあとソースコードをソーシャルメディア経由でほかの人たちと共有した。そのうちのひとりだった北カリフォルニアのエンジニア、レーン・デスボローも糖尿病の息子がいて、家庭用表示システムを設計し、ナイトスカウトと名づけた。それが次に南カリフォルニアの分子生物学者、ジェイソン・アダムズの目にとまり、やはり糖尿病の息子をもつ彼は、ナイトスカウトを使っている親のためにフェイスブックのグループを考えて構築した。

彼らがもっと早くオープンソースコードを公表しなかったのは、規制と知的財産権について心配したからにすぎない。この場合、利益を求めた人は誰もいない。こうした動向の最新の具体例は、患者自身によって設計・考案された、オープンソースソフトウェア搭載の糖尿病患者向け人工膵臓(すいぞう)である。

設計ツールのコンピュータ化と通信コスト低下のおかげで、かつては企業の研究所でなければできなかったことを、人びとが自宅でできるようになるにつれ、フリーイノベーションのチャンスは増えている。イノベーションが利益を出せるかという疑念に縛られることのないフリーイノベーターたちは、企業が手を出さないようなアイデアを探ることができる。

しかし彼らは利益を追っていないので、自分の発明について人びとに話そうと躍起になるとは限らず、拡散がなかなか進まない場合もある。フォン・ヒッペルによると、フリーイノベーションの成長を企業は見すごさず、いまでは消費者のアイデアを「採掘」しているという。たとえばサーフボードのメーカーは、サーファーが行なう改造を手がかりに、デザインをどうすべきか探っている。

フリーイノベーターはめったに特許や著作権を求めない。ということは、進んでアイデアを無料で共有するということだ。フォン・ヒッペルの同僚のアンドリュー・トランスは、慣習法と合衆国憲法に照らすと、言論の自由の権利のもと、個人はフリーイノベーションを行ない、そのイノベーションを利用し、開示して議論する法律上の基本的権利がある、と主張している。

それでも政治家は邪魔立てすることを思いとどまらない。勝手なコピーや「海賊行為」の取り締まりを目的とした1998年のデジタルミレニアム著作権法（DMCA）が、合法的に購入したソフトウェアにハッキングすることによってフリーイノベーターがイノベーションを起こす能力に、深刻な巻き添え被害をもたらしていると、トランスとフォン・ヒッペルは論じている。DMCAは事実上、著作権侵害の例外となる「公正使用」の余地を狭めた。トランスによると、法案を起草した人たちはどうやら、フリーイノベーションの存在も、もちろん法律がそれにおよぼしかねないダメージも、知らなかったようだ。

興味深いことに、トランスと動物学者の同僚リディア・ホッパーは、ヒトでない動物が熱中するイノベーションは、ユーザによる自分自身のためのフリーイノベーションだけだと指摘している。つまり、ヒト以外の世界には生産者と消費者のようなものはないのだ。

第10章 偽物のイノベーション

「大きな変化を起こすには、大きな失敗が必要である。もし失敗しないのなら、十分に行動していないのだ。思いきり行動するべきであり、それで失敗するのは問題ない」
——ジェフ・ベゾス

多くの命を犠牲にした「偽の爆弾探知機」

イノベーションはすばらしい奇跡を起こしてきたので、その周囲にいかさま師や流行を追う人、そして失敗者が集まることがあっても不思議ではない。その人たちは、特定のイノベーションをうまくいかないとわかっていて宣伝するか、うまくいくと無邪気に願っているのに成功しないか、どちらかである。

エンロンのことを思い起こしてほしい。オンラインでエネルギー取引を行なうプラットフォームに転換し、次に一般商品を取り扱う企業に変わろうとしたエネルギー会社で、1996年から2001年まで、6年連続でフォーチュン誌の「アメリカで最も革新的な企業」に選ばれた。ところが2001年末には、損失を帳簿外に隠していた不正経理が明らかになって破産した。株主の損失は740億ドルを超える。エンロンの経営陣は最後の最後まで、イノベーションの配当について、次々と大げさな約束を続けていた。

1990年代、カーディーラーときどきトレジャーハンターだったアメリカ人のウェイド・クアトルバウムは、「クアドロ・トラッカー・ポジティブ・モルキュラ・ロケーター」なるイノベーションの販売を始めた。行方不明のゴルフボールを見つけるのに役立つとされたゴファーと呼ばれる装置を、もっと見栄えよくしたものだ。クアトルバウムによると、彼のバージョンは薬物と爆発物を見つけるのにも使えるという。ベルトに装着する箱にピストル形のグリップが接続されていて、グリップには占い棒のような自由に揺れるアンテナがついている。

だまされやすい人は、揺れるアンテナは手の動きのせいではなく、何らかの信号の影響で動いているのだと信じてしまうかもしれない。コックリさんの背後にあるのと同じ思い込み、あるいは「観念運動性反応」である。それにしても、この装置がゴルフボールどころか爆発物や麻薬まで見つけられるなどという見え透いたペテンに、誰かが引っかかるとは想像しがたいが、引っかかった人がいたのだ。クアトルバウムは、この装置を薬物探知のために学校に売り込む数人のセールスマンを採用したが、そのあとFBIが介入し、判事はクアドロを偽物として禁止した。1997年、クアトルバウムと3人の共犯者は、3件の郵便詐欺罪と1件の郵便詐欺共謀罪で起訴された。彼らは法律の細かい解釈で無罪になっている。

ささいな出来事だが、すぐに状況はもっと深刻になった。会社の総務部長だったマルコム・スティグ・ローが保釈中に行方をくらまし、イギリスに渡ったのだ。そこで彼は同じものの新バージョンを売り込み、警察に販売した。そしてジム・マコーミックというイギリスの退職警官が代理店契約を結び、その後、自分でもっと大規模で高性能で高価なバージョンをつくることにした。2006年までに、マコーミックは苦労して何とか「ADE650」装置を製造するよう工場を説得することに成功し、アドバンスト・タクティカル・セキュリティ&コミュニケーションズ社と名乗っていた。すぐに装置は1台1万ドルで5台がレバノン軍に売れて、さらに8台の追加注文があり、まもなくほかの政府もあとに続いた。カネが転がり込んできたわけだ。

マコーミックにとっての大きなチャンスは、イラクが2003年以降、宗派間抗争へと突入したときに訪れた。イラク当局は彼の爆弾探知機を熱心に求め、最新バージョンの「ADE651」を5000台購入して、自動車爆弾を探知しようと道路の検問で使用した。しかし装置は機能せず、誤った安心感を与えたことが大勢の死につながったことはほぼ確実だ。マコーミックは儲けでエイボン川沿いのバースに300万ポンドの家、キプロスに別荘、さらにヨットや競走馬も買っている。ジャーナリストに詳しく調べられてから、最終的に彼は懲役10年を言い渡されたが、それでも「核四極子共鳴理論」なるものによって、装置は機能するのだと反論していた。

偽の爆弾探知機の話が気がかりなところは、詐欺であることはまちがいないのに、表面的な「イノベーション」の雰囲気のせいで、売れるくらい信頼できそうなものになっていることだ。人びとは単純な装置で爆弾を探知することが可能だと信じたかったから、偽のイノベーションに引っかかった。マコーミックは抜かりなく装置に高い値段をつけたが、安値だったら秘密がばれていたかもしれない。

幻のオンデマンド・ゲーム機

準備ができる前にイノベーションを発表する慣習も、欺瞞性はほんの少し低い程度である。その準備が整うことはないとわかっている場合さえあるかもしれない。

ティム・ロバーツという起業家が、2002年、インフィニウム・ラボという会社を設立した。のちに社名をふさわしいファントム・エンタテインメントに変更した。同社はゲームをロードするのにカートリッジやディスクに頼るのではなく、オンラインでオンデマンドのビデオゲームができる「革命的な新しいゲーム用プラットフォーム」の構築を約束した。パソコンゲームなら現行のものも将来出てくるものもできるという。熱心なゲームユーザーは2003年の製品発売を心待ちにしていた。

2003年8月に同社は、発売日は遅れて2004年初め、価格は399ドルになると発表した。発売日はその後2004年11月に、2005年1月に、そして3月、さらに9月に延期された。2006年8月、同社はその製品に関する言及をすべてウェブサイトから削除。その時点までに、証券取引委員会（SEC）はファントム社とロバーツを、見せかけの発表で株価を違法につり上げたとして告訴した。ロバーツはSECとの和解の一環で罰金を払い、会社役員になることの禁止に同意している。

これは典型的な「ヴェイパーウェア」、つまりソフトウェアの告知がほらを吹き続けるのだ。

顧客が競合他社の製品を買わないようにすることを企み、そのタイミングで行なわれることもあった。ヴェイパーウェアは1983年にエスター・ダイソンが考えた造語だ。

解決する自信のある問題を、最終的に解決する前に解決したと発表することは、それほど悪意のないものとして、ずっと前からあった。人に自信をもたせるために与えられる（無関係の）心理学的アドバイスにちなんで、「できるまではできるふりをしろ」とも言われる。トーマス・エジソンは、信頼できる電球など、まだできていない製品を発表することをいとわなかった。

そして率直に言って、現実に実現するまでイノベーションをでっち上げることは、長年にわたって、デジタル業界の先駆者たちにとっておおいに役立ってきた。しかし最近、それがある大きなスキャンダルを引き起こした。

シリコンバレー最大の捏造(ねつぞう)――「セラノス」事件

10代のころのエリザベス・ホームズには、信頼できないようなところはなかった。寝る間を惜しむくらい意欲的で勤勉な生徒であり、スタンフォード大学に入学する前から、中国語の学習や、さまざまな生物医学研究所での経験を始めていた。有力なコネのある家庭の出身だったが、早いうちから、自分の選んだ医療診断の分野を独自に歩むと決心した。

そして2003年、19歳でスタンフォードを中退し、会社を立ち上げた。その会社がセラノスであり、1滴の血液をもとに、スマートフォン並みの手軽さで、痛みのない低コストの積極的な健康管理を行なうという、すばらしい目標を掲げていた。彼女は指導教授だったチャニング・ロバートソンと、その下にいた博士課程の学生ひとりをセラノスに採用する一方、カリスマ性の力だけを頼りに、シリコンヴァレーの大物たちからベンチャーキャピタルで最初の600万ドルを集めた。事業計画は、血液検査を簡便かつ効率的に行なうこと。有望な起業家としてのキャリアにつながる確かなスタートだった。

彼女の計画の中心にあったのは特許を取得したイノベーションである。血液を採るための極微針のついたパッチと、分析して各個人の疾病マップを作成するシリコンチップだ。パッチは機能するものはおろか試作品さえまだ存在せず、チップもなかったが、シリコンヴァレーで情勢が変化するスピードからすると、すぐにもできるだろうと考えるのは妥当だった。ホームズは基本的に、ムーアの法則が自分の期待に応えてくれることに賭けていた。そして、できるまではできるふりをするのだ。

彼女のヒーローはスティーヴ・ジョブズである。彼はアップルで一見不可能なことを要求し、ノーという答えを拒否することによって、テクノロジーから奇跡をなし遂げた。彼女は自分の製品を「健康管理のｉＰｏｄ」と呼び、黒いタートルネックを着て、ケールのスムージーをすすり、しばしばスティーヴ・ジョブズへのあこがれを口にした。『スター・ウォーズ』のヨーダを引用して「やるかやらないかだ。試しなどない」が口癖だった。

しかしマイクロ流体力学における小型化は、半導体ほど容易ではないことが判明した。トランジスタはサイズが小さくなるにつれて信頼性が上がるが、血液診断検査は信頼性が下がる。ホームズはすぐにパッチをあきらめ、もう少し現実的なカートリッジのアイデアに乗り換えた。それで指先から採った少量の血液を特許を取得した「ナノテナー」に取り込み、分離し、特定の試薬で検査し、結果が研究所に伝えられる。彼女はエジソンという研究所に設置するロボットを、次にミニラボというその縮小版を開発した。分光光度計、血球計算器、等温増幅器が装備されている。彼女の目標は、血液検査業界を支配する企業が儲かる複占と対決し、それを打破することだった。

しかし装置はどれも機能するまでにはいたらず、その事実をセラノスはどうにかして、大勢の社員にさえ隠しておいた。幻滅した社員、解雇された社員が次々に去っていく。会社はライバルや特許侵害者に対する訴訟を起こし、その相手にはホームズの両親が家族ぐるみでつき合う友人であり、ＣＩＡでのキャリアと医療機器イノベーションにおけるキャリアを兼ね備えた、リチャード・フイシュも含まれていた。この裁判はやがてセラノスの主任研究員イアン・ギボンズの自殺につながる。ギボンズはホームズと彼の名で特許を取得した発明の大部分の責任者であり、会社のテクノロジーに関する懸念を表明したことで降格させられていた。彼はフイシュの特許侵害訴訟で証言した晩、薬を過剰摂取したのだ。

大物政治家やメディア王が太鼓判を押す

イノベーションはホームズの野心を満たすどころかそもそも実現さえしなかったにもかかわらず、セラノスはシリコンヴァレーの寵児(ちょうじ)になった。取締役には年配の大物政治家が顔をそろえ、最終的には元長官のジョージ・シュルツ、ウィリアム・ペリー、ヘンリー・キッシンジャー、上院議員のサム・ナンとビル・フリスト、そしてジム・マティス将軍も名を連ねた。こうした大物たちは誰もマイクロ流体力学のことなど知らなかったが、彼らの存在は見込み客に絶大な印象を与える。

２０１１年、セラノスはドラッグストアチェーンのウォルグリーンと契約を結び、おもに化学発光免疫測定法を使って、顧客の血液に１９２種類の迅速な検査を行なうための機械を、ウォルグリーンの店舗に設置した。革新的なテクノロジーのチャンスを逃すことを恐れるあまり、ウォルグリーンの経営陣は、セラノスの主張を調査するために自分たちが雇っていた専門家の懸念も無視したのだ。スーパーマーケットチェーンのセーフウェイは、顧客向けの健康センターを立ち上げる準備として、スタッフの血液検査に関してセラノスと提携する。セーフウェイの管理職たちが、検査結果が遅いうえに信頼できないと疑い始めたときも、彼らの心配はホームズに魅せられていた経営幹部によって退けられた。

同じころ、ホームズがマティス将軍を説得し、戦場でセラノスの血液検査を使うという軍との契約が結ばれたことで、セラノスの装置に関する規制上の状況について、ペンタゴンの専門家たちから質問を受けることになった。ホームズはマティスに、これは無礼だと苦情を言い、マティスは取締官をしかりつけた。そのあとこのプロジェクトは、セラノスが納品できなかったために引き延ばされている。それにもかかわらず、セラノスは装置が中東の戦場で使われていると豪語した。

さらに同社は、ジョンズ・ホプキンズ大学医学部がセラノスのテクノロジーを精査し、「斬新で信頼できる」ことを確認したと主張したが、実際にはジョンズ・ホプキンズに装置を納入すらしていなかった。セラノスの研究所を訪問したいと依頼した人たちは、何らかの言い訳で逃げられるか、他社製の従来の血液分析器しかない研究所を見せられるばかりだった。

それでも、資金と有名人の推薦は殺到した。１億ドル以上投資した人のなかには、ウォルマートを創業したウォルトン家、メディア王のルパート・マードック、そしてのちにアメリカ教育長官となるベッツィ・デヴォスもいた。

２０１４年までに、セラノスの時価総額は驚異の90億ドル——ウーバー以上——に達し、エリザベス・ホームズはビリオネアになり、ニューヨーカー誌で特集されている。バラク・オバマ大統領はグローバルな起業家精神の大使に彼女を指名し、ビル・クリントンはクリントン財団の会議で彼女にステージ上でインタビューし、彼女はヒラリー・クリントンの資金集めパーティを主催し、ジョー・バイデン副大統領は彼女の新しい研究所を開設して、「ＦＤＡが最近あなたがたの装置に好意的な見解をまとめたことを私は知っている」と言ったが、それはけっして事実ではなかった。セラノスの事業計画は装置を売るのではなく使用することだったので、連邦政府の規制をすり抜けたのだ。

投資家、取締役、顧客、そして批評家の意見は総じて、誰かほかの人が彼女のイノベーションがうまくいくことを確認したはずであり、そうでなければ彼女はまさかこれほどうまく資金を集められない、ということだった。まあまあな循環論法だ。

詐欺はゆっくりと生まれるもの

ホームズと彼女の右腕（そして秘密の恋人）だったサニー・バルワニが、最終的にどうなると考えていたかはよくわからない。ひょっとすると、自分たちを救うテクノロジーの真の飛躍を期待していたのかもしれない。

しかし、マイクロ流体力学の突破口が開けると望むことによって、彼女らはイノベーションの大事なルールを破っていた。解決できない場合に備えて、最初に最も難しい問題に取り組むことだ。途方もない「ムーンショット〔訳注：困難だが実現すれば変革をもたらす大胆で挑戦的な計画〕」イノベーション計画に特化しているグーグルの「X」チームは、これを「モンキー・ファースト（まずサルを）」と呼んでいる。もしプロジェクトの目標が、台に乗っているサルにシェイクスピアを朗読させることであるなら、話ができるようにサルを訓練するという難題を後回しにして、最初に台を考案するのはまちがいだ。

あるいはホームズとバルワニは、突破口はすでに開けていて、ふたりが解雇している社員が無能なせいで研究所から出てこないだけなのだと、自分たちに都合よく思い込んでいたのかもしれない。手前勝手な思い込みと崇高な理念の腐敗を見くびらないほうがいい。大義のためならどんな手段も許されると信じる傾向だ。

エンロンスキャンダルをよく知るニコール・アルヴィノは、セラノスの話に関連して次のように書いている。「詐欺は一瞬で生まれるわけではない。その発生はむしろ、ゆっくりできていくパンくずの跡のようなものであり、途中で下される一見害のない決断が少しずつ積み重なった結果である」。ほぼあらゆる複雑なものと同様、犯罪も進化する。

いずれにしろ、セラノスの物語はイノベーションの失敗の見事な事例だ。世間はイノベーションによってもたらされる奇跡的で破壊的な変化に慣れすぎているので、思い上がりに裏打ちされたとんでもない主張に疑いを抱くことを忘れる場合がある。

最終的に、セラノスの研究所長のひとりが会社を辞め、そこで起こっていることをおそるおそる、最初はあるブロガーに、そのあとウォールストリートジャーナル紙の事件記者、ジョン・キャリールーに内部告発した。

彼がキャリールーに語ったところによると、恐怖が会社を支配しており、ほとんどの検査に使われているのはシーメンスの機械であり、検査結果を出すのに十分な量にするため、血液サンプルを薄めているので、そもそも結果の信頼性が低下しているのだという。自社のエジソンで行なっている、甲状腺刺激ホルモンのような検査は、まともでない結果になっている。取締官はだまされていて、2カ所ある研究所のうち1カ所しか見せられていない。会社は技能テストのルールも破っていた。

最悪なのは、人びとは健康でないのに健康だと言われ、健康なのに健康でないと言われていたことだ。キャリールーはすぐさまこのことを確認するために、自分で検査を受けたところ、知らされた健康に関する警告4つはまちがっていて、従来の手法による分析と矛盾していた。キャリールーの調査に対して、セラノスは高額な弁護団を使って、彼の情報源だと判明している人およびそう推定される人の両方を脅迫し、威嚇する一方、ホームズへの取材を拒否した。

2015年10月、キャリールーの記事がウォールストリートジャーナルに出ると、ホームズは激しく否定した。キャリールーの主張は「現に科学的に誤りであり、経験が浅く恨みを抱いている元社員と業界の既存勢力による、根拠のない言い分にもとづいている」と、セラノスは断言した。キャリールーの情報源のひとり、タイラー・シュルツは、セラノスの弁護団や自身の祖父であるジョージ・シュルツからの強い圧力にもかかわらず、そして両親の財産40万ドルを弁護士費用につぎ込むことになったにもかかわらず、屈することを拒んだ。名乗り出る情報源も増えた。ルパート・マードックもまた、ホームズとセラノスの取締役会からの強い圧力にもかかわらず、そしてセラノスに巨額の投資をしていたにもかかわらず、ウォールストリートジャーナルを抑えることを拒んだ。

セラノス事件が残した教訓

暴露記事のあとついに、連邦政府の規制機関がセラノスに対して行動を起こし、「患者の健康と安全を大いに危険にさらす」検査業務の欠陥が発覚した。２０１７年、セラノスは投資家たちから起こされたいくつかの訴訟で和解する。２０１８年3月14日、証券取引委員会はセラノス、ホームズ、そしてバルワニを、「入念に計画された長年にわたる詐欺」で民事告訴した。6月14日、ホームズとバルワニは9件の電信詐欺罪と2件の電信詐欺共謀罪で起訴された。ふたりは無罪を主張し、裁判は２０２０年に始まることになっている〔訳注：新型コロナウイルス・パンデミックの影響を受け、２０２１年への延期が発表されている〕。

差し止められるまでに、セラノスは１００万人近くの血液を検査しており、大勢の人びとに誤った警告と誤った安心を与えたことはほぼまちがいない。しかも８０００を超えるウォルグリーンの店舗で、はるかに大規模にサービスを展開する予定だった。したがって、ほとんどジョン・キャリールーの調査だけで、健康上の大惨事を防いだことになる。キャリールーによれば、まだ学ばれるべき一般的な教訓があるという。「資金を得るために製品を誇大に宣伝しながら、真の進行状況を隠し、現実がやがて誇大宣伝に追いつくと期待するやり方は、テクノロジー業界で黙認され続けている」

現在、セラノスのやろうとしていたことの少なくとも一部を達成したと主張している会社もある。イスラエルのサイト・ダイアグノスティクス社は、マラリアを含めさまざまな病気の診断をするのに、指先から採取した血液を使い、機械視覚を用いて血液中の細胞を特定する。しかしセラノスの捏造事件のせいで、そのような会社が真剣に取り合ってもらうことは難しい。イノベーションの失敗はあとに焦土を残すおそれがあるのだ。

ノキアの誤算

イノベーションの失敗のほとんどは悪だくみではない。多くは世界を良くしようという誠実な試みから始まり、その目標を達成しきれないのだ。例として、携帯電話市場の歴史を検討してみよう。

携帯電話は、１９９０年代にとても小さく安くなって人気が出た瞬間から、たえまないイノベーションを経験してきた。電話機本体は小さくなり、バッテリーは薄くなり、信頼性は向上し、新しい機能が爆発的に増えている。２０００年、ノキアによって文字が表示される。２００５年、モトローラがカメラを組み込む。２００６年、ブラックベリーが携帯電話のメールを実現。２００７年、ｉＰｈｏｎｅがタッチスクリーンと音楽とアプリソフトをもたらす。スマートフォンのおかげで人は、カメラ、懐中電灯、方位磁石、電卓、ノート、地図、アドレス帳、ファイルキャビネット、テレビ、さらにはトランプまでも、所有する必要がほとんど、またはまったくなくなった。２０１６年には、私たちはサムスンのギャラクシーやｉＰｈｏｎｅ ６ｓで映画を鑑賞し、自撮り写真を共有し、ソーシャルメディアを見ていた。黒くて機能中心のものから、カラフルでおしゃれになった。

１９９０年代初期のレンガ並みの大きさから着実に小型化したあと、スマートフォンは再び大きくなったが、どんどん薄くなった。変化はたえまない。次の機種にアップグレードすることは、服のスタイルを替えるのと同じくらい自然に思える。

しかしノキア、モトローラ、そしてブラックベリーは、みな痛々しくも地に落ちた。

ノキアは１８６５年、水車場で木材から製紙を行なうパイオニアとしてスタートし、次に発電業者になり、そのあとブーツのような森林労働者向けの製品に転換し、それから早々と賢明にも携帯電話に飛びついた。同社は１９９２年から10年にわたる研究開発に４００億ドルを費やしたが、これはアップルやグーグルなど、業界のどの会社よりもはるかに多額だ。それだけの余裕があったのは、２０００年の資産が３０００億ドル以上あり、２００７年までに携帯電話の世界市場全体の40パーセントを手中にしていたからだ。研究開発に費やした資金は正しいアイデアを見つけ出した――アップル製品と同じように、ボタンがひとつだけでカラータッチスクリーンを装備した、スマートフォンとタブレットの試作品である。

しかしノキアは、アイデアを実用的な製品にするのに失敗した。会社が慎重で、ソフトウェア技術者チーム間で内紛が起き、さらには社内では音声電話部門が優位だったせいである。ノキアは、携帯電話がハードウェアではなくソフトウェア次第になるのには、まだ時間があると考えていた。要するに、自社の中核事業からいきなりではなく、ゆるやかに抜け出したかったのだ。

クアルコムの経営責任者ポール・ジェイコブスは、ノキアの場合、行動する前に考える時間がほかの機器メーカーよりはるかに長いと気づいていた。「われわれはノキアに、大きなチャンスと思われる新しいテクノロジーを提示した。そのチャンスにただ飛びつく代わりに、ノキアは長い時間、おそらく6カ月から9カ月も、ただそのチャンスを評価するのに費やした。そしてその時間がすぎたころには、チャンスはたいがいすぎ去ってしまった」。ノキアはブラックベリーと同様、iPhoneには明らかな限界があると考えていて、そんな限界をものともせずに、どれだけ革新的で人気のものになるか、わかっていなかった。マイクロソフトは最終的に、ノキアの携帯電話機事業をわずか72億ドルで買収している。イノベーションはたびたび自分の子孫を飲み込む。

2017年から19年ごろにかけて、スマートフォンのイノベーションは失速し始めた。人びとはアップグレードの必要性をあまり感じなくなり、売上が低迷するようになったのだ。世界販売台数はひたすら年20億台に向かいつつあったが、そこにはたどり着かず、おそらくこれからもたどり着かないだろう。提案される新しい機能はたいして役に立たないように思え、そのわりに提示される値段は法外だ。3Gへの移行は必須だった。4Gに進むのはありだと感じられた。将来の5Gは贅沢のような気がするし、いずれにしろ、そこに近づくスピードは予想より遅い。

2019年、ファーウェイが発売したメイトXは、8インチディスプレイを半分に折りたためるが、値段はなんと2600ドルだ。サムスンもギャラクシーフォールドを発表したが、試作品で画面が割れてばかりだったので、発売は延期された。このイノベーションの失敗は詐欺やいんちきのせいではなく、収穫逓減のせいである。ポケットサイズの機器で役立ちそうなものには限界がある。おおかたの考えに反して、人びとに望まれないかぎり、イノベーションが新しいアイデアを押しつけることはできないのだ。

イーロン・マスクの「ハイパーループ」は実現するか

2013年、自動車会社テスラの創業者であるイーロン・マスクが、「ハイパーループ」という新しい輸送システムについての声明を発表した。既存の都市間高速鉄道計画は、古い、高コストの、効率の悪いテクノロジーに頼っていて、そろそろもっと安全で、高速で、安くて、便利で、悪天候に影響されず、「持続的に自己動力供給」でき、地震に強く、沿線住民に悪影響をおよぼさない、新しい輸送方式を探すべき時期だという。

そしてその答えはチューブだ、とマスクは提案した。部分的に真空で、そこを28人乗りのバス(または「容器(ポッド)」)が磁気浮上により時速1200キロで疾走する。動力は太陽光発電で、バックアップ用リチウム電池を装備する。ロサンゼルスからサンフランシスコまで35分、建設費用は合わせて75億ドル、高速鉄道の10分の1だと、マスクは約束した。

車輪の摩擦も大きな負担だが、高速輸送をはばむ最大の要因は空気抵抗であるという点で彼は正しく、だからこそ飛行機は空気の薄い成層圏まで上昇し、ミサイルは宇宙空間に飛び込む。そして飛行機はある程度天候に左右される。しかし地上レベルで薄い空気をつくり出すのは、磁気浮上と同じようにコストがかかるうえに難しく、おまけにほぼ直線あるいは非常にゆるやかなカーブはさておき、チューブ内で加速してカーブを高速で曲がるのは危険をともない、慎重な技術が求められる。

マスクは自分がハイパーループを建造すると言い出したのではなく、ほかの人たちに達成してもらうオープンソースのアイデアとして投げかけたのだ。数カ月のうちに、アメリカ、中国、ヨーロッパ、その他世界各地で、さまざまなスタートアップがそのアイデアに取り組んでいた。ハイパーループ・トランスポーテーション・テクノロジーズが、カリフォルニア州キーヴァレーに12キロの試験軌道を建設した。

この夢を追いかけている起業家のほとんどは、現在、マスクが提案した空気を吸い込むファンではなく、ほぼ純粋な真空を考えている。コンサルタントたちは世界中のだまされやすい投資家に向けて、パワーポイントのプレゼンに磨きをかけている。実際には、ハイパーループは既存の輸送手段より低コストだとか、信頼できるという考えはばかげている。

ハイパーループの問題点

第1に、これはけっして新しいアイデアではない。1800年に早くもジョージ・メドハーストが、空気ポンプを使って馬車を進ませる「風成機関」の特許を取得しており、1812年には、「空気の力と速度によって、高さ1・6メートル幅1・5メートルのチューブを通る鉄の道で、貨物と乗客を迅速に運ぶ計画」を立てていた。

１８５９年、蒸気機関によって動かされる圧縮空気を使って、地下のチューブを通して時速96キロのスピードで郵便局から郵便局へ小包を送る鉄道を建設するために、ロンドン・ニュマティック・デスパッチ社が設立された。１８６５年までに、ユーストンとホルボーン間に最初の商用路線が開設され、記念に、会社の会長だったバッキンガム公を特別なカプセルに乗せ、チューブを通して送った。しかし財政と工学の問題が相次ぎ、小包がチューブのなかで詰まるようになった（さいわい公爵はこの運命を逃れたが）。１８７４年までに郵便局はこのシステムをあきらめ、会社はまもなく清算されている。

空気式旅客線はときどき試されたが、結果は同じだった。１８７０年にはアルフレッド・エリー・ビーチが、マンハッタンの通りの下を走る、1車両1停車場の大気列車を設計して建造している。目的はデモンストレーションであり、空気の力で押される車両で乗客を終点まで運び、すぐに出発点にもどる。終了までに40万の乗客を乗せたが、アイデアは軌道に乗らなかった。

こうした19世紀の計画に真空の考えは取り入れられていないが、そのアイデアもかなり古い。１９１０年、ロバート・ゴッダードがマスクとそっくり同じ計画を思いついた。磁気で動く列車が真空のチューブのなかを、ボストンからニューヨークまで12分で移動するのだ。それは構想段階のまま終わった。１９９０年代から２０００年代初期にかけて、さまざまな人が真空チューブを通る磁気浮上式列車を提案している。したがってコンセプトに新しいところは何もなく、何らかのテクノロジーの飛躍が状況を変えたと考える理由もない。輸送テクノロジーはムーアの法則を経験したことがない。その理由はおそらく、輸送されるもの、つまり人間が小さくなっていないからだろう。

次に工学的な問題を考えよう。長さ何百キロもの真空に耐えられる強いチューブをつくるとしたら、軽量を求めることはできない。まっすぐ水平に保つための強い壁と丈夫な基礎が必要だ。暖かい日中と寒い夜に対処するために、柔軟に熱膨張する継ぎ手が必要であり、それも気密性がなくてはならず、しかも広い表面の隅々まで1平方センチあたり1キログラムに耐えられる強度がなくてはならない。

真空を維持するのも容易ではなく、緊急時には乗客を救うために、チューブを大気圧にもどすメカニズムが必要だ。しかし、そのようなメカニズムには漏れるリスクがある。チューブに再び圧力をかけ、再び真空にするには時間がかかる。ポッドそのものは圧力を受けなくてはならず、しかも大気圧で乗客を乗せたあと、エアロックから真空に入ることになるが、そこが機能不全になるおそれもある。こうした問題はどれも克服できていないが、イノベーションの黄金律を思い出してほしい、打ち勝つには賢い予測だけでなく、必ず試行錯誤が必要であり、それにはコストがかさむかもしれない。

さらに土地の問題がある。ハイパーループは、掘るのに費用がかかるトンネルの中か、地上の支柱の上に建造するしかないが、土地は安くはないし、住宅街を通らずに道路や川を渡って山々を抜け、地上をまっすぐに進むルートを見つけるのも容易ではない（鉄道や道路の建設業者に訊いてみよう）。鉄道より建設コストが安いはずである理由はさだかでない。

さらにはエネルギー必要量がある。日本の中央新幹線のような現代の磁気浮上式列車は、鉄道よりエネルギー消費が少ないのではなく多い。真空で走らせればエネルギーの節約になるが、不利なところもある。真空ポンプに電力が必要なだけでなく、空気抵抗で列車の速度が落ちることがないので、ブレーキをかけるのに多くのエネルギーが必要なのだ。マスクはすべてのエネルギーを太陽光発電によるものとして思い描いているが、これもまだコストが高い。ソーラーパネル自体の価格は下がっているが、土地やインフラやメンテナンスにコストがかかるからだ。太陽光発電所のための土地も、夜間の運行を支えるためのバッテリも、たくさん必要だろう。

何より、路線の収容能力に限界がある。1時間に5000人の乗客を運ぶためには、ハイパーループは28人乗りポッドを1時間に180回チューブに送る必要がある。1分間に3回の発車だ。乗る予定のポッドの発車がきわめて時間に正確なので、乗客は少なくとも早めに着いて、かなりの時間、列に並ばなくてはならないだろう。実務的には、これにくらべれば混雑した空港も単純に思える。ポッドによって目的地がちがえばなおさらだ。まだセキュリティについては言及していないが、空港と同じくらい厳しくなるだろう。

決意の固いイノベーターは、こうした問題の一部を解決するかもしれないが、コストを抑えて、ハイパーループを鉄道や飛行機に対抗させるように解決できる保証はない。自動車や列車や飛行機が存在しないなら、効率の悪いハイパーループによる輸送も価値があるだろう。しかしそうしたものが実際に存在し、長い伝統のある輸送方式と競合するなかで、利益を上げなくてはならない。ハイパーループに関する誇大宣伝の原因は、イノベーションがほぼどんな問題でも解決できると考えられるようになったからだと思えてならない。

問題を克服したロンドンの「ミレニアムブリッジ」

もし世間がイノベーションの失敗すべてを詐欺として排除するなら、あるいは慎重すぎるアプローチをとるなら、イノベーションはその場で止まってしまう。多くの国や企業がそれを経験している。イノベーションの中心テーマは、結局、試行錯誤なのだ。そして錯誤とは失敗である。

ロンドンのミレニアムブリッジの例を取り上げよう。鳴り物入りで開業した、テムズ川を渡る歩道橋だ。刀身のように薄い輪郭になるようデザインされており、ロンドンの川の風景をさらに魅力的にしてくれると歓迎された。ところが２０００年６月10日の初日に、９万人を超す人びとがこの橋を渡ると、ほとんどすぐに問題が明らかになった。端から端まで歩く人が増えるにつれ、橋が揺れ始めたのだ。最初はごくわずかな横揺れだったが、揺れは激しくなっていく。橋は開業日に閉鎖され、そのあと人数を制限して再開されたが、問題は再発した。

２日後、いまや悪名高き「ぐらつく橋」は1年半閉鎖され、そのあいだに５００万ポンドをかけて安定させる工事が行なわれた。ほんのわずかな横揺れの動きが、その揺れに対する人びとの本能的反応によって、増幅されていることがわかった。正のフィードバックの事例だ。揺れれば揺れるほど、揺らすように動く人が増える。

37個の緩衝器が設置されたあと、橋は首尾よく再開され、いまではロンドンの日常的インフラの一部である。

アマゾンの失敗の歴史

ジェフ・ベゾスがよく誇らしげに言い張るとおり、アマゾンは成功に向かう途中で失敗する良い手本だ。「アマゾンでのわれわれの成功は、年に、月に、週に、どれだけ実験するかの関数だ。まちがうと少し傷つくかもしれないが、遅れれば命がない」とベゾスはかつて言っている。「試す実験の数を100から1000に増やせれば、生み出すイノベーションの数は劇的に増える」

ベゾスは本がネット販売の有力候補だと目ざとく気づき、彼を鎮圧するための大手書店によるネット販売の試みを撃退し、1997年に会社の株式を公開したあと、インターネットのあらゆることに首を突っ込む総合テクノロジー会社のトップになり、どんどん大物になっていった。アマゾンは1998年から2000年までのドットコムブームで20億ドル以上を集め、そのほとんどをインターネット関連のスタートアップの獲得に費やしている。エクスチェンジ・ドットコムというマーケットサイト、プラネットオールというソーシャルネットワークサイト、アレクサ・インターネットというデータ収集会社、IMDBドットコムというフィルムデータベース、ブック・ページというイギリスの書店、テレブックというドイツのオンライン書店を買収。ジャーナリストのブラッド・ストーンが著書『ジェフ・ベゾス 果てなき野望』(日経BP)に記しているように、アマゾンはほかのスタートアップにベンチャーキャピタル資金をばらまいてもいた。ドラッグストア・ドットコム、ペッツ・ドットコム、ギア・ドットコム、ワインショッパ・ドットコム、グリーンライト・ドットコム、ホームグローサ・ドットコム、コズモ・ドットコム。そのほとんどが、のちのバブル崩壊で破綻した。

アマゾンはおもちゃの小売りに不運なベンチャー投資をした結果、1999年、売れ残り商品3900万ドルを清算している。立ち上げたアマゾン・オークションはイーベイとの競争に敗れた。最高執行責任者のジョー・ガリが辞職し、株価は下落し、不安が会社中に広がった。ストーンはその雰囲気をこう表現している。「新世紀が幕を開けたとき、アマゾンは崖っぷちに立っていた。2000年に10億ドル以上を失おうとしていたのだ」

リーマン・ブラザーズの株式アナリスト、ラヴィ・スリアはアマゾンの「このうえない愚かさ」を非難し、同社は1年以内に現金が枯渇すると予測した。そして株価は下がり続ける。2001年、従業員の15パーセントを解雇。アマゾンがその時点で、またはもう少しあとで――2005年になってもイーベイはその価値の3倍の値がついていた――倒産していたら、思い上がりと因果応報の教訓になっていただろう。

アマゾンを成長させた「失敗マネジメント」

しかしスリアが愚かさと考えていたものは、実際には実験への意欲と失敗に対する寛容さだったのだ。失敗した取り組みのなかにも必ず、うまくいくものがあった。ベゾスは繰り返し何度も、アマゾンの同僚たちがくだらないと考えるアイデアを通そうと、彼らと争うことになった。そのひとつは広告費を使うのをやめること。もうひとつは「マーケットプレイス」を始めること。これは第三者の製品販売者がアマゾン自身と競争できる場所である。「例によって、世間を敵に回していたのはジェフだった」と同僚のひとりが言っている。

ベゾスの経営スタイルは、彼の望みとして、マイクロソフトなどの大企業ですぐにイノベーションを抑えてしまう因習的な中間管理職の自己満足を避けるように、とくに考えられていた。だからこそ、社員に「ピザ2枚」で足りる少人数の起業家的チームを組ませて競い合わせることが多く、大人数の会合とパワーポイントのプレゼンに反感をもち、逆拒否権とでも呼ぶべきもの、すなわち、新しいアイデアはたとえ本人以外はみなくだらないと考えていても、管理職が上に回さなくてはならないルールを実施した。

こうしたことはすべて、イノベーションを促進するため、そして事実上、失敗が起こることを許すが、なるべく痛みを少なくするために考えられている。この種の進化論的プロセスこそが、アマゾンをオンライン小売業よりもっと大きなビジネスの発見へと導いたのだ。具体的には、部外者へのクラウドコンピューティングの提供であり、それがアマゾンウェブサービス（ＡＷＳ）になった。

グーグルとマイクロソフトはアマゾンがしていることにも、それがどれだけテクノロジー・スタートアップの活動を可能にするかにも、気づくのが遅かった。19世紀のエジソンと同様にベゾスは、革新的で破壊的なイノベーションで大事なのは、新しいおもちゃをつくることではなく、現実の顧客のニーズと要望を中心にすえた新事業を立ち上げることだと理解していた。そしてその聖杯を見つけるためには、途中でたくさん誠実な失敗をする必要がある。

失敗を称賛するグーグルX

同様にグーグルも失敗に寛容で、それを促すことさえある。2009年に立ち上げられた「X」と呼ばれるムーンショット子会社は、大きく破壊的な新事業のチャンスを見つけることを目指す。

そのほとんどは失敗する。メガネに装着する小型スクリーンと音声駆動のカメラ、グーグルグラスの発売は注目を集めたが、Xにとって最も有名で最も高くついた誤算だった。グーグルは2013年4月にこの製品を、先駆者となる「グラスエクスプローラ」が使うように発売し、1年後に一般向けに1500ドルで売り出した。そのわずか7カ月後、同社は製品の販売を中止し、2年以内に復活させると約束していた。しかし復活はしなかった。

何が悪かったのだろう？ 顧客は価格にひるみ、健康とプライバシーへのリスクに尻込みし、役立つ用途がないことにためらった。これはイノベーションのためのイノベーションであり、自分たちの生活にはプラスにならない、少なくとも1500ドルには値しないと、顧客は判断した。グーグルはいまだに病院などでこのテクノロジーを特殊な用途に使うことを目指しているが、消費者向け製品としては失敗だった。グーグルグラスが政府のプロジェクトだったら、きっといまだに政府は固執しているだろう。

WiFiを気球に搭載したいと考えたプロジェクトルーンは、気球のガス抜けを防げないことが明らかになって失敗した。海水から二酸化炭素を抽出し、それをやはり水から電気を使って抽出した水素と結合させ、その反応で燃料をつくる、フォグホーンと呼ばれる計画も、Xのプロジェクトだった。なんだか液体の永久運動機関のように聞こえる。熱力学の法則は、燃焼の産物（CO_2とH_2O）を燃焼性のものにもどすには、結果的に供給できるより多くのエネルギーが必要であることを示唆する。しかしXは、不可能に思えることに取り組むのにあまりに熱心で、熱力学の法則に挑戦する覚悟さえできていた。

Xのキャシー・ハヌンは２０１６年、1リットル1ドル32セントの燃料という目標に、５年以内にどころかいつまでも到達できないと気づいたとき、フォグホーンを打ち切った。そのような非情さが実験の促進にとってとても重要だ。しかしXを統括するアストロ・テラーは、そのような失敗を嘆くよりむしろ称賛する。２０１６年、彼はバンクーバーで開催されたＴＥＤカンファレンスで、「失敗を称賛することの意外な恩恵」について語った。いつの日か、Xはグーグル本体がかすんでしまうような壮大なものを生み出すかもしれない。

リスクテイクを奨励するスカンクワークス

ロッキード社は、このハイリスクな企業内企業というアイデアの先駆者であり、莫大な利益につながるものがあるかもしれないと、とんでもないものを試すことを認めた。そして１９４３年、秘密の最先端技術開発プログラム――いわゆる「スカンクワークス」――を開始し、最初のジェット戦闘機と高高度偵察飛行機をつくり出した。

ＡＴ＆Ｔの子会社だったベル研究所は、１９２０年代から同様の流儀で稼働し、トランジスタとレーザーを含めたありとあらゆる新しいテクノロジーを発明したが、しだいに技術研究所というより科学研究所になり、8個のノーベル賞を獲得している。

ゼロックスのパロアルト研究センターも、新しいアイデアを応用し、新しい事業を生み出すのに役立つ研究所であることを証明した。

失敗への強い意欲は、こうしたスカンクワークスにとってきわめて重要であり、西海岸の文化には、それを生まれやすくする何かがあるようだ。コダック、ブラックベリー、ノキアなど、世界のほかの地域に拠点を置く会社は、この有益な失敗への意欲を再現できなかった。この点に関して西海岸の何が特別かというと、複数議決権株式制度の合法性だとする主張がある。創業者は会社の議決権の支配力を保持する一方で、投資家はただ尻馬に乗るだけである。そうすれば創業者はリスクを冒し、長期的な賭けをして、株主の焦りや警告を少なくとも一部は無視できる。しかしそれは明らかに自社を強くするものであり、精神としてほかのどこよりもシリコンヴァレーに根づいている。

クース・ベッカーのベンチャー精神

テックジャーナリストのデイヴィッド・ローワンは著書『反逆の戦略者』(ダイヤモンド社)に、ナスパーズ社の異例の物語を綴っている。同社は保守的な南アフリカの新聞社で、何十年にもわたってアフリカーナ人〔訳注:南アフリカに住むオランダ系移民を中心とした白人〕のナショナリズムの大義を支持していたが、その後、1980年代にはテクノロジーへの投資に軸足を移して成功した。クース・ベッカーという向こう見ずな若者の提案で、アフリカ初のケーブルテレビネットワークを１９８０年代に構築し、その後、１９９０年代にはアフリカ初の携帯電話ネットワークを構築したのだ。

どちらのベンチャー事業も容易ではなく、コストも高く、ハイリスクのギャンブルだったが、結局は両方とも利益を生んだ。その後、ノキアと同じようにナスパーズもつまずき、ブラジルのベンチャー事業で４億ドルを失い、中国で一連の高コストのインターネット事業が失敗し、そのひとつではわずか半年で４６００万ドルを失った。

結局ギャンブラーの運は尽きるということを示して、物語はそこで終わったかもしれない。しかしそうはならなかった。最後の勝負でベッカーは方針を変え、中国で自分のスタートアップを立ち上げようとするのではなく、中国人が所有する有望なスタートアップを探した。そしてテンセントという小さな企業に出会う。経営者のポニー・マーは深圳(シンセン)の港長の息子で、この会社はどうにか市内でインスタントメッセージサービスの顧客２００万人と契約していたが、そこから稼ぐ方法をよくわかっていなかった。２００１年、ベッカーはテンセントの株式46・５パーセントに３２００万ドルをつぎ込んだ。17年後、その株は１６４０億ドルの価値になった。

第11章 イノベーションへの抵抗

「新しい発明が初めて話題にのぼるとき、当初は誰もが反対し、哀れな発明者は短気な賢人たちにむち打ちの刑に処される」
——ウィリアム・ペティ、1662年

国王とワイン業者がつぶしにかかったコーヒーハウス

イノベーションは繁栄を生み出すにもかかわらず、不人気であることが多い。

コーヒーの例を取り上げよう。文明に登場したのは遅く、1500年代になってようやくヨーロッパやアジアに到達した。コーヒーはエチオピア原産の植物で、その豆を焙煎（ばいせん）すると、刺激的で中毒性のある飲み物のベースができる。うまく豆を焙煎して粉にするには機械が必要なので、人はコーヒーを買って公共の場で飲む傾向がある。コーヒーショップチェーンが、しゃれたメニューと理想的な会合場所という評判とともに世界中に広まるのは、スターバックスを連想させる世界的な現代の現象である。

しかしそれは最新のパターンにすぎない。コーヒーショップは4世紀前から人気の会合場所だった。1655年、アーサー・ティリヤードという名の薬店主が、学生たちが温かい飲み物を飲みながらアイデアについて議論する、オックスフォード・コーヒークラブを設立した。その場所は「カフェ」と呼ばれることになる。7年後、クラブは王立協会、すなわちイギリスの科学アカデミーとなった。

それでもコーヒーの歴史はイノベーションの主要な特徴も示している――必ずと言っていいほど抵抗に遭うことだ。

1500年代から1600年代にかけて、コーヒーはアラビア、トルコ、ヨーロッパに広まるにつれ、激しい反対に遭遇し、しばしば――最終的に効果はなかったにせよ――禁止された。1511年、メッカの統治者カイル・ベイはコーヒーハウスを閉鎖させ、在庫のコーヒー豆もすべて燃やし、持っていて捕まった人たちを厳しく罰した。カイロの君主はカイル・ベイの決定を覆したが、長くは続かなかった。1525年、メッカのコーヒーハウスは再び禁止される。1534年にはコーヒー反対がカイロまで広がり、暴徒がコーヒーハウスを攻撃している。しかしここでの禁止令は失敗し、コーヒーは生き延びた。男性が妻にコーヒーを飲ませることができなければ、それが離婚の理由（!）になるとする法律までできたのだ。

1550年代、コーヒーはコンスタンティノープルに到達したが、皇帝セリム2世によってすみやかに禁止された。1580年には強奪者ムラト3世によって、さらに1630年代にはムラト4世によって、再び禁止されている。つまり、禁止令はそのたびに失敗したということだが、なぜ支配者たちは、この飲み物を根絶することにこれほど熱心だったのだろう？
そのおもな理由は、コーヒーハウスがうわさ話の場所であり、ひいては反乱の温床になるおそれがあったからだ。ムラト3世は、自分が王位を主張するために家族を皆殺しにしたという事実が、コーヒーハウスで話題になっているかもしれないという被害妄想を抱いていた。あえて言えば、その妄想は正しく、話題になることもあっただろう。
1673年、スコットランドとイングランドの国王チャールズ2世は、コーヒーハウスを禁止しようとし、禁止にそれほど熱心である理由について、驚くほど率直に述べている。

コーヒー、紅茶、チョコレートに関して、何の益もないことはわかっている。それらが売られている場所は、人びとが集まり、半日居座り、やってくる仲間たちと国の問題について話をするのに都合がよいだけである。彼らはうわさ話をし、うそをもち出し、統治者の決定や裁量を非難し、その行動すべてを厳しく批判し、統治者に対する偏見を人びとの耳に染み込ませる。自分たちの立場、知識、知恵を褒めそやし、誇張し、支配者たちのそれを非難する。それがあまりに長く続けば、害と破壊をもたらすことになるかもしれない。

しかしコーヒーに抵抗する理由はほかにもあった。フランスでワインを、あるいはドイツでビールを製造販売する人たちは、この新たな競争相手に抵抗した。それは顧客を麻痺させるのではなく、むしろ刺激する飲み物だ。1670年代のマルセイユではワイン醸造業者が、とくにエクス大学で医療専門家の味方を見つけた。ふたりの教授が、ただ「コロム」とだけわかっている医学生にコーヒーへの攻撃を依頼したのだ。「コーヒーの飲用はマルセイユ住民にとって有害かどうか」と題した彼のパンフレットによると、コーヒーの「凶暴なエネルギー」が血液に入り、リンパ液を引き寄せて腎臓（じんぞう）を乾燥させるので、人びとは疲れ果てて虚弱になるという。もちろん疑似科学のナンセンスだが、受け入れられ、効果を上げた。同じころロンドンで、この話題に関するパンフレット合戦が起きた。１６７２年の「コーヒー、すなわちトルコとの和合への厳しい非難」に対し、２年後、ロンドン初のコーヒーハウス創業者のひとりで、パスカ・ルゼというレバノンの商人が、「コーヒーと呼ばれるまじめで健康的な飲み物がもつすばらしい価値の簡単な説明」で応酬している。

18世紀後半になってもなお、スウェーデンは5回もコーヒーを禁止しようとした。１７９４年、政府は禁止令を何とか強制しようと、市民からコーヒーカップを没収し、見せしめにコーヒーポットを粉々に砕（くだ）いた。国王グスタフ3世は、コーヒーがヒトの健康に悪いことを制御実験によって証明しようと試みている。実験では、有罪判決を受けたひとりの殺人犯にコーヒーだけを飲むよう命じ、別の殺人犯は紅茶だけを飲んだ。両者とも実験を観察する医師や国王自身よりみごとに長生きした。言うまでもなく、いちばん長生きしたのはコーヒーを飲んだ殺人犯だ。それでも、スウェーデンのコーヒー撲滅運動は20世紀まで続く。

マーガリン戦争

ここには、イノベーションへの反対の特徴がすべて見られる。安全性の訴え、既得権者の私利私欲、そして権力者たちの被害妄想だ。近年の遺伝子組み換え食品やソーシャルメディアに関する議論は、こうした昔のコーヒー戦争をそのまま繰り返している。

カレストゥス・ジュマは著書『イノベーションとその敵（Innovation and Its Enemies）』でコーヒー戦争の話をしており、さらにマーガリン戦争についても語っている。1869年にバターの値上がりに対抗して発明されたマーガリンは、数十年にわたってアメリカ酪農業界からの中傷キャンペーン（ジュマ教授の表現であって私のではない）の標的だった。最近のバイオテク作物への反対運動と似ている。「この偽バタービジネスほど、計画的で悪意ある詐欺行為はなかったし、けっしてありえない」と、ニューヨーク乳製品委員会が声を上げた。マーク・トウェインはマーガリンを非難し、ミネソタ州知事は恥ずべきものと呼び、ニューヨーク州は禁止した。

1886年、議会は面倒な規制によってその販売を制限するマーガリン法を可決。1940年代初めになってもなお、アメリカの州の3分の2が健康のためという誤った根拠で、黄色いマーガリンを禁止していた。全国酪農業協議会はマーガリンに反対する運動を展開し、そのうちに証拠をでっち上げた。協議会が報告した大学での実験では、スウェーデンの殺人犯のように2匹のラットを使い、1匹にはマーガリンを、もう1匹にはバターを与え、マーガリンのラットはひどく健康を害したという結果を出したが、それはまったくのでっち上げだと判明した。

しかしマーガリン業界もおとなしく引き下がってはいなかった。実際、食物脂肪は心臓病の原因だという、長年続いたが現在はおおむね誤りだと暴かれている説は、1950年代、植物油業界がバター業界に反撃するなかで奨励した研究から始まっている。

ジュマの著書には、ロンドンのハンサム馬車〔訳注：屋根つきの1頭立て2人乗り2輪馬車〕の御者たちが傘の導入を激しく非難したこと、産科医が長いあいだ出産中の麻酔の使用を拒否していたこと、音楽家の組合が録音音楽をラジオでかけることを一時的に阻止したこと、アメリカ馬協会が何年もトラクターに反対する工作を展開していたこと、天然氷採取業界は冷蔵庫の安全性について人びとの不安をあおったことなどが記されている。

実際、どんな新しいテクノロジーにも反発はありえる。たいていは既得権者によって扇動されるが、予防原則という衣もまとっている。1897年、あるロンドンの評論家は、電話が制限されなければ私生活はなくなると心配した。「私たちはすぐに、互いにとって透明なゼリーの山にすぎなくなる」

「フランケンシュタイン食品」と非難されたGM作物

ヨーロッパの農業にバイオテクノロジーが広まるのを防ぐ運動は、コーヒーやマーガリンへの反対運動とそっくりだが、もっと長く成功している――いまのところ。カギを握る2つの武器は、悪者扱いと先延ばし。つまり危険性を主張すること、そして設備投資をやめさせようと、実現の先送りを要求することだ。

1990年代のアメリカを中心とする遺伝子組み換え（GM）作物の開発は、当初スムーズに進んだ。一部で反対は起きたが、それほど強くはなかった。イチゴの凍結防止に使われたGM細菌をめぐる10年前の前哨戦は、しだいに弱まっていた。しかしGM作物がヨーロッパに到達したとき、突然すべてが変わった。

ほんとうに突然だった。1996年にイギリスで起こった、GM食品の表示をスーパーに強制しようとする運動は、関心がもたれずに失敗した。ところが1999年には、背後に巨額の資金と皇太子など著名な支持者がついた活動家と評論家の軍団を前に、バイオテクノロジーは総退却していた。それまでに業界は、試験作物を栽培する試みを断念するしかなかった。どの作物にも白いつなぎ服を着た破壊者が群がり、なかには上院議員もいた。数年後、バイオ産業は事実上ヨーロッパ全土から撤退し、コムギなど主要作物を遺伝子組み換えしようとする試みすべてから手を引いた。

なぜこうも突然変化したのだろう？　1996年3月、イギリス政府は初めて、牛海綿状脳症（BSE）、通称「狂牛病」に冒（おか）された牛肉を食べることは、ヒトの健康に潜在的リスクがあることを認めた。同じ月、欧州委員会が初めて、GMダイズのヨーロッパへの輸入を認可した。偶然同時に起こったせいで、ふたつの問題が混同されることになり、結果として、安全性を請け合う政府の言動への信頼が崩れ落ちた。実際にBSEで亡くなる人はわずかで、GM食品で亡くなる人はいなかったが、そんなことは関係ない。ロバート・パールバーグが述べているように、「ダイズに関して消費者を安心させようとするヨーロッパの役人たちの努力は、まったく効果がなかった。BSEの事例によって、食品安全性の監視役としての信頼が打ち砕かれていたからだ」。

食品安全性の心配を大企業への反感と結びつけるグリーンピースとフレンズ・オブ・ジ・アース——イギリスで活動し、つねに新しい問題を探し回っている2大運動団体——は、自分たちの市場調査から、この新種の作物に対して市民には不安があり、その炎をあおることが利益になるかもしれないと目をつけた。

2005年以降、カナダは70種類の遺伝子導入作物を認可しているが、欧州連合（EU）はわずか1種類で、しかも13年もかかったので、認可が下りるまでに作物は時代遅れになっていた。当時、この問題に関して派手に運動していたマーク・ライナスは、のちに考えを変え、遺伝子組み換えの強力な擁護者になったが、その激動の時代を覚えている。警察に逮捕されたGM作物荒らしに陪審が有罪判決を下すことを拒み、判事が荒らしを称賛したこともあり、学校給食からGM食材が排除され、スーパーが棚からそうした商品を取り除き、そして保守的なデイリーメール紙が「フランケンシュタイン食品」を激しく批判した。

イギリスだけではない。フランスでは活動家の農民ジョゼ・ボヴェがイネをだめにしてヒーローになり、イタリアでは放火犯が種子の貯蔵所を燃やした。

このプレッシャーを受けて、EUは新しいGM作物すべてに一時禁止措置を行なった。これが発展してのちにできた規制当局の承認制度は、複雑すぎて時間がかかるため、結局は事実上の禁止だった。

EUはその時点で、したがうべき指針として予防原則を導入していた。イノベーションの意図せぬ影響を心配するべきだという、この一見すると分別ある考えは、命を救う新しいテクノロジーが危険な技術に取って代わるのを、活動家が阻止するための道具になった。

この原則はリスボン条約でEUに正式に採択されたので、新しいものには古いものより高い基準が定められ、どんなに危険でも既存の慣行を維持するために、どんなに安全でもすべてのイノベーションを妨げる障害となっている。その理由は、この原則が潜在的な危険を考慮するが、イノベーションがもたらすかもしれない利益は検討しないからであり、立証責任をイノベーターに転嫁して、生産物が害を引き起こさないと証明するよう命じているのに、生産物が利益をもたらすかもしれない、あるいはすでに害をおよぼしているテクノロジーに取って代わるかもしれないことを、イノベーターが実証するのを認めないからだ。

したがって、有機農家は20世紀前半に発明されたものである限り、殺虫剤を自由に使える。実際に使われているものが、銅化合物のように最新のものよりはるかに有害でも、さらにはいかなる合理的定義に照らしても「有機」でなくてもかまわない。たとえば硫酸銅は欧州化学庁によって「水生生物にとってきわめて有毒で長期的影響をおよぼし、がんを引き起こすおそれがあり、生殖能力と胎児を損ないかねず、飲み込まれると有害で、深刻な眼の損傷を引き起こし、長期間または繰り返しさらされれば臓器を傷つけるおそれがある」と説明されている。生物蓄積もするので、草食動物から肉食動物へ食物連鎖を移動するうちに、より濃度が高くなる。それでも反対騒動さえなく、EUは何度もこれを有機農家が殺菌剤として、ジャガイモ、ブドウ、トマト、リンゴなど、ヒトの食用作物に使うことを再認可している。示されている理由は、有機農家が入手できる代替の殺虫剤がないからだという。しかしこれはたんに、彼らがもっと安全な新しい殺虫剤を拒否することを選択しているからだ。

これは繰り返されるパターンである。予防原則はだいたい既存のテクノロジーのリスクを無視し、危害軽減の概念を受け入れない。

グリーンピースとフレンズ・オブ・ジ・アース（FoE）にとって、これほどあっさりヨーロッパでGMに勝利したことは、やや不都合だった。この問題は大きな金づるなので、続いてくれる必要があったのだ。

彼らは世界のほかの地域に注意を向け、生きているGM生物の国境越え移動に関する国際協約の交渉に直接参入できるようになって、有害廃棄物の輸送との共通点を引き合いに出しているが、これにはとても納得できない。次にFoEは、深刻な旱魃（かんばつ）に見舞われている南アフリカの飢餓民に食糧援助を送っていることで、アメリカを非難し始め、2002年には、ザンビアに飢餓民向けのGMトウモロコシを拒否させることに成功している。

圧力団体はアフリカのほかの地域とアジアの一部に目を転じた。グリーンピースは、GM作物の人道的応用、とくにベータカロテンを含むゴールデンライスのかたちでの応用を、阻止することに注力した。ゴールデンライスは、貧しい子どもたちの栄養失調と死亡を防ぐための非営利プロジェクトによって、特別に考案されたものだ。開発したのはスイスを拠点とする科学者のインゴ・ポトリクスらであり、1990年代の長期にわたる大変な努力の成果で、営利を目的としない純粋に人道的な事業だった。食料をコメに頼る人たちのビタミンA不足による、高い死亡率と疾病率を軽減するために策定されたのだ。ある推定によると、貧しい人びとが主食としてコメを食べる国では、ビタミンA欠乏でおもに都会の5歳未満の子どもが1日に2000人、1年に70万人亡くなっている。免疫力が低下し、失明するおそれがある。

それでもグリーンピースは、こうした死を防げるテクノロジーを阻止しようと、あらゆる手段を使って熱心に運動することを選んだ。当初グリーンピースは、ゴールデンライスはビタミンA欠乏を治すのに役立たないと主張した。ラッパスイセンの遺伝子を組み込んだ最初の試作のイネには、ベータカロテンの含有量が少なすぎて効果がなかったからだ。その後、トウモロコシの遺伝子を導入した後続のイネ品種は、ベータカロテンが多すぎて毒になるおそれがあるという主張に切り替えた。バイオテクノロジーから出てくる潜在的に良いニュースを何としてももみ消そうと、グリーンピースはGM作物に反対する熱心なロビー活動を続けた。粘り強い実験によって、安全で効果的であることが証明されたことなど、おかまいなしだ。

このひどい運動に対して、2017年に134人のノーベル賞受賞者が、「ゴールデンライスをはじめとする、バイオテクノロジーによって改良された作物および食品全般に反対する運動を中止し断念する」よう、グリーンピースに求めた（いまでは150名がこの手紙に署名している）。だがこの要求は無駄に終わった。

規制を求めるほど大企業依存が強まる悪循環

バイオテクノロジーの悪者扱いは、関係する企業に関するかぎり、悪循環につながっている。活動家が規制や警告を求めれば求めるほど、新しい作物の開発にコストがかかるようになり、ひいては大企業でなければ開発できなくなるのだ。

そして大企業とそれを批判する人たちには、奇妙な共生関係があった。あるとき活動家たちはモンサント社に、「スーパー雑草（ウィード）」として自然界にはびこることができないように――ほとんどの作物は雑草になるには適さないので、どのみち誤った不安だが——1世代しか生きられない作物をつくるように要求した。それに対してモンサントは、親世代の形質を維持できない遺伝的変異体を開発する可能性を探った。同社はそれを開発しなかったが、活動家はすぐさま、農家に毎年新しい種子を買わせるために「ターミネーター技術」を導入していると非難した。その非難はしつこく続いた。

バイオ業界はヨーロッパの考えを変えさせようと努力を続けた。どのみちヨーロッパは、家畜の餌としてGMダイズを精力的にアメリカから輸入しているのだから、なぜバイオ品種を栽培しないのか？　2005年、欧州食品安全機関（EFSA）は、ドイツのBASF社がつくったジャガイモのGM品種を認可している。しかしEUは予防原則を引き合いに出し、それを市場導入する認可を与えなかった。BASFは2008年に欧州司法裁判所に提訴する。欧州委員会はそれに対し、2009年にEFSAに再度評価を依頼した。EFSAは再びその産物は安全だと言い、2010年、最初の申請から5年もたってから、EUはその使用を認めざるをえなかった。

ところがハンガリー政府がその後、その産物を止める突飛な方法を見つけた。EUは最初のEFSAの認可にもとづいて認可したが、たとえ同じ結論に達するにしても、2番目の認可を引用すべきだと主張したのだ。

2013年、EUの一般裁判所はハンガリーの訴えを支持し、認可を無効にした。その時点までに、BASFはこの予防原則という厚い壁に立ち向かう気をなくし、申請を取り下げ、GM作物の研究をすべてまとめてアメリカに移した。

「予防原則」がイノベーションを妨げる

予防原則がイノベーションを妨げるやり方のひとつが、試作品から実用化までの期間の実験を困難にすることだ。ゴールデンライスの場合、予防原則は開発者に、実地テストすべき品種それぞれについて、大量の面倒な証拠を集めて、特別な認可を取得することを求めた。つまり、原子力発電所の設計の場合と同じように、農家のニーズに最適のものを見つけるために、通常の植物育種の慣行どおり多くの品種を試すことは、不可能ということだ。思ったとおり、最初に選ばれた1品種は期待はずれとわかり、育種家は振り出しにもどって別の品種を試さなくてはならず、貴重な数年間が無駄になるそのあいだに、さらに多くの子どもが命を落としている。もしトーマス・エジソンが電球のフィラメントとしてテストした6000種類の植物サンプルのすべてに特別な規制当局の承認が必要だったなら、彼は絶対に竹を見つけていなかっただろう。

遺伝子組み換えにまつわる出来事についてのマーク・ライナスの意見は手厳しい。「私たちはほぼ全世界でGM食品に対する大衆の消えない敵意を呼び覚まし、信じがたいことだが、以前は止めようのなかったテクノロジー全体の進歩を妨げた。驚くほど成功した私たちの世界的運動には、ひとつだけ問題があった。真実ではなかったのだ」

コーヒーへの反感と同様に、GM作物への反感は、事実としても道徳的にもまちがっていた。テクノロジーは安全で、環境のためになり、小規模農家のためにもなりうるものだったのだ。GM反対運動は、安い食品が豊富に手に入る裕福な人びとのあいだで広まった。彼らにとって、作物生産の増量は急を要することではなく、生活に関係ない。GM禁止の機会費用を払ったのは、発言権のない病人や飢餓民である。最近では大きな圧力団体でさえ、そそくさと去っている。しかし被害は生じてしまった。

除草剤ラウンドアップの「発がん性」の裏側

ラウンドアップとも呼ばれる除草剤のグリホセートは、1970年にモンサントの研究者ジョン・フランツによって発明されて以来、よくある安価な雑草防除法になっていた。ほかの除草剤より大きなメリットがある。植物内にのみ見つかる酵素を抑制するので、通常の使用量であればヒトを含めた動物には事実上無害であり、急速に分解するので環境内に残らない。自殺にも使われていた以前のパラコートよりははるかに安全だ。

グリホセートは、農家が鋤(すき)で耕すという生態学的に有害な方法ではなく、化学的に雑草を抑制できるようにすることで農業を変革した――無耕農業革命につながったのだ。このことはとくに、グリホセート耐性をもつよう遺伝子組み換えされた作物が栽培されている場所に言える。

ところが2015年、国際がん研究機関(IARC)という世界保健機関の組織が、グリホセートは非常に高用量で使用されると、がんを引き起こすおそれがあるという結論に達した。同じ基準に照らすと、ソーセージやおがくずも発がん性物質に分類されるべきで、コーヒーはさらに危険だ(グリホセートとちがって定期的に飲まれる)と、IARCも認めている。つまり影響はきわめて小さいのだ。ベン&ジェリーのアイスクリームに含まれるグリホセートは、せいぜい

1・23ppb(ppbは10億分の1)の濃度なので、リスクが生じる前に1日3トンを食べる必要があることがわかった。ヨーロッパ、アメリカ、オーストラリアなどの食品安全当局は、グリホセートを詳細に調べて、通常の用量であればリスクはないと判断した。ドイツ連邦リスク評価研究所は、3000以上の研究を調べて、動物へのどんな害の証拠も見つかっていない。

ほどなく、IARCの結論は証拠を偏った見方で審査したことによるものだとわかった。ロイターの報道によると、「どの事例でも、グリホセートの発がん性に否定的な結論は、削除されるか、中立または肯定的なものと置き換えられていた」。この問題に関してIARCに助言した科学者たちは、がん患者のためにモンサントを訴えた法律事務所から16万ドルを受け取っていたことが発覚した。

ブリュッセルのサンルイ大学のデイヴィッド・ザルクが言うように、こうした事例に見られる活動家の戦術は、「一般大衆の認識を操作し、活動家や権威者やNGOと協力することによって不安や怒りを生み出し、いけにえ企業を見つけ、訴訟を起こすことである」。もしヨーロッパがグリホセートを禁止するつもりなら、アメリカでの訴訟による大もうけの可能性が開かれるだろう。この国では賞金稼ぎの法律事務所がつねに、タバコ訴訟並みの大きな収入源を探し求めている。

この種の活動は、あなたがそれを容認するかどうかにかかわらず、イノベーションを強く抑制する。ネオニコチノイド系殺虫剤の種子粉衣に対する同様の反発とあいまって、この除草剤への反対は、作物保護製品の研究開発を大幅に遅らせることになった。新しい化学薬品はだいたい古いものよりすぐれていて、世界人口を養うに足る食料をできるだけ少ない土地で栽培するのは良いことだと考えるなら、研究開発の遅れは悪いことだ。

携帯電話は実際より数十年早く実現していた

第5章で、ほとんどのテクノロジーはだいたい適時に生まれるものであり、もっとずっと早く導入されることはありえなかったと論じた。考えられる例外は、携帯電話かもしれない。

携帯電話通信の歴史は、トム・ハズレットが2017年の著書『政治のスペクトル（The Political Spectrum）』で明かしているように、さまざまなロビー活動の強い要請により、政府に官僚的先延ばしを強要されたとんでもない物語である。携帯電話は実際より数十年早く実現していた可能性がある。

1945年6月、アメリカ連邦通信委員会（FCC）のJ・K・ジェットがサタデーイブニングポスト誌のインタビューで、市民はまもなく「ハンドヘルドの無線電話機」を使うようになると話した。FCCは免許を発行しなくてはならないが、それは「難しくないだろう」。彼によると、この楽観的意見の理由は、「セル方式」のコンセプトがテクノロジーに革命を起こすからだという。送信者の無線電話機は受信者の無線電話機とはるばるつながる必要はなく、いちばん近い無線アンテナ塔につながりさえすれば、その塔は受信者に最も近いアンテナ塔と有線でつながる。ユーザが移動しても、新しい小区画（セル）に途切れることなく切り替えることができる。これなら省エネになり、電波の利用は地域に限定されるので、帯域幅が広くなる。無線で1度に数百の会話ではなく、何十万の会話が可能だ。

ところが１９４７年、同じＦＣＣが、セル方式電話サービスを開始するＡＴ＆Ｔの申請を却下した。ごく少数のための贅沢なサービスだと主張したのだ。テレビが優先され、電波の最も大きな割り当てを獲得した。セル電話を含めた「陸上移動通信」が獲得したのは、わずか４・７パーセント。しかしテレビは割り当てられた周波数のほんの一部しか使用せず、ハズレットの言う未使用周波数の「広大な空き地」が残り、「移動無線は1世代以上も阻まれた」。１９５０年代、チャンネル数の３分の２以上が使われていなかったが、既存の認可テレビ網の寡占をおびやかす競争を妨害するためにも、放送局はこの空っぽの領域に対する自分たちの権利を守るためにロビー活動を行なった。

「無線電気通信事業者（ＲＣＣ）」と呼ばれる移動電話の運営業者があるにはあったが、航空会社や海上掘削装置をもつ石油会社のような大企業にサービスするためで、セル方式ではなく、各地域に運営業者は2社に厳しく制限されており、そのうちの1社はほぼ必ずＡＴ＆Ｔだった。これでは市場が大きくならない。ＲＣＣは競合を避けるため、セル方式電話通信に猛反対した。電話機製造におけるほぼ独占状態を守ろうとするモトローラは彼らを支持し、電話機は相変わらず大きく、高価で、エネルギーを食い、帯域幅も限られていた。

ＡＴ＆Ｔは、自社の研究チームであるベル研究所がセル方式を考案したにもかかわらず、独占禁止の合意のもと、携帯電話機の製造を禁止された。しかしＡＴ＆Ｔは固定電話回線の十分な独占にあぐらをかいており、いずれにせよ自社と競争する必要性を感じていなかった。セル方式が明らかに実現しようとしていた１９８０年にようやく、ＡＴ＆Ｔは、２０００年までにアメリカでは90万台の携帯電話機が使われることになるだろうと予測した。結果は1億９００万台である。

人びとは互いに話をしたがっていると電話会社にわからなかったとは、企業が極端に近視眼的であるということだ。

要するに、政府が巨大な既得権をもつ縁故資本主義の企業と共謀して、40年近くもセル方式携帯電話サービスの開発を不可能にしていたのだ。そうすることで、どれだけのテクノロジーの改良と社会の変化を妨げていたか、誰にもわからない。１９７０年、ＦＣＣはようやく電波の一部を携帯電話に割り当てることを提案し、１９７３年、モトローラの副社長マーティ・クーパーが、初めてセル方式の携帯電話機を使って電話をかけた。しかし彼自身の会社がまさに同じときに、セル方式を中止させるためのロビー活動を水面下で行なっていた。なぜなら、モトローラは認可された（セル方式でない）無線通信機について、安泰の独占状態だったからだ。その結果、ＦＣＣはそれから10年にわたって、さまざまな訴訟当事者との法廷闘争に巻き込まれ、いずれにせよ、携帯電話通信はどのみち「自然独占」であり、ＡＴ＆Ｔのもののままにちがいないという、規制機関に共通の誤った憶測に固執していた。

１９８２年にようやく、競争に味方する政策の新しい風がワシントンを吹き抜けたおかげで、とうとうＦＣＣはセル方式認可への申請を受けつけ始める。１９８４年6月28日、ジェット氏がセル方式電話通信の開始は「難しくない」と言った日から39年後、アメリカ初のセル方式携帯電話サービスが、ロサンゼルスオリンピックの開会式のために稼働した。変化のペースは驚異的だと誰が言った？

しかし、アメリカがそのように自分で自分の首を絞めていたとしたら、なぜ別の大陸は出し抜かなかったのだろう？　先行する小さい国もあったが、大きな市場がないために軌道に乗らなかった。ヨーロッパの電話通信の規制はさらに偏狭で、おもに国有産業自身によって行なわれ、楽なレントシーキング〔訳注：企業が官庁に働きかけ、自分たちに都合がよくなるように制度などを変更させ、通常以上の利益（レント）を得ようとする活動〕のモデルを混乱させることに興味はない。そのため携帯電話に関して、ヨーロッパはまずアメリカの様子をうかがっていた。

しかし、1G（アナログ）携帯電話の意外な人気を見てとると、EUは主要な特許をもっていたエリクソン、ノキア、アルカテル、シーメンスの強い要請により行動を起こし、GSMと呼ばれるデジタル2G規格の作成に着手。競合するアメリカ企業クアルコムの規格CDMAは、ヨーロッパであっさり禁止された。明らかな保護貿易主義の例である。

アメリカは1995年まで規格を決めなかったので、1990年代初めには、携帯電話通信でヨーロッパがアメリカを追い抜いた。市場を開放しようとするFCCの試みは、政治闘争で行き詰まった。1980年代末までに、GSMは世界市場の80パーセントを占有しており、ヨーロッパの「産業政策」は効果を生んだように思えた。しかしGSMは音声向けにつくられ、データは付け足しだったのに対し、CDMAはデータ用につくられ、音声は付け足しだった。そのため、2000年ごろに3Gが出現したとき、GSMネットワークは対応できず、世界はすぐにCDMAに切り替えた。これが最後ではないが、ヨーロッパは国際競争を避けることによって、墓穴を掘ったのだ。

このように携帯電話の物語は、政府が民間部門の既得権者と結束して、イノベーションに抵抗した話である。私たちは現在、政府の規制機関のおかげではなく、規制機関があるにもかかわらず、スマートフォンを使っているのだ。

ドローン開発

これほど極端ではない別の事例が、ドローンの開発である。バッテリーで動く無人航空機は、2010年代に突然いたるところに出現して、世界を驚かせた。無線操縦する無人の軍用機は2001年から広く使われていたが、2010年、一般消費者をターゲットにした初のWiFiで制御するクワッドコプター（回転翼4個）のドローンが発売された。クワッドコプターのドローンはすぐに、調査、航空写真、農業、捜索と救出などの分野で、民間利用されるようになる。

政府の反応は厳しいルールでその利用を制限することであり、それが学習を妨げることによってイノベーションを抑制することになった。アメリカでは2016年になっても、ドローンは高さ120メートル以上、または操縦者から見えないところ、空港の近く、日中以外、人びとの頭上、あるいは重さ25キロを超える場合、飛ぶことが禁止されていた。

こうした規制は妥当な予防措置に思えるかもしれないが、起業家のジョン・チザムが主張するように、「ドローンは安全に作動し、人や財産に害を与えないこと」というようなシンプルなルールにして、あとは順守を強制する慣習法に任せても、同じ効果が達成されただろう。チザムによると、そのような有機的な規制システムのほうが強制的な規制制度より、同じ安全性を確保しながら、ドローンの操縦方法に関するイノベーションを促し、人びとが危険を感知して避けるのがうまくなる可能性が高いという。ルールがはるかに緩い中国が、まもなく業界を牛耳るようになった。それ以降、アメリカの規制はだんだん緩和されているが、遅すぎたかもしれない。

GDPR

同様に、これからのデジタル業界の規制は、ほかに何を達成するにせよ、ほぼ確実にイノベーションを抑圧する。なぜわかるかというと、好都合なことに、EUがこのことを示す実験を行なったからだ。

2018年、EUは一般データ保護規則（GDPR）を定め、インターネットのコンテンツプロバイダに、人びとのデータを使う前に同意を求めるよう強制している。これにはいくつかメリットもあるが、ヨーロッパ内の競争を縮小し、大企業の力を安定させたことはまちがいない。GDPR導入後の3カ月で、グーグルは広告技術業者（アドテクベンダー）の市場占有率をわずかに上げたが、収入を広告に頼る中小企業は、市場占有率が急落した。EU外の中小企業の多くは、規制順守コストを払うことができないので、とにかくEUのコンテンツをブロックした。アメリカのテクノロジー企業はGDPRの順守に1500億ドルを費やし、マイクロソフトだけでも1600名の技術者を追加で雇っている。しかし会社が小さいほどコストは重くのしかかる。GDPRがほかにどんな前向きなことを達成するにせよ、中小企業がテクノロジー大企業に挑むのを阻止する参入障壁もつくることになった。例によって、規制は既得権者に味方するのだ。

知的財産権がイノベーションを阻害する

知的財産権——特許と著作権——を正当とする理由は、投資とイノベーションを促すために必要だからだとされる。物的財産権を考えると、人はふつう、土地を所有していなければそこに家を建てないのだから、成果を所有できないのなら、薬に投資したり本を書いたりしない。そう主張する説にしたがって、アメリカを筆頭とする各国政府は、この数十年、知的財産権の範囲と強さを着実に拡大してきた。

やっかいなのは、知的財産権は多少役立つが妨げにもなり、実質的にイノベーションを阻止すると、証拠がはっきり示していることだ。

著作権の場合、20世紀初めに権利期間が14年から28年に延長された。１９７６年、著者の死後50年まで引き延ばされ、１９９８年には死後70年まで延長された（したがって、私の未来のひ孫は、もし売れればこの本で稼ぐことができる。いやはや）。さらに著作権は未発表の作品にまで拡大されたが、主張する必要はなくなったので、自動的に生じるようになった。これで本の執筆や映画制作、音楽づくりが爆発的に増えたという兆候はほとんどない。たいていの人は、お金だけでなく影響力や名声を求めて、芸術作品をつくり出す。シェイクスピアは著作権を保護されず、彼の戯曲は海賊版が数多く出回ったが、それでも彼は書いた。今日、知的財産の保護がない、あるいは緩い世界——たとえば「海賊行為」が蔓延する音楽業界——でも、創作者の熱意が衰えることはない。

ブリンク・リンゼイとスティーヴ・テレスが共著書『とらわれの経済（The Captured Economy）』に記しているとおり、１９９９年にナップスター社が初めて大規模なファイル共有を可能にして以降、アメリカ音楽業界の収入は、１９９８年から２０１２年までに75パーセントも減少している。しかし新しい音楽アルバムの供給は、1999年からの12年で倍増した。音楽業界におけるオンラインのファイル共有は、一時的な争いのあと、業界を消滅させることなく地位を確立している。アーティストたちはロイヤリティが転がり込むのをのんびり待つのではなく、稼ぐためにライブを行なうことに立ち返った。既存産業は、音楽ストリーミングだけでなく映画のビデオ撮りも含めて、芸術の世界に現われるあらゆるイノベーションに抵抗してきた。

その一方、科学においては納税者がほとんどの研究の費用を払っているが、公表される結果は、学術雑誌の高い有料の壁(ペイウォール)の向こう側に隠されてしまう。牛耳っているのは高収益企業のエルゼビア、シュプリンガー、ワイリーの3社であり、彼らのビジネスモデルは、資料の有料購読というかたちで、納税者の投資の成果を納税者に売りもどすことだ。このことの倫理はさておき、大学から出てくる知識の普及を大幅に遅らせ、イノベーションにとって明らかな損失につながっている。

2019年、EUはオンライン著作権に関する指針を提案したが、そこには、何かをインターネットに投稿する許可を得ているかどうか決定する責任を負うのは、投稿する人ではなく、インターネットプラットフォームだと定める部分がある。ヴィント・サーフ、ティム・バーナーズ=リー、ジミー・ウェールズなど、大勢のインターネットの先駆者たちは、これはまちがいであり、定評のあるテクノロジー企業に費用を負担させて、小規模なスタートアップをたたくことになると主張した。「第13条は、インターネットを共有とイノベーションのためのオープンなプラットフォームから、自動監視とユーザ統制のツールへと変えてしまう、前例のない1歩を踏み出すものだ」

特許について言えば、その目的は、発明の詳細を開示することを条件に、特許からの利益独占を一定期間認めることによって、人びとのイノベーションを促すことである。財産でたとえると――「知的財産」という言葉でわかるように――自分の庭の周囲に塀がなければ、あなたはその手入れをしたり、価値を高めたりしないだろう。しかしそのたとえには欠点がある。新しいアイデアのそもそもの目的は、それを共有し、模倣されるのを認めることだ。物的財産とちがって、アイデアは2人以上が享受してもなくなったり減ったりしない。

２０１１年、経済学者のアレックス・タバロックが著書『イノベーション復興の開始(Launching the Innovation Renaissance)』で、アメリカの特許制度はイノベーションを促すどころか、いまでは阻んでいると主張した。ある時点をすぎると、高い税率は歳入の減少を引き起こすことを示す有名なラッファー曲線をまねて、彼が紙ナプキンに描いたグラフは、ある時点をすぎると、強力な特許はイノベーションの低下を引き起こすことを示していた。なぜなら、アイデアの共有を困難にし、参入障壁をつくり出すからだ。１９８４年の半導体チップ保護法の結果、アメリカで特許は増えたがイノベーションは減った。半導体の会社が事実上、他社との争いに備えるために特許「軍資金」を蓄え始めたからだ。

「イノベーションの促進に特許が必要」？

本書では、イノベーターたちが特許争いのために、高くつくライバルとの係争で泥沼にはまった話をいろいろとしてきた。ワット、モールス、マルコーニ、ライト兄弟、その他大勢が、人生最高の時期を、裁判所で自分の知的財産を守ることに費やした。同情に値する場合もある。多大な努力をつぎ込んだのに、自分の発明品から特許侵害者が利益を得るのを目のあたりにするのだ。

しかし、少なくとも称賛の一部には値するライバルとの、不毛な抗争を続けている例も同じくらい多い。解決のために政府の介入が必要だった事例もある。第1次世界大戦の前、フランスの航空産業は順調に進歩したが、アメリカの航空産業は訴訟で行き詰まり、そのせいでイノベーションは中断してしまった。1世紀後、「スマートフォン特許戦争」がライバルメーカーのあいだで勃発し、その結果、法律上の形式的手続きが複雑になり、巨大テクノロジー企業以外は事実上締め出された。

発明の詳細を公表する見返りとして、そこから上がる利益の一時的独占のようなものを発明者に与えるべきだという論拠は、妥当にも思える。しかし、薬が販売可能と認められる前に、長年にわたる高コストの試験が必要な製薬業界のような、特殊な場合を除いて、これがうまくいくという証拠は弱い。

まず、特許で守られていない分野には、イノベーションが少ないという証拠はない。リンゼイとテレスは、企業内で生まれ、特許を取得されず、あちこちで模倣され、それでも熱心に考案された、さまざまな組織イノベーションを列挙している。複数事業部制の会社、研究開発部門、百貨店、チェーン店、フランチャイズ、統計的工程管理、ジャストインタイム方式の在庫管理、等々。同様に、自動変速装置、パワーステアリング、ボールペン、セロファン、ジャイロコンパス、ジェットエンジン、磁気記録、安全カミソリ、ファスナーなどのテクノロジーはどれも、有効な方法では特許を認められていない。何かを発明することで、先行者利益が得られる。通常、それだけでかなりの報酬が手に入る。抜け目ない発明者は細部を紛らわしくしておくことで、模倣者の目をくらますこともある。ボッシュは抜かりなく、窒素固定のための触媒方法について、ハーバーに次善策だけを公開させていた。

もうひとつの問題は、イノベーションの促進に特許が必要だという証拠はおろか、役立つことを示す証拠さえ、古今東西どこにもないことだ。18世紀イギリスの時計と計器の製造業を例にとろう。発明力で有名な業界であり、ヨーロッパ中でうらやましがられ、着実に手ごろな値段になっていった高品質の時計だけでなく、顕微鏡、温度計、気圧計のような新しい精密な計器も生み出していた。時計メーカーと眼鏡メーカーの会社は、歴史家のクリスティン・マクラウドが「特許に対する根深い反対」と呼んだものを維持し、特許を導入する議会の法律を無効化しようと、大金を費やした。「技能の開発は職人どうしで自由にやり取りされる小さな改良にずっと依存しており」、特許のせいで「その技能を自由に発揮することができない」と主張したのだ。

オランダもスイスも、19世紀後半に特許制度はなかったが、どちらもイノベーションを育むことができた。ジョシュ・ラーナーが、1世紀以上にわたる60カ国の特許政策強化にまつわる177件の事例を研究し、「こうした政策変更はイノベーションを促進しなかった」ことを明らかにしている。日本では別の研究が、特許保護の強化は研究費もイノベーションも増やしていないことを示した。カナダの研究では、特許プロセスを集中的に利用する会社は、イノベーションを起こす可能性が高くないとわかった。

さらなる問題は、特許がまちがいなく商品のコストを上げることだ。これは肝心なところである。イノベーターが報酬を受け取るあいだ、競争が食い止められる。これでイノベーションの発展と普及が遅れる。経済学者のジョーン・ロビンソンによると、「特許制度を正当とする理由は、技術的進歩の拡散を減速することによって、拡散すべき進歩を確実にさらに増やすことにある」。しかしそうなるとは限らない。それどころか歴史を振り返ると、特許終了に続くイノベーション爆発の例はごまんとある。

最後に、特許はイノベーションより発明に有利な傾向、つまり最終的に装置を市場に適応させる段階より、最初の原理発見の段階に有利な傾向がある。これが特許交錯と呼ばれるものの蔓延につながっている。知的財産権の境界があいまいなせいで、知的世界を進んで新製品を開発しようとしている人たちの歩みが止まってしまう。これはバイオテクノロジーでとくに問題になっている。イノベーターは研究のごく一部で使う必要がある分子について、他人が取得した特許をいつのまにか侵害してしまう。スタートアップは、新しい分子経路にある分子のひとつの使用に関して、別の会社がすでにあいまいな特許を取得しているという不愉快な事実を知り、その経路をたどることができないと気づく。マイケル・ヘラーが２０１０年の著書『グリッドロック経済』（亜紀書房）で主張しているように、これは商人が市場につながるルートすべてで通行料を払わされるのに似ている。この慣行は価格を上げ、商売を抑圧する。

知財権がもたらす額の「4倍」が訴訟に注がれている

こうした証拠にもかかわらず、業界――とくに法曹界――は近年、はるかに厳しい特許保護を求める主張をして成功している。毎年アメリカ特許商標局が発行する特許証の数は、１９８３年から２０１３年の30万超まで5倍に増えたが、２０１３年には経済成長が減速した。したがって、特許が経済成長を助けたとは思えない。

信じられないことに、ある研究結果によると、化学業界と製薬業界を除いて、知的財産権をめぐる訴訟にはその知的財産権から得られる報酬の４倍の資金が費やされているという。実際ほとんどの訴訟は、製品を何もつくらず、ただ特許を買って、それを侵害する相手を訴えるビジネスをするだけの会社によって起こされている。そうした会社はいわゆる「パテント（特許）トロール」であり、その活動にアメリカは２０１１年だけで２９０億ドルを費やしている。

カナダの携帯メール会社ブラックベリーは、そのようなトロールに絡まれて、ひどく高い代償を払うことになった。ところがそのブラックベリー自身が近年、パテントトロールのような感じになっており、携帯によるメッセージ送信、携帯広告、そして「着メッセージの通知」のような、自明のものに対して財産権を主張し、フェイスブックやもっと最近ではツイッターを、その侵害で訴えているのだ。

タバロックは３段階特許制度を推奨している。特許権存続期間を2年、10年、20年とし、短期の特許はもっと迅速に、簡単に、安く付与するというのだ。現在、新規かつ非自明のアイデアは、イノベーションのコストが10億ドルでも20ドルでも、20年の特許を付与される。しかし特許が正当化される業界もあれば、そうでもない業界もあることを彼は認識している。薬剤が最も明確な例だ。会社が薬をつくり、テストし、安全で効果的だと実証するために10年と10億ドルがかかるなら、他社がコピー製品で乱入できるのは不公平に思える。

しかしこの場合でも、現行の特許制度に反対する主張がある。テクノロジー投資の成功者ビル・ガーリーは、製薬会社はたいてい独占の利益を新製品の探求ではなく、マーケティングと独占そのものを守ることに使っていると示唆する。製薬業界が、アルツハイマー病のような病気向けの効果的な新薬を見つけることにも、イノベーション全般のペースを維持することにさえも、散々に失敗していることは、知的財産制度の効力をとうてい証明してはいない。「薬剤に特許がない世界にいたら、私たちはどうなっているか想像しなくてはならない。誰もイノベーションに取り組まないだろうという考えはばかげていると思う」とガーリーは私に語った。

全体として見れば、特許と著作権はイノベーションに必要であることも、役立つことも、はっきり示されていない。イノベーションには知的財産権による是正を待っている「市場の失敗」の兆候はまったくないが、特許と著作権が実際にイノベーションを抑制している証拠はたくさんある。リンゼイとテレスが言うように、知的財産権保持者は「イノベーションと成長の足手まといであり、知的財産法が宣言している目的とは正反対である」。

ふたりは次のように続けている。

知的財産保護が被っているヒツジの皮をはいだら、それがオオカミである、つまり景気低迷の主原因であり不当利益の道具であると考えるのは、まったくもって妥当である。

業務独占資格

アメリカ経済のような現代の西側経済は一般に、つねにではないにしてもたいてい規制によるレントシーキングに有利な状況というかたちで、イノベーションに対する障壁を積み上げる傾向がある。特許は一例にすぎない。金融の成長もそうだ。有能な人びとは、より生産的な仕事から、投機的な資金運用という、あまり生産的ではないが儲かる職業へと方向転換する。その職業は、厳しい規制と秘密の助成金によって競争から守られている。

有資格者に職を限定する業務独占資格が増えると、起業家による現状破壊が遅れがちである。私たちは事実上、中世にしばしば商業を独占し抑制したギルドを、再構築しているのだ。

ヨーロッパではおよそ５０００の職業が、政府によって義務づけられた免許のある人たちに限定されている。フロリダ州ではインテリアデザイナーが仕事をするには、たとえほかの州ですでにインテリアデザイナーとして認められていても、まず大学に４年間通わなくてはならない。破壊分子が、フロリダのアパートにアラバマ流で家具をしつらえようとすることによって、公共の利益を危険にさらすことなど決してあってはならない、というわけか。アラバマ州では、ネイリストは事業を始める前に、７５０時間の研修を受けて試験に合格しなくてはならない。こうした参入障壁は、すでに営業している人たちの報酬を増やすように考えられている。

１９３７年、パリのタクシーの数は上限１万４０００台とされていた。２００７年でも１万６０００台だ。そのあいだに、消費者のタクシーに対する関心は飛躍的に強まったかもしれないと、誰か気づかなかったのか？　もし気づいていたのなら、政府や有資格の会社には関心を抱いた人がいなかったのだ。

この現状に甘んじている業界を揺るがし、GPSやモバイルデータ、評価フィードバックを消費者の役に立てるには、ウーバーのような部外者の出現が必要だった。タクシー運転手のウーバーに対する抵抗は、「業務独占資格とイノベーションの対立を力強く鮮明に描き出している」と、リンゼイとテレスが述べている。パリやブリュッセルのような都市は、ウーバーを制限または禁止する法律を制定している。

土地利用計画もイノベーションにブレーキをかける。急成長する都市では、供給を制限することで住宅価格を押し上げるので、人びとが革新的な地域から移ってしまうという奇妙な結果を生む。そのため、インターネットがブームになっていた1995年から2000年のあいだに、シリコンヴァレーの中枢であるサンノゼから出て行ったアメリカ人のほうが、サンノゼに移ってきた人より10万人も多かった――住宅費用のせいである。

掃除機業界とEUの妨害を受けたダイソン社の声明

ヨーロッパの政治制度がどれだけ既存のテクノロジー寄りの偏見をもってきたか、サイクロン式掃除機の興味深い事例が明らかにしている。イギリス人技術者のジェームズ・ダイソン卿が、サイクロン式掃除機を発明した。ゴミをためる紙パックを使わないので、エンジンは同じ力で動いているのに、紙パックがゴミでいっぱいになるにつれて吸引力が衰えるということがない。2

014年9月、欧州委員会は「エコデザインとエネルギー表示規制」を公布した。メーカーに省エネの製品をつくらせることが目的だ。当然のことながらダイソンの会社は、掃除機のモーターのエネルギー消費量を顧客に知らせるエネルギー表示の考えを、掃除機メーカーとして真っ先に支持した。同社のサイクロン式製品は、とくにゴミがたくさんあるとき、とても効率がよい。

エネルギー表示にはエネルギーの総合評価も含まれており、AからGまで、Aが最高でGが最低の格付けがされる。項目は年間エネルギー使用量(kWh)、機械が排出するゴミの量(AからG)、騒音レベル(デシベル)、機械がカーペットからどれだけのゴミを吸い取るか(AからG)、機械が硬い床とすき間からどれだけのゴミを吸い取るか(AからG)。しかし妙なことに、その後、欧州委員会はこの規制のもとでは、掃除機のテストをゴミのないところで行なわなくてはならないと規定していることがわかった。これは世界中の消費者検査機関やメーカーに規格が採用されている、国際的な標準化組織の国際電気標準会議(IEC)と食いちがう。さらに、ほかの家電製品ともちがう。洗濯機やオーブンや食器洗浄機は、からっぽの状態ではなく「物を入れて」テストされる。

なぜ欧州委員会は国際的な慣行から逸脱したのか? 答えは情報公開法のもとで明らかになった文書でわかった。紙パック式の掃除機を生産するドイツの大手メーカーが、欧州委員会にせっせとロビー活動をしていたのだ。紙パック式掃除機は、ゴミがたまってきたら電力使用量を増やさなくてはならず、そうしないと性能が落ちる。これは縁故資本主義の典型例である。既存のテクノロジーが革新的なものより有利になるルールが定められるように、企業がロビー活動をするのだ。

２０１３年、ダイソン社は表示ルールについてＥＵの一般裁判所に異議を申し立て、掃除機の性能は現実的な条件でテストされるべきであり、それには実際に本物のゴミと対決することも含まれると主張した。ＥＵ一般裁判所は判決を言い渡すまでのんびり２０１５年11月までかけ、しかもダイソンの異議を却下した。その論拠は、ゴミを詰め込むテストは容易に「再現」できないので、テストに採用することはできないからだという。国際標準は実際にゴミの存在を要求しているのに、ＥＵの裁判所はそう主張したのだ。ダイソンはこれがばかげているとわかっていた。なぜならつねに自社の機械を、研究所と実際の住宅で、イヌ用ビスケットや、なぜか２種類のチーリオスシリアルを含めて、本物のゴミ、綿ぼこり、砂粒、破片を使ってテストしているからだ（最高のイノベーターは人間の弱点の多様性に注意を怠らない）。

２０１６年１月、ダイソンは一般裁判所の判決を欧州司法裁判所に上訴する。時間が流れ、２０１７年５月11日、彼は勝利した。司法裁判所によると、一般裁判所は結論に達するために「事実をゆがめ」、「みずからの法律を無視し」、「ダイソンの証拠を無視し」、「理由を説明する義務を果たしていない」。テストは技術的に可能であれば、「実際の使用条件にできるだけ近い条件で掃除機のエネルギー性能を測定することを可能にする計算方法」を採用しなければならないと、判事は裁定した。まさにダイソンが主張していたとおりだ。その後、欧州司法裁判所は再審理するよう一般裁判所に差しもどし、再審理になんと18カ月もかかっている。２０１８年11月、一般裁判所はようやくダイソンに有利な裁定を下した。しかしそれまでに中国のメーカーが追いついてきていた。

革新的なテクノロジーに対する、費用がかさむばかりの無意味な５年もの先延ばしについて、ダイソンの会社が出したコメントは辛辣だ。

ＥＵの表示規定は特定のテクノロジー、すなわちダイソンが特許を取得しているサイクロン方式を、著しく差別した。これは従来のメーカー、とくに委員会高官にロビー活動をしたドイツのメーカーに、利するものだった。テスト状態ではモーターの消費電力を低く抑え、その後、機械がゴミでいっぱいになると自動的に電力を増やすテクノロジーを用いる――そうして効率よく見せる――ことによって、積極的に規制を不当利用したメーカーもある。こうの不正ソフトウェアのおかげで、彼らはこの規制の本来のねらいをくぐり抜けているのだ。

これはディーゼルのスキャンダルによく似ている。環境活動家たちはＥＵに、二酸化炭素排出量が少ないからと言って、微粒子状物質と酸化窒素の排出量は多いにもかかわらず、ディーゼルエンジンを推奨するよう圧力をかけた。ディーゼルに強みがあったドイツの自動車メーカーは加わったが、結局、数年後に「不正ソフトウェア」スキャンダルが明らかになった。アメリカで車が排ガス放出量テストに合格したとだますように、コンピュータプログラムを設計したのだ。

規制のごまかしは、起業家のエネルギーを抑制するだけでなく、それをまちがった方向に導くことでも害をおよぼす。経済学者のウィリアム・ボーモルは、政策の背景にあるのが、金持ちになる最善の方法は新しい装置をつくって売ることだという考えであるなら、起業家のエネルギーはイノベーションに流れるが、既存のテクノロジーに有利なルールをつくるよう政府にロビー活動をすることで利益を得るほうが簡単だというのなら、起業家のエネルギーはすべてロビー活動につぎ込まれる、と主張している。

近年、ヨーロッパ経済の成長が鈍化している原因としてありえるのは、革新的なやり方に対するEUの――意図的ではないにしても――全般的な敵対心である。起業家にはあまりに不利である。EUはデジタルスタートアップの行く手に一連の障害を配し、ヨーロッパをデジタル革命の低速車線に置き去りにしたため、グーグル、フェイスブック、アマゾンに匹敵するデジタル巨大企業は生まれていない――中国とはちがう。リスボン条約そのものに、極端な予防原則を盛り込んだ。欧州委員会も欧州議会も、モバイルデータ、電子タバコ、水圧破砕、遺伝子組み換え、サイクロン式掃除機、そしていちばん最近では遺伝子編集に対し、たいていは圧力団体や既得権を求める企業のロビー活動で吹き込まれた怪しい論法を用いて、断固反対したり進行を妨害したりしてきた。

ビジネスヨーロッパ（欧州経営者連盟）は2016年に、ヨーロッパの規制がイノベーションに影響をおよぼした事例の長いリストをつくった。リストにはたしかに、規制がイノベーションを刺激した2つの例、廃棄物政策と持続可能な輸送も入っていた。しかしEUの規制が、法的あいまいさ、ほかの規制との矛盾、テクノロジーを縛るルール、面倒な包装条件、高い規制順守コスト、あるいは過度の予防措置を導入することによって、変革を妨げてきた事例のリストのほうがはるかに長い。

たとえばEU医療機器指令の結果、そんな指令がなかった場合よりも、新しい医療機器は大幅に少なく、値段が高くなっていることが明らかになった。ある研究によると、医療機器が規制機関への申請から保険適用までの規制プロセスを通るのに必要な期間は、アメリカでは約21カ月だが、ドイツでは70カ月だという。ストラトス社の埋め込み型ペースメーカーの具体例では、アメリカでは14カ月、フランスでは40カ月、イタリアでは70カ月だった。フレドリック・エリクソンとビョルン・ヴァイゲルは、西欧経済は「実験の文化とは相いれない予防措置への執着に近いものを患っている」と論じている。

ビットが規制されずアトムが規制される世界

ピーター・ティールは最初に哲学を学び、法律家になり、そのあと自身のベンチャーキャピタルファンドを始めた。ペイパルを創立したあと、フェイスブックの可能性に気づき、その最初の投資家のひとりになった。２０１６年の大統領選挙の前、彼はドナルド・トランプとほぼ同じことをやって、世界がどちらの方向に行こうとしているかを見きわめているという評判を確立したが、シリコンヴァレーでの人気は高まらなかった。

２０１０年代半ば、ティールは次のような見解を述べた。「私たちはビット（情報）が規制されずアトム（物質）が規制される世界に生きていたと言っていい」。ソフトウェアは「許可不要のイノベーション」で進化していたが、物理的なテクノロジーはだいたい変化を抑制する規制に縛りつけられていた。「コンピュータソフトの会社を始めようとしたら、コストは10万ドルだろう」。しかし「新薬を［食品医薬品局に］通そうとしたら、10億ドルかそこらの桁になる」。結果として、薬の開発をするスタートアップは少なかった。

これは、人間の健康を害するリスクのある新薬発見について、完全に規制撤廃しろという意見ではない。なんだかんだ言って、フェイスブックの初期のモットーだった「すばやく動いて破壊せよ」は、医療のイノベーションにとっては危険だ。サリドマイドは、もし薬がきちんとテストされないと何が起こりうるか、ぞっとするほど思い知らせてくれる。この場合、胎児への影響がテストで発見されなかった。

しかし、規制が投資をある部門のイノベーションから別の部門に方向転換させることもあり、もし政府が投資家をある分野のイノベーションに誘い込みたければ、実験を阻止する規制についてよく考えなくてはならない。

ビットにおける許可不要のイノベーションは、偶然生まれるものもあるが、少なくともアメリカでは、かなりの部分が計画的に生まれている。政策アナリストのアダム・ティーラーによると、両党からの政策立案者連合は、１９９０年代初期に始まったインターネット政策の基盤として、許可不要のイノベーションという考えを受け入れたという。これが電子商取引の成長を引き起こす「秘密兵器」になった。

１９９７年、クリントン政権は「世界的電子商取引のための枠組み」を発表したが、これは目立って自由主義の文書だった。「インターネットは規制される業界ではなく、市場主導の領域として発展するべき」であり、政府は「電子商取引に対する過度の規制を避ける」べきであり、「政府による最低限の関与または介入で、当事者がインターネットを介して商品とサービスを売り買いする合法的契約を結ぶことができるはず」であり、「政府の関与が必要な場合、その目標は商取引のための、予測可能な、最低限の、首尾一貫した、単純な法的環境を、支援し執行することであるべき」だと示している。このアプローチこそが、それから20年の電子商取引の爆発的成長を促したのであり、それがどこよりもまずアメリカで起こった理由を説明している。

事実、アメリカはそれよりさらに先を行き、1996年の電気通信法第230項で、インターネット上の表現の自由を明確に実現する法律を定め、それによってオンライン仲介者は、サイトの内容に対する法的責任を免除された。この法律はオンライン仲介者を基本的に出版社とは異なると定義し、当然、フェイスブックやグーグルのような大手テクノロジー企業の力と責任に関する今日の不安を生み出した。1998年のデジタルミレニアム著作権法の第512項は同様に、彼らを著作権侵害から守った。

イノベーション研究における重要な概念は、「コスト病」だ。これは経済学者のウィリアム・ボーモルが気づいたことだが、ある部門のイノベーションは、イノベーション経験の少ない別の部門の商品やサービスのコスト増大を引き起こしかねない。イノベーションが製造業における労働生産性を変えると、経済全体の給料を押し上げ、サービスを高めることになる。

1995年、ドイツで薄型テレビは人工股関節置換術の費用と同じ値段だった。15年後、股関節置換術の費用で10台の薄型テレビが手に入る。しかし外科医の給料は経済の生産性が全般的に上がったから増えたが、外科医自身の生産性はもし上がっていたとしても、それほどではない。

したがって、1部門だけのイノベーションを許すことは問題になりかねない。

イノベーションもまた、誰もが一般論としては賛成するが、誰もが各論で反対理由を探すものだ。イノベーターは歓迎され励まされるにはほど遠く、既得権者の既得権と、人間心理の保守的な警戒と、抗議運動の収益性と、そして特許や規制や規格や免許による参入障壁と、戦わなくてはならない。

第12章

現代のイノベーション欠乏を突破する

「われわれは空飛ぶ車がほしかったが、代わりに140文字を手に入れた」
——ピーター・ティール

イノベーションは自由から生まれる

イノベーションを生み出す秘伝のソースのおもな材料は「自由」だ。交換し、実験し、想像し、投資し、失敗する自由であり、統治者や聖職者や泥棒による奪取と制約からの自由であり、消費者の立場からすると、自分が好きなイノベーションに報い、そうでないものを拒む自由だ。

自由主義者は少なくとも18世紀から、自由が繁栄につながると主張してきたが、私に言わせてもらえば、彼らはそのメカニズム、すなわち一方が他方を引き起こす駆動チェーンを、説得力のあるかたちで見つけられていない。イノベーションという無限不可能性(ありえなさ)ドライブこそが、その駆動チェーンであり、ミッシングリンクである。

イノベーションは自由から生まれる。なぜなら、それは自由に表現された人間の願望を満足させようとする、自由で独創的な試みだからである。革新的（イノベーティブ）な社会は自由な社会であり、そこでは人びとは自由に自分の望みを表現し、その望みの実現を求める。そしてそうした要求を満たす方法を見つけるために、創造力にあふれる人たちが自由に実験する——他人を傷つけないかぎりは。

私が言っているのは、極端に自由を主張する無法という意味の自由ではなく、何かが具体的に禁止されていないなら、それは許されるはずだと想定すべきであるという、一般的な考えである。その想定は、現在、あなたのできないことだけでなく、できることも政府が決定しようとする世界では、驚くほどまれな現象である。

この自由への依存こそが、イノベーションに関する疑問の答えだ。

なぜイノベーションが計画しにくいかといえば、人間の望みもそれを満足させる手段も、求められる細部までは容易に予測できないからである。それでもイノベーションは振り返ってみれば不可避に思えるのは、欲求と満足のつながりがそのときはじめて明らかになるからだ。

なぜイノベーションが共同で協力して行なう課題かというと、ひとりの心は他人の心について知らなさすぎるからである。

なぜイノベーションが有機的かというと、それは私たちが欲するはずだと権力者が考えるものではなく、正真正銘の自由な欲求への反応でなくてはならないからである。

そしてイノベーションの起こし方をよく知っている人がいないのは、人びとに何かを欲しがらせることは誰にもできないからだ。

2050年を予測する

私は予言者ではないし、イノベーションの進歩を予想することは不可能だと、ことあるごとに主張してきた。将来のテクノロジーや慣習については悲観しすぎになりがちだが、ほぼ同じくらい楽観しすぎにもなりやすい。

それでも、これから数十年でイノベーションが世界を劇的に変えられることに、疑いの余地はほとんどない。その可能性はとても大きいが、発明家が経験しなくてはならない厳しい批判とつらい試練のせいで、一部しか実現しないだろう。人類の運命を、そして人類が地球を共有するほかの生きものの運命を、上向きにするために、次世代がイノベーションによってできることについて、ここで大胆に予測してみよう。これは私たちがあえてやることと同じではない。

２０５０年には、私はもし生きていれば92歳で、おそらく介護を必要としているが、そのころ私たちが住んでいる世界では、人工知能のおかげで高齢者の介護はいまよりはるかに安く、血の通った、それでいて効率的なものになっているだろう。すでにいまでも子どもや介護士が高齢者をモニターし、本人が無事で、活動していて、食べていることを、電話をかけずに確認できる遠隔介護装置がある。こうした装置のほうが、非常ボタンより評判がよくて効果もあり、たえまない訪問や電話よりわずらわしくないことがわかっている。結果的に介護士１人あたりの生産性が高くなれば、より多くの人びとが介護を受けられ、介護士の賃金も上がる。私の世代は前の世代より、楽しみが多く、手厚い介護を受けられる老後を望むことができる。

老化作用そのものの治療の可能性について言えば、老化細胞を組織から取り除く方法の理解が進みつつあり、それにもとづく予測が正しいなら、高齢者介護のコストは大幅に下がるかもしれない。さらに2050年までに、生きる時間は長くなるが死にひんする時間は短くなる、待望の「病的状態の圧縮」が実現する可能性もある。いまのところ、心臓病のような突然の死因の予防と治療のほうが、認知症のような慢性疾患はもちろん、がんのような漸進的死因の予防や治療より、はるかに進んでいる。老化細胞除去薬、ロボットキーホール手術、幹細胞治療、遺伝子編集がん治療、その他さまざまな医療イノベーションのおかげで、より快適な老後を生きられることはまちがいない。人工知能は医療をより安く、より良くするのに役立ち、ゲノム研究者のエリック・トポルが言う「時間という贈り物」を、切実に必要としている診察中の医師と患者に与えることができるだろう。

2050年までに、アレルギーと自己免疫疾患の発生は食い止められている可能性があると、私は確信している。そのためにはとくに、その原因が寄生生物の不在や腸内微生物の多様性不足にあることを認識する必要がある。私たちの免疫系はそうした微生物の存在と抵抗に適応しているのだ。微生物叢を移植するか、かつては虫や細菌によって供給されていた物質を補うことで、ひょっとすると自閉症その他の精神疾患も含めて、多くの自己免疫疾患を根絶しているかもしれない。つねに致死細菌の1歩先を行くための新たな戦略によって、抗菌剤耐性の問題を消し去っていることはほぼ確実だ。

2050年までに、輸送が大幅に改善されている可能性もある。宇宙への定期便はないかもしれないが、すでにナビゲーションを助けている人工知能が、路上と空中での安全を確保することは確実だ。輸送で出る汚染物質ははるかに少なくなり、都市の大気の質は向上し続ける一方、相乗りだけでなく道路や乗り物のシェアリングも、はるかに効率的になるだろう。

2050年までに、暗号通貨の使用によって、政府とお金の関係は急激なインフレがまったくなくなるように変わっているだろう。ブロックチェーンの利用で、弁護士、会計士、コンサルタントといった、コストの高い仲介者が排除されているかもしれない。犯罪ははるかに行ないにくく、はるかに見つけやすいものになっているだろう。税金はもっと公平になり、政府の無駄遣いは減っているかもしれない。

2050年までに、「遺伝子ドライブ」――DNA配列によって、たとえば保因者の子孫のうち一方の性を排除する手段――が、野生生物保護の活動を変えている可能性がある。私たちは人道的に、ほかの種を絶滅させるおそれがある特定外来生物を駆除したり、ある種の個体数を抑えることによって別の希少な種を助けたりすることができる。遺伝子編集によって、ドードーやマンモスを生き返らすことができているかもしれないし、遺伝子編集作物によって農業の生産性が大幅に上がり、必要な土地がはるかに少なくなり、そのおかげでドードーやマンモスなどの種に、生息できる新たな大規模国立公園を与えることもできているだろう。

2050年までに、革新的な機械だけでなく革新的な政策によっても、海の生態系を元どおりにし、雨林を修復している可能性がある。経済の脱物質化が実証するように、成長とは、より少ない資源からより多くの利益を得ることを意味するようになっている。

2050年までに、イノベーションによって、さらなる「ありえなさ」と繁栄に十分な燃料を供給しながら、二酸化炭素の正味排出量は大幅に減り、ひょっとするとマイナスにさえなるようなエネルギーを生み出すことが可能になる。おそらくそれは、天然ガス使用量の増加と石炭使用量の減少、海洋における広範なプランクトン多産化、そして大陸のさらなる森林再生とあいまって、核融合を含めた効率的な新しいモジュラー式の原子力が組み合わされ、さらに北海のような場所で精力的に炭素回収が行なわれるということだろう。

これらすべて（そしてもっとはるかに多くのこと）が、次世代の起業家たちによるイノベーションなら容易に達成できる範囲にある。しかし私たちは彼らにそれをやらせるつもりなのか、それともイノベーションという金の卵を産むガチョウを絞め殺そうとしているのか？

ITの変化は減速するかもしれない

イノベーションは年を追うごとに加速していくというのが決まり文句だ。しかし多くの決まり文句と同様、これはまちがっている。たしかに加速していくイノベーションもあるが、減速するものもある。

「スピード」そのものを取り上げよう。私が生まれてからの60年あまりで、移動の平均スピードに改善はほとんど、またはまったく見られない。私が生まれた1958年、飛行機は時速900キロ、車は時速100キロで移動できたが、今日も変わらない。道路や空港の混雑のせいで、2地点間の移動予定時間は、いまのほうが昔より長いことも多い。高バイパスエンジンと後退角の浅い翼を装備した最新の航空機は、実際、1960年代のボーイング707よりゆっくり進むように設計されている——燃料節約のためだ。有人飛行機の最速記録、時速7274キロは、半世紀以上前の1967年にX15ロケット機によって達成され、いまだに破られていない（最速の「空気吸入式」飛行機、SR-71ブラックバードは1976年に時速3529・56キロの記録を出し、これもまだ破られていない）。747は初飛行から50年後のいまも飛んでいる。唯一の超音速旅客機コンコルドは、過去のものである。

たしかに道路は良くなり、車の信頼性は上がり（カップホルダーも増え）、衝突事故は減るなどしているので、スピードがすべてではない。しかしこのスピードの変化にまつわる現実を、私が生まれてからのあいだにすっかり変わっている通信とコンピュータの効率と対比してほしい。もし車が1982年以降、コンピュータと同じテンポで改良されていたら、燃費は1リットルあたり170万キロ近くになっているので、ガソリンを1回満タンにしたら、月まで100回往復できただろう。

この対比は、1950年代から60年代のSF小説に目を向けると、なおさら顕著である。そうしたSFのなかでは、輸送テクノロジーはものすごく進歩しているのに対し、コンピュータはまったく目立っていない。将来的には、宇宙への定期便、超音速の航空機、個人用のジャイロコプターが実現すると語られていた。インターネット、ソーシャルメディア、携帯電話での映画鑑賞については触れられていない。私は最近、「私たちが思うより近い」という未来についての1958年の漫画を発掘した。その1コマに、個人用のジェットパックで空中を進み、家庭に手紙を配達する「ロケット郵便配達人」が描かれている。

私の祖父母は、私の世代が見てきたものと逆の経験をしていた。輸送は大きく変わったが、通信はほとんど変化しなかったのだ。彼らは自動車や飛行機が誕生する前に生まれ、生きているあいだに空飛ぶ超音速飛行機やヘリコプターによる戦闘、そして月に降り立つ人間を目にした。ところが情報技術にはほとんど変化がなく、生まれたときに電報や電話はあったが、携帯電話やインターネットを見ることなく亡くなった。祖父母の最後のひとりが亡くなったとき、大西洋の向こう側にいる娘への電話は、まだとても料金の高い珍しいものだったので、一般にオペレーターを通して予約する必要があった。私が思うに、これからの半世紀はコンピュータの進歩が現在ほど主役にはならず、２０７０年ごろには、情報テクノロジーの変化の減速とバイオテクノロジーの加速について、評論が書かれているのではないだろうか。

イノベーション欠乏

私たちはイノベーション危機の時代を生きていると主張する人もいる。多すぎるのではなく少なすぎる、と。西側世界はとくに２００９年以降、それなりのスピードで経済を成長させる方法を忘れてしまったようだ。世界のほかの地域がこれを補っており、とくにアフリカは、過去20年にアジアが達成した爆発的成長率と肩を並べようとしている。しかしその大部分は、すでに欧米で使われているイノベーションの導入による追い上げ成長である。

一方、ヨーロッパ、アメリカ、日本では、現状満足と伸び悩みがはびこっているようにも思える。フレドリック・エリクソンとビョルン・ヴァイゲルは共著書『イノベーション・イリュージョン——どうしてこれほど大勢がこれほど懸命に働いて生み出されるものがこれほど少ないのか(The Innovation Illusion: How So Little is Created by So Many Working So Hard)』のなかで、企業も政府も表向きの言葉とは裏腹にイノベーションの奨励を渋る傾向があり、それを打破することこそ、現代の資本主義の存在にかかわる課題だと述べている。

シュンペーターの「たえまない創造的破壊の強風」はやみ、吹いているのはレントシーキングの微風だ。大企業と大きな政府とのなれ合いの共謀が状況を支配するにつれ、企業の管理主義がしだいに起業家精神の活力を奪っている。上司は不確かさを敬遠し、代わりに会社をどんどん官僚主義的にする。タイラー・コーエンやロバート・ゴードンのような経済学者も同じように、私たちはトイレや車のような世界を真に変化させるものを発明しなくなり、だんだんにソーシャルメディアのようなどうでもいいものと戯れるようになっていると主張する。

この病弊の兆候は、会社が積み上げた兆単位の巨額の現金を抱え込み、多国籍企業は自社のイノベーションへの投資方法がわからないので、借り手ではなく最終的に貸し手になっていることだ。大手製薬会社のなかには、薬の販売で得るより多くの利益を、金融投資で上げているような会社もある。大会社が実際にお金を使うときは、自分たちの特許権を行使するとか、市場占有率を維持するなど、守りのために使うことが多い。資産は老朽化しつつあり、彼らはますます安全策を取りがちになっている。これは年金ファンドや政府系ファンドによって当事者意識が薄まり、それにともなって幹部が自己資産をつぎ込まなくなったせいでもある。そうなると起業家が不労所得生活者になりがちだ。つまり、知的財産権や業務独占資格、政府助成金によって参入障壁を高くすることで実現する、地域的独占から利益を引き出すのである。すると企業の管理主義の圧力は、市場で競争するより容易な市場を統制することに、そして実験するより楽な計画することに働く。

社内の「コンプライアンス担当役員」数の急速かつ継続的な増加は、これがどう展開されるかを示している。規制順守にまつわる負担はほぼ必ず大企業より小さい企業ほど大きく、そのため新しいアイデアのある新参者が既存の市場に参入するのを妨げる。経済学者のルイジ・ジンガレスによると、ほとんどの場合、「たくさん儲ける最善の方法は、すばらしいアイデアを思いついて、その実現に取り組むことではなく、政府の支持を取りつけることだ」。当然、多くの企業がいまだに口先だけはイノベーションに賛同し、肩書きにその言葉が入る職に重役を任命し、その言葉を使うスローガンを採用しているが、たいていは現状への強い執着を隠す無意味なたわごとである。

グローバル化はこの傾向に逆らうどころか、それを定着させたかもしれない。多国籍企業は起業家ではなく計画者の精神を吸収してきた。こうした要因で、アメリカ経済の力の衰えとその格差拡大の説明がつくだろう。アメリカにおける新規開業率は、１９８０年代末の年12パーセントから、２０１０年には８パーセントに落ちた。主要指数銘柄の会社の離職率がかなり下がっているということは、現職者が長くその場所にとどまるということだ。１９９６年から２０１４年までに、20代の人たちによって始められたスタートアップの割合は半分になった。ＯＥＣＤの調査によると、スタートアップの割合は18の経済圏のうち16で下がっている。

ヨーロッパでは問題はさらにひどい。既存企業に有利なルールを制定しがちな欧州委員会にやんわりと包囲され、創造的破壊がほぼ中断しているのだ。ヨーロッパの時価総額の高い企業１００社のうち、この40年に設立された会社は１社もない。ドイツのＤＡＸ指数30銘柄のうち、１９７０年よりあとに設立されたのはたった２社、フランスのＣＡＣ指数40銘柄で１社、スウェーデンのトップ50社ではゼロだ。グーグルやフェイスブック、アマゾンと戦えるデジタル巨大企業が、ヨーロッパでは1社も生まれていない。

この考え方が正しいなら、西側経済のイノベーションを生み出す能力は衰えてきている。所得が伸び悩み、社会的流動性に有利な条件が枯渇しているように見えるかぎり、原因はイノベーションが多すぎることではなく、少なすぎることにある。「やっかいな現実は、私たちはイノベーション過剰ではなく、イノベーション欠乏を恐れるべきであることだ」とエリクソンとヴェイゲルは書いている。

ブリンク・リンゼイとスティーヴ・テレスも同意見だ。「創造的破壊の仕組みは減速しており、その証拠に、企業利益が増大し、新規開業が減少し、トップ企業が長きにわたって異様なほどますます安定している」。

しかし世界の別の地域が救いの手をさし伸べるかもしれない。6世紀前に硬化しつつあった中国からイノベーションのバトンをヨーロッパが奪取したように、中国がそれを再び奪い返そうとしているようだ。

中国のイノベーションの勢い

中国でイノベーションのエンジンが始動したことはほぼまちがいない。シリコンヴァレーはしばらくがんばるが、ほとんどの評価基準において、カリフォルニアは将来的に有能な人材を引き寄せるのに苦労する。仕事をするにはますますコストが高く、窮屈で、規制が厳しく、税金が高い場所になっているのだ。

テキサスのほうがましで、イスラエル、ニュージーランド、シンガポール、オーストラリア、カナダ、さらにはヨーロッパの一部にも——とくにロンドンとその後背地に——明るい材料はあるが、これからの数十年、ほかのどこよりも大規模かつ迅速にイノベーションを起こす可能性が高いのは中国である。その政治が独裁主義で不寛容であるにもかかわらず、そういう状況になっているのは、政治的なことはほとんどが起業家より上のレベルで起こっており、起業家は共産党を不快にさせないかぎりは、きわめて官僚主義的な規則と先延ばしを意外にもまぬがれ、自由に実験ができるからだ。そのため政治的自由の欠如は、当初は重要でないかもしれない。ただし、やがて問題になることはまちがいない。

中国が製品や工程をまねることによって西側諸国に追いつこうとする、抜け目ない模倣者だった時代は終わった。中国は一気に未来へと飛び込んでいる。インターネットの利用は完全に携帯電話からで、固定されたコンピュータにはつながっていない。少なくとも都市部では、中国の消費者はもはや現金どころかクレジットカードさえ使っていない。モバイル決済がどこにでもあるのだ。テンセントとアリババが管理するデジタルマネーは、急速に進化している。レストランにメニューがなく、店にキャッシュレジスタがないことも多い。すべての支払いと注文にQRコードが使われる。モバイルデータのコストは誰にも予想できなかったほど急速に下がった。データ1ギガバイトの価格は、5年間で240人民元からわずか1人民元に急落したのだ。

ウィーチャットのような企業はソーシャルメディア企業として始まったが、いまではモバイルウォレット、タクシーを呼んだり食事を注文したりするアプリ、水道光熱費の支払い手段など、消費者が望むものを何でも提供している。欧米なら5種類のアプリを必要とすることが、中国では1つのアプリでできる。アント・フィナンシャルのような会社は、金融サービスを再編成している。6億人のユーザがお金だけでなく保険その他のサービスも、すべてたった1つのアプリで管理できる。

発見と発明に関しても中国は同じように革新的だ。人工知能、遺伝子編集、原子力および太陽エネルギーに、西欧では夢見ることしかできないくらいの勢いで飛び込んでいる。そのペースは驚異的だ。この10年間、1年に1万1000キロの新しい自動車道が建設され、西欧では数十年かかる鉄道と地下鉄網が1年か2年で出現し、ほかのどこよりも大規模で、高速で、包括的なデータネットワークができている。このインフラ支出はイノベーションではないが、イノベーションが起こる助けになるのはたしかだ。

このイノベーション猛威のスピードと広さを説明するのは何だろう？　ひと言で言えば努力である。中国の起業家は「9-9-6」で打ち込んでいる。つまり午前9時から午後9時まで週6日働くのだ。それはアメリカ人が世界を変えたころに似ている（エジソンは社員に非人間的な長時間労働を求めた）。ドイツ人が最も革新的な国民だったころもそうだったし、19世紀のイギリス人、それ以前のオランダ人とイタリア人にも似ている。何時間も働き、実験し、新しいことを試し、リスクを負う意欲――こうした特徴はなぜか、若くて成功したばかりの科学者に見られ、年とって疲れた科学者には見られない。

欧米もまだ金融、科学、芸術、慈善活動で、独創的な新しいことをするかもしれないが、日常生活に影響する製品やプロセスのイノベーションは減速している。官僚制と迷信は挑戦者の邪魔をする。ロンドンは主要空港に新しい滑走路を1本建設するのに（まだされていないが）30年を要し、数キロ以内のイモリとコウモリと騒音計に何が起こるかを調査することで、コンサルタントが儲けている。ブリュッセルは害虫に耐性のある作物をつくろうとすることが誰かにとって良いアイデアかどうかを、何年も熟慮している。ワシントンは、起業家精神あふれる企業から生気を吸い取る規制機関、法律家、コンサルタント、レントシーカーのために、ごちそうを用意している。中央銀行は暗号通貨とデジタルフィンテックを見下す。かつての明朝中国、アッバース朝アラビア、ビザンティウム、アショカ王のインドのように、こうした成熟した文明はイノベーション熱を失い、責任を転嫁する。

とはいえ、世界がイノベーションを行なうのに中国に頼るつもりなら、そこは居心地の悪い場所になる。中国の市民は、欧米がとっくにはねのけた専制的で権威主義の束縛を受けている。民主主義は存在せず、自由な演説は不可能だ。

繰り返しになるが、私が本書に綴ってきたイノベーションの物語は、イノベーションが自由に大きく依存しているという教訓を教えている。イノベーションが起こるのは、アイデアが出会い、つがうことができるとき、実験が奨励されるとき、人と物が自由に動けるとき、お金が新しい概念に向かってどんどん流れていくとき、投資する人たちが自分への見返りが盗まれないと確信できるときだ。

欧米は官僚主義の締めつけのせいで、イノベーションが起こるに任せることをだんだんに忘れつつあるのかもしれないが、中国が政治的独裁主義によってそれを抑制するのは確実だ。独裁体制では、たとえ設立時は大胆な部外者だったとしても、既存企業がイノベーションに対して参入障壁を設けるのはあまりに容易である。それなら、世界に頼られるイノベーション国家に名乗りを上げるのは誰なのか？

インドかもしれない。中間所得層の生活水準に到達しつつある広大な国であり、教育水準の高い住民がいて、自由企業と自主的秩序の長い伝統がある。インドのイノベーションは明らかに加速しており、生活保護の支払いと銀行取引には指紋と虹彩を使う生体認証のようなテクノロジーが利用されており、欧米も中国も追い抜く兆候を示している。インドの製薬業界は、ジェネリック医薬品から革新的な薬へと急速に移行しつつある。

あるいはブラジルかもしれない。わずか10年で特許出願数が80パーセント増えている国だ。この国にはフィンテック（金融テクノロジー）、アグテック（農業テクノロジー）、およびアプリケーションの分野にうらやましいほどの専門知識が蓄積されている。世界最大のコンプレッサメーカーであるエンブラコは、コンプレッサがまったく必要ないように冷蔵庫を変革することを試みている。

イノベーションの不可能性ドライブ

私は誰かがイノベーションを起こし続けることを望む。なぜなら、イノベーションがなければ生活水準の停滞という暗い見通しに直面し、それが政治的分裂と文化的幻滅につながるからだ。

イノベーションがあれば、長寿と健康の明るい未来が開け、より多くの人がより充実した生活を送り、驚くような技術的偉業がなし遂げられ、地球の生態系への影響が軽減される。

本書で語られた物語が伝える教訓すべてのうち、私が最も有意義だと思うのは、トーマス・エジソンのそれである。彼は電球のアイデアを思いついた大勢のひとりにすぎないが、それを実用的な現実に変えた人物だった。彼はそれを天賦の才能ではなく実験によって行なった。いくつかの取材で彼が語っているように、天才は1パーセントのひらめきと99パーセントの努力である(2パーセントと98パーセントと言ったこともある)。そして「思うに天才とは勤勉であり、根気強さであり、常識である」と言い足した。

繰り返しになるが、エジソンは6000種類の植物をテストしてようやく、電球フィラメントに適した種類の竹を見つけた。ひらめきではなく努力こそが、欧米の多くが忘れてしまったか、あるいは禁じている部分である。原子力をより安全で安いものにするのを妨げ、ゴールデンライスがもっと早く命を救うのをはばみ、新しい医療の開発を減速させているのは、実験を繰り返せないことだ。そしてインターネットの成長とデジタル通信の世界の拡張につながったのは、たくさん実験を繰り返したことだ。

私たちはどうにかして、人びとの安全を維持しながら、すべてのイノベーションが依存している試行錯誤の単純なプロセスが妨げられないように、規制のあり方を再構築する方法を見つけなくてはならない。

イノベーションは自由から生まれ、繁栄を生み出す。すべてを考えると、それは非常に良いことである。それを断念するのは私たち自身の責任だ。数ある種のなかでとりわけ人類が、どういうわけか、みずからの幸福にとって実際に役立つような、熱力学的にありえない新たな構造と概念を生み出すように、世界の原子と電子を再配列する習慣を身につけたという奇妙な事実に、私は驚異の念を禁じえない。

その人類の多くが、この再配列がどうして生まれるのか、なぜそれが重要なのかについて、ほとんど興味を示さないことは、私にとって不可解だ。多くの人びとがそれを促進するより制限する方法について考えていることが、私には心配だ。

人類が何世紀、何千世紀のうちに世界の原子と電子をどう再配列できるかには、実質的な限界がないことに、私はわくわくする。未来はスリル満点であり、私たちをそこに連れて行くのは、イノベーションの不可能性ドライブである。

ウイルスでイノベーションの価値をあらためて思い知る

本書の最終稿を仕上げたのは２０１９年11月、コロナウイルスが世界的なＣＯＶＩＤ－19パンデミックを引き起こす前だった。

12月から１月にかけて、新種のウイルス性「肺炎」について、多少のうわさが中国から伝わっていたが、世界保健機関（ＷＨＯ）は１月14日になってもなお、ヒトからヒトへの感染の証拠はなく、大きな脅威には思えないと断言していた。２月、流行は抑えられないことが明らかになった。その後、２０２０年３月23日に施行されたロックダウンによって、イギリスでの本書の出版が延期された。そのおかげで私には、この病気が本書の主張にもつ意味について、追記を書く時間ができた。

本書はとくに医学をテーマにしているわけではないが、感染症と公衆衛生の世界から集めたイノベーションの例をたくさん取り上げている。天然痘、ポリオ、狂犬病、百日咳（ひゃくにちぜき）に対するワクチン、ペニシリン、マラリアを予防する殺虫剤処理の蚊帳（かや）、経口補水療法によるコレラ治療、水洗トイレ、飲料水の塩素消毒、といった具合だ。そのすべてが、執筆中は、無事に過去のものになったと感じられていた。伝染病に対するみごとな勝利であり、敵は世界の裕福な国々で大勢を殺すことはできなくなり、貧しい国々でも急速に退却している。しかしそのすべてが、イノベーションの比類なき価値も示している。そしてそれは今回についても言える。ワクチン、治療薬、隔離強制の手段、あるいは感染者との接触をたどるソーシャルメディアアプリ、どれであれイノベーションが勝利するだろう。

正直に言って、私はこれほどひどいパンデミックになりそうだとは思っていなかった。なにしろパンデミックの警告は何度も無駄に終わっている。1995年にはエボラ出血熱が100万人の死者を出すはずだった。1996年のBSE（狂牛病）。2003年のSARS。2006年の鳥インフルエンザ。2009年の豚インフルエンザ。2013年に再び鳥インフルエンザ。2014年に再びエボラ。2016年のジカ熱。どの場合も数理モデルから、死者は何十万人どころか何千万人にさえなりうるという終末論的な予測が立てられ、それを専門家がはっきり述べ、メディアが中継した。毎回「オオカミだ！」と叫ばれたのだ。ところがいずれの場合も死者は出たが、何十万人ではなく何百人か何千人だった。オオカミはいなかった。

最新型のインフルエンザは1918年と同じくらいひどくなると言われながら、結局そうではないとわかる状況に、みんなうんざりしていた。2009年には、インフルエンザに効くとされるタミフルに関して、製薬会社が政府に大量購入のロビー活動をした結果、在庫の山が使われずに倉庫で眠っていた。私が生まれてからこのかた、ほかの動物種から感染した新しいウイルスのうち、地球規模のパンデミックを起こす力があると証明されたのはHIVだけだった。およそ2000万人の死者が出ているが、いまでは幸いにも治療可能であり、死因としては衰えている。

イソップ寓話で「オオカミだ！」と叫んだ少年は、うその警告を発しすぎたために、とうとう実際にオオカミが現われたときには信じてもらえなかった。

うその警告は、起こらなかったパンデミックだけではない。私はこれまでに、人口爆発、石油枯渇、核の冬、酸性雨、オゾンホール、殺虫剤、種の絶滅率、遺伝子組み換え作物、精子数、海洋の酸性化、そしてとくに２０００年問題について、大げさな主張が現われては消えるのを見てきた。これらは現実の問題だが、メディアでひどく誇張されがちである。不当な警告の競り売りはジャーナリストと政治家の大好物だ。20世紀初頭の文明評論家、Ｈ・Ｌ・メンケンによると、「実際的な政治のねらいは、基本的に架空のお化けの話を延々とすることで、民衆を怖がらせて（そして安全に導けと騒ぎ立てさせて）おくことである」。パニックになったからこそ、世界が解決策を探し求めたというのも説明にならない。２０００年問題は、準備をした国や企業だけでなく、何もしなかった国や企業でも起こらなかった。

現実に現われたオオカミ

２０２０年のＣＯＶＩＤパンデミックが始まるまでの数週間、欧米のメディアはしきりに人類が直面している最大の危機、すなわち、平均気温が10年で０・２度ないし０・３度、おもに夜間に北部で冬に上昇するおそれがあり、最終的に掛け値なしで悪影響をおよぼすという見通しについての、終末論的な警告、激しい抗議、不安に取りつかれた訴えを取り上げていた。気候変動は取り組むべき深刻な長期的問題だが、大惨事が迫っており、何億、何十億の死者が出るという主張は、これまで30年以上のあいだにエスカレートしてきたものだ。

実際にはその期間で、飢饉、嵐、洪水、旱魃による死者は急減している。そのような大げさな主張をするのは過激な抗議運動グループに限られない。とくにパンデミックを警戒する責任を負っているＷＨＯが、２０１５年、「気候変動は世界の健康にとって21世紀最大の脅威である」と発表した。つまりパンデミックより大きいというのだ。

そして現実にオオカミが現われた。気がゆるんでいた私たちは信じなかった。

当初は私も、このコロナウイルスはただの「悪い風邪」の一種だと判明するか、すぐにたいした病原性のないインフルエンザのような熱病になると考えていた。医者の友だちがそうだと請け合った――そしてたしかに、過去に予想された数々のパンデミックが現実にならなかったことに、これまで私は安心してきた。

それでも、伝染病のパンデミックが起こりうることは知っていた。２０１０年の『繁栄』には、今世紀にいろいろと良いことが起こるとしても、退行の可能性はあり、何も保証されていないと書いた。そして「インフルエンザのパンデミックが21世紀を恐ろしい場所にするかもしれない」とつけ加えた。

さかのぼって１９９９年、病気の未来に関する小論に、もし新たなパンデミックが起こるなら、それは細菌でも真菌でも動物寄生生物でもなくてウイルスであり、私たちはすでに家畜の病気にはかかっている（はしかはおそらくウシに由来する）ので、そのウイルスには野生生物から感染するだろうと書いた。「きっとコウモリだ」、と。コウモリは１０００以上の異なる種がいて、群生するので呼吸器系ウイルスにとって理想的な宿主である。私たちと同じようにコウモリは大きな群れをつくり、私たちと同じように長距離を飛び、私たちと同じようにたえまなく咳をして音を出す——情報交換だけでなく飛ぶ方向を知るためでもある。私たちもウイルスが伝染して増幅しやすい状況をつくり続けるなら、新たなウイルス性伝染病の波を経験し続けるだろう。

現在、（遺伝子配列解明のイノベーションのおかげで）ＣＯＶＩＤ－19を引き起こしたウイルスはコウモリに見られる多くのコロナウイルスのひとつであり、種の垣根を越える前にも、ＡＣＥ２と呼ばれる特定の受容体によって、ヒトの細胞に侵入する能力があることがわかっていた。このウイルスが、さまざまな生きた野生生物がごった返していて、食べ物や薬として売られている不衛生な「海鮮市場」で増殖し、ヒトに到達したのか、それとも、研究所の実験から抜け出した可能性があるのか、あるいはその両方なのか、まだわかっていない。そうした事故は実際に起こっているし、田俊華のような研究者が率先して、地元のコウモリ洞窟にウイルス探しの調査旅行を行なっている湖北省の疾病管理予防センターは、流行が始まったと思われる武漢の海鮮市場からわずか数百メートルのところにある。

科学文献のどこを見るべきかわかっていれば、警告はきわめて明白だった。「キクガシラコウモリにＳＡＲＳ－ＣｏＶ様ウイルスの保有宿主が大量にいることは、中国南部の変わった哺乳類を食べる文化とあわせて考えると、時限爆弾である」と、２００７年に香港の研究者４人が書いている。「野生生物の生鮮市場や中国南部のレストランには生きたコウモリが存在する。そのようなコウモリと動物、コウモリとヒトの相互作用は、［コロナウイルスの］種間伝播にとって重要であり、壊滅的な地球規模の大流行につながるおそれがある」と、同じ研究者が２０１９年に述べている。

ワクチンと診断法におけるイノベーションの怠慢

それでもそのような警告は無視され、野生生物の生鮮市場は繁盛し続け、世界は準備をしなかった。さらに悪いことに、世界はまさに最も必要とされる分野のイノベーションを怠っていた。たとえばワクチン開発は、オーファン（孤児）テクノロジー〔訳注：市場規模が小さく利益が上がらないために開発が進まない技術〕として21世紀には活気を失った。政府とＷＨＯは、食生活や気候変動について対象者に講演することに公衆衛生予算を使うことを選び、ワクチン開発を十分に奨励してこなかった。

民間部門も、新しいワクチンは製造しても儲からないので、ないがしろにしていた。新しい伝染病のために開発し終えたころには、その流行が終わっている可能性があり、もし終わっていなくても、緊急事態ではワクチンを無料で提供するよう強い圧力がかかる。おまけに効き目がある場合、必要なのは１人１回だけで、たとえば血中コレステロール値を下げるためのスタチンとちがって、すぐに商売が成り立たなくなる。２０１４年の西アフリカにおけるエボラ流行の場合、試験的なワクチンが初めて11月に開発されたが、７カ月とたたないうちに流行は終わっていて、会社は最後の治験に参加するボランティアを見つけるのにさえ苦労した。そのような場合、製薬会社の苦境が同情される可能性は低く、そのため多くの会社がワクチンにはかかわらないと決めたのだ。

本書の第２章で、１９３０年代にパール・ケンドリックとグレース・エルダリングが、創意工夫の力と多大な努力によって、空き時間まで使って、たった4年で百日咳のワクチンを開発して無数の命を救った、たぐいまれな偉業について語った。

わかってショックなのは、このふたりの女性とちがって、現代の私たちは遺伝子が何でできているか、免疫系はどう働くか、タンパク質はどう合成されるか、遺伝コード表はどういうものか、その他いろいろとわかっているにもかかわらず、ワクチンをつくるのにいまだに何年もかかることだ。

たとえばメッセンジャーRNAワクチンなら、接種すると実質的にワクチンをつくるための指示が体内に送られる。そのような革新的なアイデアが、今回、私たちに救いの手を差し伸べるかもしれないが、資金の限られた数少ない研究所の少人数チームで開発されている。ヒューマン・ワクチン・プロジェクト代表のウェイン・コフは、パンデミック前の2019年、ワクチン開発は「資金と時間と労力を要するプロセスであり、何十億という費用と数十年という時間がかかり、成功率は10パーセントに満たない。ワクチンそのものの有効性だけでなく、その開発プロセスそのものの有効性も改善する方法を見つけ出すことが、いますぐ必要であることは明らかだ」と警告している。要するに、イノベーションが必要だったのであり、いまや何としても必要である。

2017年に、ウェルカム・トラスト、ビル&メリンダ・ゲイツ財団、およびインドとノルウェーの政府からの資金で、感染症流行対策イノベーション連合（CEPI）が設立されたのは、まさにこの問題を解決するためだった。しかし誰か――おそらくWHO――がもっとずっと早くやるべきだった。2020年までにCEPIは、どんな新しい病気にも適応できるワクチン開発プラットフォームを生み出す道を、かろうじて歩き始めたにすぎない。２０２０年のパンデミックに関する最大の失敗は、ワクチンの分野で十分なイノベーションを行なってこなかったことだ。これには私もたしかにびっくりした。

この失敗はワクチン以外にも当てはまる。パンデミックが広がると、感染者を特定して隔離するための診断検査こそが、ウイルスに対する重要な武器であることに、各国はすぐに気づいた。韓国やドイツのように、すばやく民間部門に協力を求め、検査薬の開発、製造、流通を企業に外注し、民間部門が試行錯誤のプロセスで、効果的かつ効率的な解決策を見つけることを可能にした国もある。アメリカやイギリスのように、検査の政府独占を維持しようとして、それが品質管理を達成する唯一の方法だと言い訳する国もあった。イギリスのシンクタンク、アダム・スミス研究所のマシュー・レッシュの調査によると、アトランタの疾病管理予防センターは当初、「検査を独占しようとして、民間部門が独自の検査を開発するのを阻止し、自分たちの検査の有効性について国と地方の当局をあざむいた」。しかし激しい批判を受けたすえに、アメリカ政府が政策を変更して制度を分散化すると、民間部門がすぐさま1日10万件まで検査を増やした。

同じアダム・スミス研究所の報告によると、イギリスはすべてのサンプルを自分たちの研究所に送り、「民間部門によるツール開発を求めて迅速な承認を行なうのではなく、独自の診断ツールを開発してその使用を奨励すること」を選んだ。3月中旬までに、症例数が急増して国の研究所が対処できる能力をはるかに超えると、イギリスは検査を外注するのではなく、症状のある人でも入院しないかぎりは検査しないことにした——患者を前にして、中央集権的な指揮統制を行なうことへの、じつに奇妙なこだわりである。

イギリスの国民医療サービス（ＮＨＳ）が外部のイノベーティブな製品に対して反感を抱くことは、生命科学に関する政府顧問のジョン・ベル卿が、数年前にすでに指摘していた問題だ。イギリスの人口１人あたりの体外診断薬（ＩＶＤ）の市場規模は、ドイツの半分にも満たない。イギリス体外診断協会によると、「新しいＩＶＤ検査の採用となると、ＮＨＳはあまりに柔軟性に欠ける。典型的なのは、解決策はいまだに薬だと考えていて、結果改善のためにＩＶＤが制度にどう採用されうるかを考慮しないことだ」。救急救命センターに運ばれる胸の痛みがある患者のうち、治療を必要とする20パーセントと、無事に帰宅できる80パーセントをすばやく区別し、病床を空けてコストを節約する新しい検査は、イギリスの会社によって世界中に販売されたが、イギリスでは売られていない。この検査嫌いのせいで、２０２０年に多くの命が失われることになった。

規制の多くは安全性を高めない

世界各国がパンデミックに取り組んだときに遭遇した進歩への妨げは、「平時」には妥当に思えたが、いまではばかばかしく見えるものである。かつてセラノスが保有していた特許（第10章参照）が、ひところ診断検査の開発を邪魔するおそれがあったが、その後ようやく、新たな特許権者が引き下がった。多くの規制は安全性を高めることなく、ただスピードを妨げるばかりだ。医療機器の安全性向上を目的とするルールが、大幅な遅れを引き起こすため、イノベーターが新しい診断検査の開発を試そうとすることさえ思いとどまったことはまちがいない。思い出してほしい。試みて失敗した人たちの足跡は残るが、イノベーションの市場導入が難しすぎるために、事業を始めようと試みさえしなかった人たちの痕跡は残らない。第11章で述べたように、あるペースメーカーはイタリアで使用認可を受けるのに70カ月かかったのだ。

これは治療についても言える。細菌との闘いには、抗生物質という化学的な武器で（耐性という問題が大きくなりつつあるとはいえ）ある程度勝利してきたが、効果的な抗ウイルス薬の発明の進歩ははるかに遅く、成功が少ない。存在する数少ない抗ウイルス薬は、ほとんどが特定のウイルスにしか効かない。

「真の広域抗ウイルス薬のとぼしさは、ウイルス性感染症の緊急事態に対する備えとしては大きな欠落である」と、今回のパンデミックが始まる何カ月も前に、ある評論が予知するような結論を出している。そのおもな理由は、ウイルスには独自の生化学がない──自分の必要に応じて宿主のそれをむしばむだけである──ため、宿主を傷つけずに攻撃できる標的がほとんどないからだ。もうひとつの理由は、ワクチンと同じように、パンデミックを止める薬が必要になることは10年に1回あるかないかなので、臨床試験でその価値を証明するのに大金を投資する製薬会社にとって、金づるにはなりえないことだ。

しかし抗ウイルス薬が可能であることは、ＨＩＶの例が示しており、この場合はおもにプロテアーゼ阻害剤が、特定の宿主の酵素を使うウイルスが細胞に入るのを止める。もし世界がもっとこの問題に投資していたら、そのような抗ウイルス薬がいくつ開発されていたかは誰にもわからない。実際、ＨＩＶ治療のために開発されたプロテアーゼ阻害剤とモノクローナル抗体、そしてエボラ治療のために開発されたRNAポリメラーゼ阻害剤はどちらも、製薬会社にとってCOVID治療薬の最初の手がかりになった。

セレンディピティの好例だが、富士フイルムの抗ウイルス剤、ファビピラビル（商品名アビガン）は、2種類以上のウイルスに対して有望な数少ない抗ウイルス薬のひとつだ。

富士フイルムはコダックがたどった運命を避けるために、2000年代初めにほかの化学事業や医薬品事業に多角化し、2008年に富山化学工業を買収した。この会社が有望な薬の候補であるファビピラビルを保有していたのだ。ヘルペスの治療薬を求めてウイルス学者の白木公康によって開発されたが、インフルエンザに対して有望であることがわかっている。2014年にギニアでエボラ患者に試されたが、期待できる結果はほんのわずかだった。中国でのコロナウイルス患者に対する最初の治験が有望だったので、富士フイルムは治療薬になるのではないかと考え、生産を大幅に加速させた。

これはイノベーションの作用の好例である。あるウイルスに対する闘いが次々と別のウイルスとの闘いへとつながり、最終的に、世界規模のパンデミックに向けて必要なとき、武器が存在することになった。しかもそれを手がけたのは、なんとカメラ業界の会社なのだ。

あなたがこれを読んでいるころには、COVID-19に有効な抗ウイルス薬が出現しているかもしれない。これはワクチンではなく抗ウイルス薬治療によって制圧される、最初のパンデミックかもしれない。この段階で、どういう予測が正しいか知るすべはない。ある評論には30の候補が列挙されている。イノベーションのつねとして試行錯誤で決まるのだが、そのなかにこの病気を治療または改善できるものがない確率は低い。この病気にかかっている人だけでなく、かかったことのある人も特定するために、有効な抗体検査が利用できるようになっているかもしれない。

私たちは最終的になんらかの方法で、この悪魔から逃れ、経済活動を再開する。そうするとき、これがもっとひどい大惨事でなくてよかったと、いくつかの幸運だった点に感謝してもいいだろう。たとえば、COVID-19は基礎疾患のある高齢者には非常に危険だが、子どもにはほとんど害をおよぼさないとわかった。過去に子どもと高齢者を等しく死にいたらしめた、インフルエンザ、ペスト、天然痘などの病気とは大きく異なる。

デジタルイノベーションが隔離の孤立感を和らげる

ウイルスの直接的影響のひとつは、世界経済を停止させたことだ。2020年3月にヨーロッパその他の大陸に広がると、各国政府は都市のロックダウンという苦渋の決断をして、生活に必要不可欠な仕事をする人以外は自宅にとどまるように命じた。その影響は甚大だが、20年前、孫とのビデオ通話がほとんどの人の選択肢になく、オンライン会議は不可能で、ネット通販はほとんど存在しなかった時代だったら、どれだけひどいことになっていたか、考えてみる価値がある。ブロードバンド通信の存在のおかげで、ロックダウンによって生産性が以前より大幅に上がった人もいて、おそらく多くの人びとが自分の通勤習慣について考え直すことになっただろう。

このように、パンデミックは確実にイノベーションの連発を起こすはずだ。ズーム、フェイスタイム、スカイプのようなシステムを多くの人が取り入れて、初めてビデオ会議が本格化したように思える。

考えが甘いかもしれないが、私はこの本の宣伝のために、空港やセキュリティチェックやホテルのロビーや時差にわずらわされることなく、世界中の文学祭に参加できればいいと思う。在宅勤務はパンデミックが消えたあともはるかに一般的になり、非難されることが少なくなることは確実であり、医者へのバーチャル受診などもそうだ。すでに労働者が在宅勤務の権利を求めている国もある。医療、会計、法律の分野では、もしテレビ会議のイノベーションが手伝いを許されるなら、生産性は停滞するのでなく、確実に加速し始めるだろう。研究者を助けるための自由なデータ共有も急増し、科学論文へのアクセスが活発になっている。科学出版の暴利をむさぼる寡占は、このあと続かないことは確実だ。私たちみんなが費用を払っている研究に自由にアクセスできない事態は、長いあいだ物議をかもしていた。

ネット通販が支持されて大通りの小売店の衰退が加速したように、「現金」の終焉もどんどん近づいているかもしれない。ロックダウン中でも友人どうしが会えるように考案されたオンライン会食のような社交行事は、本物の会食が復活すればだんだんに消えるが、親や祖父母と離れて暮らしている人たちの家族チャットはなくならない。

デジタルイノベーションには医学的用途もある。スマートフォンによって人びとの動きを追跡し、感染者との接触を見つける力は、韓国のような国々で広く使われたが、あらゆる場所で病気を管理するためのカギになる。このテクノロジーはすでに、効果も安全性も機密性も高くなっている。たとえば、スマートフォンがやり取りする暗号化された無意味なメッセージが、接触したふたりのうちひとりが感染した場合、いつ接触したかを明らかにする匿名化されたデータの痕跡を残す。これなら、政府や巨大テック企業に自分の名前や習慣を知られることなく、自主隔離するべきだとスマートフォンから警告を受けることができる。接触追跡は必ずしも、ぞっとするような当局の支配につながるわけではない。

助成金ではなく「懸賞金」を導入する

こうした明るい材料はいくつかあるが、パンデミックが終わったときには、ひどい経済的損失を修復しなくてはならない。深刻な不況は避けられない。失業率は跳ね上がり、インフレは急激に進み、多くの人の債務が持続不可能になり、保護貿易主義が広がる。こうしたショックはまちがいなく貧困層に最大の打撃を与え、大勢の生活を破滅させる。

そして、世界が本書のいちばん大事な教訓を学ばなくてはならないのは、まさにここだ。繁栄はイノベーションから生まれ、イノベーションは新しいことを実験して試す自由から生まれ、自由は規制が寛容で、励みになって、判定が早く、良識あるかどうかにかかっている。迅速な経済成長を取りもどし、最貧困層を助けるための絶対確実な方法は、パンデミック中に医療機器や治療法のイノベーターを促すために一時的に押しのけられた、規制による先延ばしとハードルを研究したうえで、そのような改革を恒久的なものにして、経済のほかの要素にも適用できるかどうか確認することだ。

私はこの危機のあいだ何度も、お役所仕事による不必要な先延ばしにいら立つ起業家や科学者と話をした。たとえば、政府が診断検査を購入する契約をまとめるのに10日かかる。とくに公的部門の管理者、コンサルタント、法律関係の交渉者に見られる切迫感のなさは、もちろん危機においては問題だが、最初からずっと問題だったはずだ。新しい医療機器の認可にせよ、新しい滑走路の建設にせよ、意思決定のプロセスは麻痺していると言えるくらい無気力になっており、選挙で選ばれたわけでもない大勢の「相談員」に悠長な対応の報酬を与えるための要件で、がちがちに固められている。イノベーションを市場導入しようと努力しながら、資金がどんどん減っていくのを見守る起業家にとっての問題は、規制機関が否認することではなく、承認するのに長い時間をかけることなのだ。コロナ後に繁栄を取りもどすつもりなら、それを変えなくてはならない。

政治家はさらに踏み込んで、人間が努力すべききわめて重要な分野で、イノベーションが少なすぎるという事態に陥ることが２度とないように、イノベーションを促すインセンティブをもっと総合的に考え直す必要がある。

ひとつの選択肢は、助成金と特許に頼る代わりに、懸賞金の利用を拡大することだ。有名な「経度賞」は、１７１４年、海上で経度を30分以内に正確に測定する問題を解決した最初の人物に、２万ポンドの賞金を提示した。熟練の航海士や天文学者が問題を解決できなかったすえに発表されたものだ。最終的に解決策があまりに予想外の方向――一介の時計職人がつくった正確で頑丈な時計――から出てきたので、当局は何年もそれを認めようとせず、ジョン・ハリソンを激怒させた。現代の経度賞は、抗生物質の過剰処方を防ぐ治療現場用診断装置に８００万ポンドを提示するもので、２０１４年に設けられたが、いまだに請求されていない。

同様のセレンディピティはいまも起こっている。イノセンティブと呼ばれるオンラインの問題共有フォーラムでは、個人、企業、組織が、困っている問題の詳細を投稿し、クラウドソーシングによる解決策に懸賞金を提示することができる。そのイノセンティブの研究で、「焦点となっている問題が解決者の専門分野から遠ければ遠いほど、その人が問題を解決する可能性が高い」ことが明らかになっている。ジョン・ハリソンと同じだ。イノセンティブは190カ国から40万人の投稿者を集め、うまい解決法に2000万ドル以上が支払われている。

2020年3月、経済学者のタイラー・コーエンが、ソーシャルディスタンスの確保、オンライン礼拝、楽な在宅勤務のやり方、COVID-19の治療法に関するイノベーションに報いる一連の懸賞を発表した。「誰が突破口を開きそうかわからないとき、プロセスより最終結果が大事なとき、解決策がすぐに必要なとき（人材開発はあまりに遅い）、成功の定義が比較的しやすいとき、努力と投資への報酬が十分でなさそうなとき」、懸賞は理想的だと彼は言う。

しかしそのようなリストは、今回のパンデミックだけでなく、人間が努力するほぼあらゆる分野に当てはまる。なぜ私たちはもっと懸賞を行なわないのだろう？　ノーベル賞を受賞した経済学者のマイケル・クレーマーは、イノベーションを起こすインセンティブとして賞金を微調整する、「事前買取制度」の概念を考案した。結局、ワクチンを考案した会社が、賞金をもらっても製造コストを回収できないので製造しないと判断するなら、その会社に賞金を与えても意味がない。

2007年にゲイツ財団は、発展途上国で使う肺炎球菌ワクチンを見つけるために、15億ドルを賞金の資金に投じた。そういうワクチンは、代金を支払う余裕のない人たちに使われるものなので、どんなに長く特許が継続しようと、製薬会社はその投資からは儲けられない。しかし、ゲイツ財団が企業に呼びかけたのは、一括払いの賞金ではなく、ワクチンを開発し製造する10年契約への入札だった。賞金は実質的に、ワクチンが売れるたびに製薬会社が受け取る金額に充てられたのだ。入札の結果、1回分2ドルのすぐれたワクチン3種類が開発され、1億5000万人の子どもに与えられ、70万の命を救った。

政府もイノベーションを解き放つために特許の買い取りを検討できる。ロンドンの王立芸術協会のアントン・ハウズによると、そのような買い取りが過去に功を奏したことがあるという。フランス政府が1839年にダゲールの写真撮影術の特許を買い取り、誰にでも自由に使えるようにした結果、独創的なイノベーションが一気に増えた。最近では3Dプリンタの特許終了が革新的な活動の爆発的増加につながったが、特許が買い取られていたら、もう10年早くそうなっていただろう。1998年にクレーマーは、特許が適正な価格で買い取られるように、競売を使って評価する方法を思いついた。一連のさまざまな特許が相対売買での競売にかけられるのだが、入札者は政府がどれを買うつもりかを知らない。政府は競売でわかった価格で介入する。政府の介入がまれであるなら、民間の入札者が参加を不当に阻止されないですむ。ハウズいわく、「私たちはコロナウイルスだけでなく、あらゆる将来的なパンデミックと闘おうとしているのだから、イノベーションの障害を取り除くために、どの特許――抗ウイルス薬、ワクチン、人工呼吸器、その他の衛生装置――が買い取られるといいかを検討するべきである」。

私はいつになく著書を悲観的な雰囲気で終えた。しだいに高じているように思えるイノベーション欠乏や、現状に甘んじている大企業の黙認、官僚主義の大きな政府、新しいもの嫌いの大規模な抗議団体を嘆いている。デジタルの世界を中心にいくつか例外はあるが、イノベーションのエンジンは止まりかけており、社会には必要なだけの価値ある新しい製品やサービスがない。

COVID-19はそのメッセージを強烈なかたちで痛感させている。いまこそイノベーションを働かせるべきときだ。

謝辞

本書を書くにあたって多くの人たちに助けられたので、その全員に深く感謝したい。テーマのひとつは、イノベーションが一般に認識されているよりもっと協力的な営みだということであり、それをふまえて、私は自分が受けたさまざまな影響の総和または産物であると、喜んで認めよう。

この2、3年にわたって、手紙や会話で私の思考を助けてくれた人は、ルーベン・エイブラハム、有馬純、アラステア・ボールズ、イザベル・ベーンケ、ジョン・ベル、ロバート・ボイド、ジョン・バーン、ガブリエル・カルザダ、ダグラス・カースウェル、ビル・ケースビア、モニカ・チェイニー、ジョン・チゾム、ジョン・コンスタブル、フレデリック・ダリエ、デイヴィッド・デント、スーザン・ダドリー、ナターシャ・エンゲル、フレドリック・エリクソン、フィオナ・フェル、イアン・フェルズ、グレッグ・フィンチ、ジョージ・フリーマン、ドミニク・フリスビー、ゴードン・ゲッティー、ジョシュ・ギルダー、オリヴァー・グッドイナフ、イアン・グレゴリー、ダン・ハナン、トム・ハズレット、デイヴィッド・ヒル、リディア・ホッパー、アントン・ハウズ、故カレストゥス・ジュマ、テレンス・キーリー、マイケル・ケリー、マーク・リトルウッド、ケリー=ジョー・マッカーサー、ブライアン・マニックス、マイク・マイヤーホーファー、アンドリュー・メイン、ケヴィン・マッケイブ、ディアドラ・マクロスキー、アルベルト・ミンガルディ、ジュリアン・モリス、ジョン・モイニハン、ジェシー・ノーマン、ゲリー・オーストロム、ケンドラ・オコンスキー、オーウェン・パターソン、ライアン・フィラン、ピート・リチャーソン、ポール・ローマー、デイヴィッド・ローズ、マックス・ローザー、バートレット・ラッセル、アラン・ラザフォード、ヴァーツラフ・シュミル、ニック・スタインズバーガー、杉山大志、ローリー・サザーランド、エオルシュ・サットマリー、アンドリュー・トランス、リズ・トラス、マリアン・トゥーピー、マガット・ウェイド、エドワード・ワッサーマン、リチャード・ウェブ、ブルース・ホワイトロー、キャンディダ・ホイットミル、マシュー・ウィレッツ、リチャード・ランガム、クリス・ライト、デイヴィッド・ザルク、その他大勢いる。

数年にわたり、多くの偉大なイノベーターや起業家にインタビューしたり、話をしたりして、この話題に関するさまざまなアイデアをいただいた。ジェフ・ベゾス、スチュアート・ブランド、ジェームズ・ダイソン、アレック・ジェフリーズ、ジェームズ・ラヴロック、エリック・シュミット、ピーター・ティール、トニー・トラップ、ジェームズ・ワトソン、マーク・ザッカーバーグなどの名が挙げられる。

本書の考えのいくつかを、ウォールストリートジャーナル紙とタイムズ紙のコラムに試しに掲載した。編集者のゲリー・ローゼンとマイク・スミスの協力とサポートはとてもありがたかった。

貴族院の同僚はしばしば、新しい考えの豊富な鉱脈であることを証明している。全員の名を挙げようとは思わないが、科学技術特別委員会委員長のナレン・パテルと、人工知能特別委員会委員長のティム・クレメント＝ジョンズには、とくにお世話になった。ベテランの委員長の下で働き、イノベーターに関する理解を深めるために調査の証拠審議会を利用するチャンスをいただいた。

ジョン・コンスタブルにはとりわけありがとうと言いたい。彼のアイデア、とくにありえなさの概念に関する彼の考え方は、この本にたっぷり浸透している。彼は相談役であり監修者でもあった。さらに、ソーシャルメディアに関して助けてくれたデリック・ベラミーと、編集を助けてくれたサラ・シケットにもお礼を言いたい。

担当エージェントのフェリシティ・ブライアンとピーター・ギンズバーグ、そして担当編集者のルイーズ・ヘインズとテリー・カルテンは、本書の企画を熱心に推進し、初期の草稿を思慮深く読んでくれた。そのことに心から感謝したい。

最後になったが、とりわけ大きな感謝を、発見と発明について深く考える妻のアーニャと、参考になるおしゃべりをしてくれる愉快な仲間の子どもたちに。

Lynas, Mark. *Seeds of Science: Why We Got It So Wrong on GMOs.* Bloomsbury, 2018.
Mcleod, Christine. *Inventing the Industrial Revolution: The English Patent System 1660-1800.* Cambridge University Press, 1988.
Paarlberg, Robert. 2014. 'A dubious success: the NGO campaign against *GMOs'. GM Crops & Food* 5(3), 2014: 223-8.
Porterfield, Andrew. 'Far more toxic than glyphosate: copper sulfate, used by organic and conventional farmers, cruises to European reauthorization'. *Genetic Literacy Project,* 20 March 2018.
Tabarrok, Alex. *Launching the Innovation Renaissance.* TED Books, 2011.
Thierer, Adam. *Permissionless Innovation: The Continuing Case for Comprehensive Technological Freedom.* Mercatus Center, George Mason University, 2016.
Thierer, Adam. *Permissionless Innovation and Public Policy: A 10-Point Blueprint.* Mercatus Center, George Mason University, 2016.
Zaruk, David. 'Christopher Portier - well-paid activist scientist at center of the ban-glyphosate movement'. *Genetic Literacy Project,* 17 October 2017.

第12章

Erixon, Fredrik and Björn Weigel. *The Innovation Illusion: How So Little is Created by So Many Working So Hard.* Yale University Press, 2016.
Lindsey, Brink and Steve Teles. *The Captured Economy.* Oxford University Press, 2017.
Topol, Eric. *Deep Medicine: How Artificial Intelligence Can Make Healthcare Human Again.* Basic Books, 2019.（エリック・トポル『ディープメディスン――AIで思いやりのある医療を！』柴田裕之訳、NTT出版）
Torchinsky, Jason. 'Here's how fast cars would be if they advanced at the pace of computers'. *Jalopnik.com,* 2 March 2017.

ベーション』鷲田祐一、古江奈々美、北浦さおり訳、白桃書房)
Warsh, David. *Knowledge and the Wealth of Nations: A Story of Economic Discovery*. W. W. Norton & Company, 2006.(デヴィッド・ウォルシュ『ポール・ローマーと経済成長の謎』小坂恵理訳、日経BP)
Worstall, Tim. 'Is there really a "problem" with robots taking our jobs?' *CapX.com*, 1 July 2019.

第10章

Alvino, Nicole. 'Theranos: when a culture of growth becomes a culture of scam'. *Entrepreneur.com*, 22 May 2019.
Carreyrou, John. *Bad Blood: Secrets and Lies in a Silicon Valley Startup*. Pan Macmillan, 2018.(ジョン・キャリールー『BAD BLOOD』関美和・櫻井祐子訳、集英社)
Dennis, Gareth. 'Don't believe the hype about hyperloop'. *Railway Gazette*, 14 March 2018.
Rowan, David. *Non-Bullshit Innovation*. Bantam Press, 2019.(デイビッド・ローワン『反逆の戦略者Disruptors』御立英史訳、ダイヤモンド社)
Stern, Jeffrey. 'The $80 million fake bomb-detector scam - and the people behind it'. *Vanity Fair*, 24 June 2015.
Stone, Brad. *The Everything Store: Jeff Bezos and the Age of Amazon*. Little, Brown, 2013.(ブラッド・ストーン『ジェフ・ベゾス果てなき野望――アマゾンを創った無敵の奇才経営者』井口耕二訳、日経BP)
Troianovski, Anton and Sven Grundberg. 'Nokia's bad call on smartphones'. *Wall Street Journal*, 11 July 2012.

第11章

Behrens, Dave. 'The Tabarrok Curve: a call for patent reform in the US'. The *Economics Review at NYU*, 13 March 2018.
Cerf, Vint, Tim Berners-Lee, Anriette Esterhuysen, et al. 'Article 13 of the EU Copyright Directive threatens the internet'. Letter to Antonio Tajani MEP, President of the European Parliament, 12 June 2018.
Chisholm, John. 'Drones, dangerous animals and peeping Toms: impact of imposed vs. organic regulation on entrepreneurship, innovation and economic growth'. *International Journal of Entrepreneurship and Small Business* 35, 2018: 428-51.
Dumitriu, Sam. 'Regulation risks making Big Tech bigger'. *CapX.com*, 27 November 2018.
Erixon, Fredrik and Björn Weigel. *The Innovation Illusion: How So Little is Created by So Many Working So Hard*. Yale University Press, 2016.
Hazlett, Tom. *The Political Spectrum: The Tumultuous Liberation of Wireless Technology, from Herbert Hoover to the Smartphone*. Yale University Press, 2017.
Hazlett, Tom. 'We could have had cellphones four decades earlier'. *Reason Magazine*, July 2017.
Heller, Michael. *The Gridlock Economy: How Too Much Ownership Wrecks Markets, Stops Innovation, and Costs Lives*. Basic Books, 2008.(マイケル・ヘラー『グリッドロック経済――多すぎる所有権が市場をつぶす』山形浩生、森本正史訳、亜紀書房)
Juma, Calestous. *Innovation and Its Enemies: Why People Resist New Technologies*. Oxford University Press, 2016.
Lindsey, Brink and Steve Teles. *The Captured Economy*. Oxford University Press, 2017.

Wall Street Journal. 'Germany's dirty green cars'. 23 April 2019 (editorial).
Wasserman, Edward. 'Dick Fosbury's famous flop was actually a great success'. *Psychology Today,* 19 October 2018.
Wasserman, Edward. A., and Patrick Cullen. 'Evolution of the violin: the law of effect in action'. *Journal of Experimental Psychology: Animal Learning and Cognition,* 42, 2016: 116-22.
West, Geoffrey. *Scale: The Universal Laws of Life and Death in Organisms, Cities and Companies.* Weidenfeld and Nicolson, 2017.
Williams, Gareth. *Unravelling the Double Helix: The Lost Heroes of DNA.* Weidenfeld and Nicolson, 2019.

第9章

Autor, David. 'Why are there still so many jobs? The history and future of workplace automation'. *Journal of Economic Perspectives* 29, 2015: 3-30.
Bush, Vannevar. 'Science: the endless frontier'. US Government, 1945.
Edgerton, David. 'The "Linear Model" Did Not Exist. Reflections on the History and Historiography of Science', in *The Science-Industry Nexus: History, Policy, Implications* (eds. Karl Grandin and Nina Wormbs). Watson, 2004.
Hopper, Lydia and Andrew Torrance. 'User innovation: a novel framework for studying innovation within a non-human context'. *Animal Cognition* 22(6), 2019: 1185-90.
Huston, Larry and Nabil Sakkab. 'Connect and develop: inside Procter & Gamble's new model for innovation'. *Harvard Business Review,* March 2006.
Isaacson, Walter. *The Innovators.* Simon and Schuster, 2014.（ウォルター・アイザックソン『イノベーターズ』井口耕二訳、講談社）
Jewkes, John. *The Sources of Invention.* Macmillan, 1958.（J.ジュークス、D.サワーズ、R.スティラーマン『発明の源泉』星野芳郎、大谷良一、神戸鉄夫訳、岩波書店）
Kealey, Terence. 'The case against public science'. *Cato Unbound,* 5 August 2013.
Keynes, John Maynard. Economic Possibilities for Our Grandchildren (1930), in *Essays in Persuasion.* Norton, 1963.
Loris, Nicholas. 'Banning the incandescent light bulb'. *Heritage Foundation,* 23 August 2010.
Mazzucato, Mariana. *The Entrepreneurial State.* Anthem Press, 2013.（マリアナ・マッツカート『企業家としての国家』大村昭人訳、薬事日報社）
Mingardi, Alberto. 'A critique of Mazzucato's entrepreneurial state'. *Cato Journal* 35, 2015: 603-25.
Ozkan, Nesli. 'An example of open innovation: P&G'. *Procedia - Social and Behavioral Sciences* 195, 2015: 1496-1502.
Runciman, W. Garry. Very Different, But Much the Same: *The Evolution of English Society since 1714.* Oxford University Press, 2015.
Shackleton, J. R. 'Robocalypse now?' *Institute of Economic Affairs,* 2018.
Shute, Neville. *Slide Rule: An Autobiography.* House of Stratus, 1954.
Steinbeck, John. 'Interview with Robert van Gelder'. *Cosmopolitan* 18, 1947: 123-5.
Sutherland, Rory. 'Why governments should spend big on tech'. *The Spectator,* 6 July 2019.
Thackeray, William Makepeace. *Ballads and Verses and Miscellaneous Contributions to 'Punch'.* Macmillan, 1904.
von Hippel, Eric. *Free Innovation.* MIT Press, 2017.（エリック・フォン・ヒッペル『フリーイノ

modern human behavior. *Journal of Human Evolution* 39, 2000: 453-563.
Rehfeld, K., T. Munch, S. L. Ho and T. Laepple, 'Global patterns of declining temperature variability from Last Glacial Maximum to Holocene'. *Nature* 554, 2018: 356-9.
Tishkoff, Sarah A., Floyd A. Reed, Alessia Ranciaro, et al. 'Convergent adaptation of human lactase persistence in Africa and Europe'. *Nature Genetics* 39, 2007: 31-40.
Wrangham, Richard. *Catching Fire*. Profile Books, 2009.（リチャード・ランガム『火の賜物』依田卓巳訳、NTT出版）
Wrangham, Richard. *The Goodness Paradox*. Profile Books, 2019.

第８章

Arthur, Brian. *The Nature of Technology: What It is and How It Evolves*. Allen Lane, 2009.（W・ブライアン・アーサー『テクノロジーとイノベーション――進化/生成の理論』日暮雅通訳、みすず書房）
Benjamin, Park. *The Age of Electricity: From Amber-Soul to Telephone*. Scribner, 1886.
Brooks, Rodney. 'The seven deadly sins of AI predictions'. *MIT Technology Review*. 6 October 2017.
Brynjolfson, Erik and Andrew McAfee. *The Second Machine Age: Work, Progress and Prosperity in a Time of Brilliant Technology*. Norton, 2014.（エリック・ブリニョルフソン、アンドリュー・マカフィー『ザ・セカンド・マシン・エイジ』村井章子訳、日経BP）
DNA Legal. 'Profile: Sir Alec Jeffreys - the pioneer of DNA testing'. dnalegal.com, 15 January 2015.
Dodgson, Mark and David Gann. *Innovation: A Very Short Introduction*. Oxford University Press, 2010.
Grier, Peter. 'Really portable telephones: costly but coming?' *Christian Science Monitor*, 15 April 1981.
Hammock, Rex. 'So what exactly did Paul Saffo say and when did he say it?'. *Rexblog*, 15 June 2007.
Harford, Tim. *Fifty Things That Made the Modern Economy*. Little, Brown, 2017.（ティム・ハーフォード『50――いまの経済をつくったモノ』遠藤真美訳、日本経済新聞出版社）
Harford, Tim. 'What we get wrong about technology'. *Financial Times magazine*, 8 July 2017.
Juma, Calestous. *Innovation and Its Enemies: Why People Resist New Technologies*. Oxford University Press, 2016.
Kealey, Terence and Martin Ricketts. *Modelling the industrial revolution using a contribution good model of technical change* (unpublished).
Krugman, Paul. 'Why most economists' predictions are wrong'. *Red Herring Online*. 10 June 1998.
McAfee, Andrew. *More from Less: The Surprising Story of How We Learned to Prosper Using Fewer Resources and What Happens Next*. Simon and Schuster, 2019.（アンドリュー・マカフィー『モア・フロム・レス』小川敏子訳、日本経済新聞出版）
Ridley, Matt. *The Evolution of Everything*. HarperCollins, 2015.（マット・リドレー『進化は万能である』大田直子、鍛原多恵子、柴田裕之、吉田三知世訳、ハヤカワ文庫）
Ridley, Matt. 'Amara's Law'. The Times, available at Mattridley.co.uk, 12 November 2017.
Schumpeter, Joseph. *Capitalism, Socialism and Democracy*. Harper and Row, 1950.（ヨーゼフ・シュンペーター『資本主義、社会主義、民主主義』大野一訳、日経BP）
Wagner, Andreas. *Life Finds a Way*. OneWorld, 2019.

Johnson, Steven. *Where Good Ideas Come From: The Natural History of Innovation.* Riverhead Books, 2010.（スティーブン・ジョンソン『イノベーションのアイデアを生み出す七つの法則』松浦俊輔訳、日経BP）
Morris, Betsy. 'A Silicon Valley apostate launches "An inconvenient truth" for tech'. *Wall Street Journal,* 23 April 2019.
Newbolt, Henry. *My World As in My Time.* Faber and Faber, 1932.
Pariser, Eli. *The Filter Bubble.* Penguin Books, 2011.（イーライ・パリサー『フィルターバブル』井口耕二訳、ハヤカワ文庫）
Pettegree, Andrew. *Brand Luther.* Penguin Books, 2015.
Raboy, Marc. *Marconi: The Man Who Networked the World.* Oxford University Press, 2016.
Ribeiro, Marco, Sameer Singh and Carlos Guestrin. '"Why should I trust you?" Explaining the Predictions of Any Classifier'. *Proceedings of the 22nd ACM SIGKDD International Conference on Knowledge Discovery and Data Mining 2016,* pp. 1135-44.
Silverman, Kenneth. *Lightning Man: The Accursed Life of Samuel F. B. Morse.* Knopf Doubleday, 2003.
Slawski, Bill. 'Just what was the First Search Engine?' seobythesea.com, 2 May 2006.
Thackray, Arnold. *Moore's Law: The Life of Gordon Moore, Silicon Valley's Quiet Revolutionary.* Basic Books, 2015.
The Economist. After Moore's Law. *Technology Quarterly,* 3 December 2016.

第７章

Bettinger, R., P. Richerson and R. Boyd. 'Constraints on the development of agriculture'. *Current Anthropology* 50, 2009: 627-31.
Botigu, Laura R., Shiya Song, Amelie Scheu, et al. 'Ancient European dog genomes reveal continuity since the early Neolithic'. *Nature Communications* 8(16082), 2017.
Brown, K. S. et al. 'An early and enduring advanced technology originating 71,000 years ago in South Africa'. *Nature* 491, 2012: 590-93.
Finkel, Meir and Ran Barkai. 'The Acheulean handaxe technological persistence: a case of preferred cultural conservatism?' *Proceedings of the Prehistoric Society* 84, 2018: 1-19.
Gerhart, L. M. and J. K. Ward 'Plant responses to low [CO2] of the past'. *New Phytologist* 188, 2010: 674-95.
Gowlett, J. A. J. 2016. 'The discovery of fire by humans: a long and convoluted process'. *Philosophical Transactions of the Royal Society B* 371:1696, 2016.
Henrich, J. 'Demography and cultural evolution: how adaptive cultural processes can produce maladaptive losses: the Tasmanian case'. *American Antiquity* 69, 2004: 197-214.
Lane, Nick. *The Vital Question: Why is Life the Way It Is?* Profile Books, 2015.（ニック・レーン『生命、エネルギー、進化』斉藤隆央訳、みすず書房）
Lovelock, James. *Novacene: The Coming Age of Hyperintelligence.* Penguin Books, 2019.（ジェームズ・ラヴロック『ノヴァセン――<超知能>が地球を更新する』松島倫明訳、NHK出版）
Mahowald, N., K. E. Kohfeld, M. Hanson, et al. 'Dust sources and deposition during the last glacial maximum and current climate: a comparison of model results with paleodata from ice cores and marine sediments'. *Journal of Geophysical Research* 104, 1999:15,895-15,916.
Marean, C. 'The transition to foraging for dense and predictable resources and its impact on the evolution of modern humans'. *Philosophical Transactions of the Royal Society B* 371(1698), 2016.
McBrearty, S. and A. S. Brooks. 'The revolution that wasn't: a new interpretation of the origin of

Quest for Combining Genes to Mitigate Threats to Global Food Security', in Y. Ogihara, S. Takumi and H. Handa (eds). *Advances in Wheat Genetics: From Genome to Field.* Springer, 2015.
Martin-Laffon, Jacqueline, Marcel Kuntz and Agnes Ricroch. 'Worldwide CRISPR patent landscape shows strong geographical biases'. *Nature Biotechnology* 37, 2019: 613-20.
Pappas, Stephanie. 'Irish potato blight originated in South America'. *Live Science,* 3 January 2017.
Reader, John. *Potato: A History of the Propitious Esculent.* Yale University Press, 2009.
Romeis, Jorg et al. 'Genetically engineered crops help support conservation biological control'. *Biological Control* 130, 2019: 136-54.
Van Montagu, Marc. 'It is a long way to GM agriculture'. *Annual Reviews of Plant Biology* 62, 2011: 1-23.
Vietmeyer, Noel. *Our Daily Bread: The Essential Norman Borlaug.* Bracing Books, 2011.

第5章

Devlin, Keith. *The Man of Numbers: Fibonacci's Arithmetic Revolution* (Kindle Locations 840-841). Bloomsbury (Kindle edn).
Guedes, Pedro. 'Iron in Building: 1750-1855 - Innovation and Cultural Resistance'. PhD thesis, University of Queensland, 2010.
Gurley, Bill. 'Money out of nowhere: how internet marketplaces unlock economic wealth'. abovethecrowd.com, 27 February 2019.
Kaplan, Robert. *The Nothing That Is: A Natural History of Zero.* Oxford University Press, 1999.（ロバート・カプラン『ゼロの博物誌』松浦俊輔訳、河出書房新社）
Levinson, Marc. *The Box.* Princeton University Press, 2006.（マルク・レビンソン『コンテナ物語』村井章子訳、日経BP）
McNichol, Ian. *Joseph Bramah: A Century of Invention 1749-1851.* David and Charles, 1968.
Nebb, Adam. 'Why did it take until the 1970s for wheeled luggage to appear when patent applications were being filed in the 1940s?' *South China Morning Post,* 29 June 2017.
Ospina, Daniel. 'How the best restaurants in the world balance innovation and consistency'. *Harvard Business Review,* January 2018.
Petruzzelli, Antonio and Tommaso Savino. 'Search, recombination, and innovation: lessons from haute cuisine'. *Long Range Planning* 47, 2014: 224-38.
Sharky, Joe. 'Reinventing the suitcase by adding the wheel'. *The New York Times,* 4 October 2010.
Spool, Jared. 'The $300 million button'. uie.com, January 2009.

第6章

Bail, Christopher. 'Exposure to opposing views on social media can increase political polarization'. *PNAS* 115, 2018: 9216-21.
Handy, Jim. 'How many transistors have ever shipped?' *Forbes,* 26 May 2014.
Isaacson, Walter *The Innovators: How a Group of Hackers, Geniuses, and Geeks Created the Digital Revolution.* Simon and Schuster, 2014.（ウォルター・アイザックソン『イノベーターズ――天才、ハッカー、ギークがおりなすデジタル革命史』井口耕二訳、講談社）

Infectious Disease 16, 2010: 1273-8.
Wortley-Montagu, Lady Mary. [1994.] *The Turkish Embassy Letters.* Virago.

第３章

Davies, Hunter. *George Stephenson: The Remarkable Life of the Founder of the Railways.* Sutton Publishing, 1975.
Grace's Guide to British Industrial History. 'Bedlington ironworks'. https://www.gracesguide.co.uk/Bedlington_Ironworks.
Harris, Don. 'Improving aircraft safety'. *The Psychologist* 27, 2014: 90-95.
Khan, Jibran. 'Herb Kelleher's Southwest Airlines showed the value of playing fair'. *National Review,* 10 January 2019.
McCullough, David. *The Wright Brothers.* Simon and Schuster, 2015.（デヴィッド・マカルー『ライト兄弟』草思社文庫）
Nahum, Andrew. *Frank Whittle: The Invention of the Jet.* Icon Books, 2004.
Parissien, Steven. *The Life of the Automobile: A New History of the Motor Car.* Atlantic Books, 2014.
Smil, Vaclav. *Prime Movers of Globalization: The History and Impact of Diesel Engines and Gas Turbines.* MIT Press, 2013.
Smiles, Samuel. *The Life of George Stephenson and His Son Robert.* John Murray, 1857.
Smith, Edgar. *A Short history of Naval and Marine Engineering.* Cambridge University Press, 1938.
Wolmar, Christian. *Fire and Steam: How the Railways Transformed Britain.* Atlantic Books, 2007.

第４章

Balmford, Andrew et al. 'The environmental costs and benefits of high-yield farming'. *Nature Sustainability* 1, 2018: 477-85.
Brooks, Graham. 'UK plant genetics: a regulatory environment to maximise advantage to the UK economy post Brexit'. Agricultural Biotechnology Council briefing paper, 2018.
Cavanagh, Amanda. 'Reclaiming lost calories: tweaking photosynthesis boosts crop yield'. *The Conversation,* January 2019.
Dent, David. *Fixed on Nitrogen: A Scientist's Short Story.* ADG Publishing, 2019.
Doudna, Jennifer. *A Crack in Creation.* Houghton Mifflin, 2017.（ジェニファー・ダウドナ、サミュエル・スターンバーグ『CRISPR（クリスパー）究極の遺伝子編集技術の発見』櫻井祐子訳、文藝春秋）
Ghislain, Marc et al. 'Stacking three late blight resistance genes from wild species directly into African highland potato varieties confers complete field resistance to local blight races'. *Plant Biotechnology Journal,* 17, 2018: 1119-29.
Hager, Thomas. *The Alchemy of Air: A Jewish Genius, a Doomed Tycoon, and the Scientific Discovery That Fed the World But Fueled the Rise of Hitler.* Crown, 2008.（トーマス・ヘイガー『大気を変える錬金術――ハーバー、ボッシュと化学の世紀』渡会圭子訳、みすず書房）
Lander, Eric. 'The heroes of CRISPR'. *Cell* 164(1), January 2016: 18-28.
Lumpkin, Thomas. 'How a Gene from Japan Revolutionized the World of Wheat: CIMMYT's

and the Probable Exhaustion of Our Coal-Mines. Macmillan, 1865.
McCullough, David. *The Wright Brothers.* Simon and Schuster, 2015.（デヴィッド・マカルー『ライト兄弟』草思社文庫）
Rolt, L. T. C. *Thomas Newcomen: The Prehistory of the Steam Engine.* David and Charles/McDonald, 1963.
Selgin, George and John Turner. 'Watt, again - Boldrin and Levine still exaggerate the adverse effect of patents on the progress of steam power'. *Review of Law and Economics* 5, 2009: 7-25.
Smiles, Samuel. *Story of the Life of George Stephenson.* John Murray, 1857.
Smith, Ken. *Turbinia: The Story of Charles Parsons and His Ocean Greyhound.* Tyne Bridge Publishing, 2009.
Swallow, John. *Atmospheric Engines.* Lulu Enterprises, 2013.
Swan, Kenneth R. *Sir Joseph Swan.* Longmans, 1946.
Triewald, Marten. *Short Description of the Atmospheric Engine.* 1728. (Published in English by W. Heffer and Sons, 1928.)
Vanek Smith, Stacey. 'How an engineer's desperate experiment created fracking'. *National Public Radio,* 27 September 2016.
Weijers, Leen, Chris Wright, Mike Mayerhofer, et al. 'Trends in the North American frac industry: invention through the shale revolution'. *Presentation at the Society Petroleum Engineers Hydraulic Fracturing Technology Conference,* 5-7 February 2019.
Zuckerman, Gregory. 'Breakthrough: the accidental discovery that revolutionized American energy'. *Atlantic,* 6 November 2013.

第２章

Bookchin, Debbie and Jim Schumacher. *The Virus and the Vaccine: Contaminated Vaccines, Deadly Cancers, and Government Neglect.* St. Martin's Press, 2004.
Brown, Kevin. *Penicillin Man: Alexander Fleming and the Antibiotic Revolution.* The History Press, 2005.
Carrell, Jennifer Lee. *The Speckled Monster: A Historical Tale of Battling Smallpox.* Penguin Books, 2003.
Darriet, F., V. Robert, N. Tho Vien and P. Carnevale. *Evaluation of the Efficacy of Permethrin-Impregnated Intact and Perforated Mosquito Nets against Vectors of Malaria.* World Health Organization Report, 1984
Epstein, Paul. 'Is global warming harmful to health?' *Scientific American,* August 2000.
Gething, Peter et al. 'Climate change and the global malaria recession'. *Nature* 465, 2010: 342-5.
Halpern, David. *Inside the Nudge Unit.* W. H. Allen, 2015.
MacFarlane, Gwyn. *Alexander Fleming: The Man and the Myth.* Harvard University Press, 1984.（グウィン・マクファーレン『奇跡の薬――ペニシリンとフレミング神話』北村二朗訳、平凡社）
McGuire, Michael J. *The Chlorine Revolution: Water Disinfection and the Fight to Save Lives.* American Water Works Association, 2013.
Reiter, Paul. The IPCC and Technical Information. *Example: Impacts on Human Health.* Evidence to the House of Lords Select Committee on Economic Affairs, 2005.
Ridley, Matt. 'Britain's vaping revolution: why this healthier alternative to smoking is under threat'. *Sunday Times,* 8 July 2018.
Shapiro-Shapin, Carolyn. 'Pearl Kendrick, Grace Eldering, and the pertussis vaccine'. *Emerging*

出典と参考文献

はじめに

Adams, Douglas. *The Hitchhiker's Guide to the Galaxy.* Pan Books, 1979.（ダグラス・アダムス『銀河ヒッチハイク・ガイド』安原和見訳、河出書房新社）

Christiansen, Clayton. *The Innovator's Dilemma.* Harvard Business Review Press, 1997.（クレイトン・クリステンセン『イノベーションのジレンマ』伊豆原弓訳、翔泳社）

Hogan, Susan. '"Home of sliced bread": a small Missouri town champions its greatest thing'. *Washington Post,* 21 February 2018.

Maddison, Angus. *Phases of Capitalist Development.* Oxford University Press, 1982.（アンガス・マディソン『経済発展の新しい見方』関西大学西洋経済史研究会訳、嵯峨野書院）

McCloskey, Deirdre. *The Bourgeois Virtues: Ethics for an Age of Commerce.* University of Chicago Press, 2006.

McCloskey, Deirdre. 'The great enrichment was built on ideas, not capital'. *Foundation for Economic Education,* November 2017.

Mokyr, Joel. *The Gifts of Athena: Historical Origins of the Knowledge Economy.* Princeton University Press, 2002.（ジョエル・モキイア『知識経済の形成——産業革命から情報化社会まで』伊藤庄一訳、名古屋大学出版会）

Mokyr, Joel. *A Culture of Growth: The Origins of the Modern Economy.* Princeton University Press, 2016.

Petty, William. *Treatise on Taxes and Contributions* (pp. 113-14), 1662.（ペティ『租税貢納論』大内兵衛、松川七郎訳、岩波文庫）

Phelps, Edmund. *Mass Flourishing: How Grassroots Innovation Created Jobs, Challenge and Change.* Princeton University Press, 2013.（エドマンド・S・フェルプス『なぜ近代は繁栄したのか——草の根が生みだすイノベーション』小坂恵理訳、みすず書房）

Strauss, E. *Sir William Petty: Portrait of a Genius.* The Bodley Head, 1954.

第１章

Bailey, Ronald. 'Environmentalists were for fracking before they were against it'. *Reason Magazine,* 5 October 2011.

Boldrin, Michele, David K. Levine and Alessandro Nuovolari. 'Do patents encourage or hinder innovation? The case of the steam engine'. *The Freeman: Ideas on Liberty,* December 2008, pp. 14-17.

Cohen, Bernard. *The Nuclear Energy Option.* Springer, 1990.（バーナード・L・コーエン『私はなぜ原子力を選択するか——21世紀への最良の選択』近藤駿介監訳、ERC出版）

Constable, John. 'Energy, entropy and the theory of wealth'. *Northumberland and Newcastle Society,* 11 February 2016.

Friedel, Robert and Paul Israel. *Edison's Electric Light.* Johns Hopkins University Press, 1986.

Jevons, William Stanley. *The Coal Question: An Inquiry Concerning the Progress of the Nation*

著者紹介

マット・リドレー (Matt Ridley)

世界的に著名な科学・経済啓蒙家。英国貴族院議員(子爵)。元ノーザンロック銀行チェアマン。

事実と論理にもとづいてポジティブな未来を構想する「合理的楽観主義(Rational Optimism)」を提唱し、ビル・ゲイツ(マイクロソフト創業者)、マーク・ザッカーバーグ(フェイスブック創業者)らビジネスリーダーの世界観に影響を与えたビジョナリーとして知られる。合理的楽観主義をはじめて提示した著書『繁栄:明日を切り拓くための人類10万年史』はゲイツ、ザッカーバーグらが推薦図書に選出。グーグルには3度招かれ講演を行なっている。

1958年、英国ノーザンバーランド生まれ。オックスフォード大学で動物学の博士号を取得。「エコノミスト」誌の科学記者を経て、英国国際生命センター所長、コールド・スプリング・ハーバー研究所客員教授を歴任。オックスフォード大学モードリン・カレッジ名誉フェロー。

他の著作に『やわらかな遺伝子』『赤の女王』『進化は万能である』などがあり、著作は31カ国語に翻訳。最新刊である本書『人類とイノベーション』は発売直後から米英でベストセラーを記録している。

訳者紹介

大田直子 (おおた・なおこ)

翻訳家。東京大学文学部社会心理学科卒。訳書にリチャード・ドーキンス『魂に息づく科学』『神よ、さらば』、マット・リドレー『繁栄』『進化は万能である』(ともに共訳)、オリバー・サックス『音楽嗜好症』、ブライアン・グリーン『隠れていた宇宙』他多数。

装幀……水戸部功
本文デザイン・DTP……朝日メディアインターナショナル
校正……鷗来堂
営業……岡元小夜・鈴木ちほ・多田友希
進行管理……中野薫・中村孔大
編集……富川直泰

人類とイノベーション
――世界は「自由」と「失敗」で進化する

2021年 3 月 3 日　第1刷発行
2023年 4 月26日　第3刷発行

著者…………マット・リドレー
訳者…………大田直子
発行者………金泉俊輔
発行所………株式会社ニューズピックス

〒100-0005 東京都千代田区丸の内 2-5-2 三菱ビル
電話　03-4356-8988 ※電話でのご注文はお受けしておりません。
FAX　03-6362-0600 FAXあるいは下記のサイトよりお願いいたします。
https://publishing.newspicks.com/

印刷・製本……シナノ書籍印刷株式会社

ISBN 978-4-910063-15-7

本書に関するお問い合わせは下記までお願いいたします。
np.publishing@newspicks.com

希望を灯そう。

「失われた30年」に、
失われたのは希望でした。

今の暮らしは、悪くない。
ただもう、未来に期待はできない。
そんなうっすらとした無力感が、私たちを覆っています。

なぜか。
前の時代に生まれたシステムや価値観を、今も捨てられずに握りしめているからです。

こんな時代に立ち上がる出版社として、私たちがすべきこと。
それは「既存のシステムの中で勝ち抜くノウハウ」を発信することではありません。
錆びついたシステムは手放して、新たなシステムを試行する。
限られた椅子を奪い合うのではなく、新たな椅子を作り出す。
そんな姿勢で現実に立ち向かう人たちの言葉を私たちは「希望」と呼び、
その発信源となることをここに宣言します。

もっともらしい分析も、他人事のような評論も、もう聞き飽きました。
この困難な時代に、したたかに希望を実現していくことこそ、最高の娯楽(エンタメ)です。
私たちはそう考える著者や読者のハブとなり、時代にうねりを生み出していきます。

希望の灯を掲げましょう。
1冊の本がその種火となったなら、これほど嬉しいことはありません。

令和元年
NewsPicksパブリッシング 編集長
井上 慎平